FUNDAMENTOS DA
CLÍNICA PSICANALÍTICA

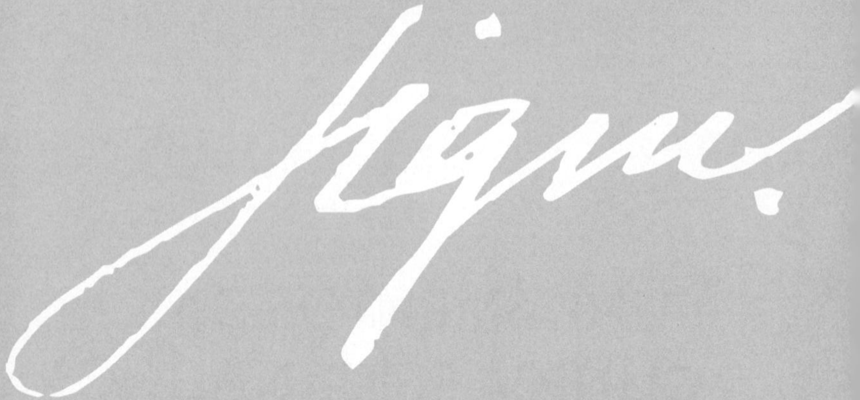

OBRAS INCOMPLETAS DE **SIGMUND FREUD**

Freud

FUNDAMENTOS DA
CLÍNICA PSICANALÍTICA

2ª edição revista
8ª reimpressão

TRADUÇÃO
Claudia Dornbusch

autêntica

7   Sobre fundamentos da clínica
Gilson Iannini e Pedro Heliodoro Tavares

19   Tratamento psíquico (tratamento anímico) (1890)

47   Carta a Fließ 242 [133] (16 de abril de 1900)

51   O método psicanalítico freudiano (1904 [1905])

63   Sobre psicoterapia (1905 [1904])

81   Sobre psicanálise "selvagem" (1910)

93   Recomendações ao médico para
o tratamento psicanalítico (1912)

107   Sobre a dinâmica da transferência (1912)

121   Sobre o início do tratamento (1913)

151   Lembrar, repetir e perlaborar (1914)

165   Observações sobre o amor transferencial (1915 [1914])

183   Sobre *fausse reconnaissance* ("*déjà raconté*")
durante o trabalho analítico (1914)

191   Caminhos da terapia psicanalítica (1919 [1918])

205 A questão da análise leiga.
Conversas com uma pessoa imparcial (1926)

315 A análise finita e a infinita (1937)

365 Construções na análise (1937)

383 Posfácio: Orientação Freudiana
Sérgio Laia

403 Referências

SOBRE FUNDAMENTOS DA CLÍNICA

Gilson Iannini
Pedro Heliodoro Tavares

Quais os fundamentos da clínica psicanalítica? O que separa a Psicanálise de outras práticas de cuidado, como o tratamento medicinal, as diversas psicoterapias ou as curas religiosas? A resposta mais direta a essas questões não se esgota em aspectos teóricos; ao contrário, remete-nos ao domínio da prática analítica, relativo ao método e à técnica, assim como à dimensão ética que dali se depreende. Os textos aqui reunidos constituem o essencial dos escritos freudianos sobre o método e a técnica, em sua constituição, em sua história e em seus desdobramentos. Nos quase 50 anos de reflexão sobre a clínica que este volume recobre, Freud abordou temáticas que vão desde a associação livre e a atenção equiflutuante, a transferência e a repetição até a formação do analista, o início e o final de uma análise, passando ainda pela interpretação e pelas construções, entre tantas outras.

Contudo, descontada a notável série de artigos técnicos escritos logo antes da deflagração da Primeira Grande Guerra, entre 1911 e 1914, mais tarde reunida pelo próprio autor em uma coletânea intitulada *Sobre a técnica da psicanálise*, Freud não dedicou nenhuma monografia ou trabalho de maior extensão exclusivamente à exposição sistemática do conjunto da técnica psicanalítica, embora tenha anunciado, em mais de uma ocasião, a pretensão de fazê-lo. Com efeito, uma arqueologia completa da técnica freudiana exigiria a reconstrução das diversas amostras de trabalho espalhadas ao longo principalmente dos casos clínicos, que funcionam como lições de técnica analítica, mas também das análises de sonhos e de outros fenômenos psíquicos. Isso porque questões de ordem técnica dificilmente podem ser separadas do material ao qual estão relacionadas.

Não obstante, ao longo de sua extensa obra, alguns artigos, em geral não muito extensos, foram dedicados, direta ou indiretamente, a questões de natureza técnica. É esse conjunto de textos que o leitor tem em mãos. Talvez possa parecer estranho que Freud tenha dedicado um número relativamente pequeno de artigos à apresentação de sua técnica. Curioso, já que ele próprio afirma que as maiores dificuldades no aprendizado da Psicanálise são sobretudo de ordem técnica, e não teórica. Aparentemente, o autor percebia não apenas a dificuldade do manejo da técnica analítica, mas também o quanto era especialmente difícil *escrever* sobre a técnica. Com efeito, os riscos não eram poucos. Ao perguntar a Freud quando o anunciado trabalho sobre o método ficaria pronto, Ernest Jones emenda prontamente: "deve haver muita gente esperando avidamente, tanto amigos como inimigos" (GAY, 1989, p. 276).

Essa dificuldade se dá a ver, por exemplo, no estilo menos assertivo do que aquele dos textos teóricos. De fato, nem sempre é possível reconhecer o escritor brilhante, cujo talento literário se destaca sobretudo em ensaios clínicos ou dedicados à cultura, às artes ou mesmo à mais pura especulação metapsicológica. Não obstante, o arguto pesquisador e o clínico sensível são facilmente detectáveis nesse conjunto de textos. Outra coisa que salta imediatamente aos olhos do leitor contemporâneo é como questões de natureza técnica frequentemente se desdobram em reflexões de cunho ético. Em um ou outro momento, é possível detectar ainda importantes desdobramentos políticos.

Também é digno de nota que, naquilo que se convencionou chamar de segunda tópica, ou seja, nas décadas de 1920 e 1930, à exceção talvez do artigo sobre as construções em análise, Freud não publicou nenhum artigo estritamente técnico, pelo menos não no mesmo sentido, por exemplo, daqueles publicados antes da Primeira Guerra, que continham recomendações mais explícitas. Contudo, alguns ensaios publicados no entreguerras contêm importantes diretrizes acerca de temas que se mostraram essenciais na história da Psicanálise. Temas como a formação do analista e o final de uma análise constituem eixos clínicos fundamentais de "A questão da análise leiga" e de "A análise finita e a infinita", respectivamente.

Freud evitou a todo custo hipostasiar regras e procedimentos numa espécie de manual de protocolos ou de prescrições codificados para o analista, o que certamente poria a perder o essencial da prática analítica, que é a abertura à escuta da singularidade. Por essa razão, reunimos os artigos técnicos sob a égide de *fundamentos da clínica*. Nesse sentido, quem acorre aos textos ditos técnicos procurando por regulamentos ou instruções corre o risco de se frustrar ao depreender dali a, talvez, única regra fundamental: a da livre associação. Obrigação: falar livremente tudo que ocorre [*alles was einfällt*]. Freud emprega o verbo *einfallen*, derivado de *fallen*, "cair", para se referir àquilo que vem à tona, que não mais é retido, quando o analisante se entrega à associação livre. Os resultados dessas associações são as *Einfälle*: "aquilo que ocorre", numa palavra, as "ocorrências".

Contrapartida da única regra: a atenção equiflutuante por parte do analista; afora essa regra única, tudo parece ter um estatuto menos inflexível. Mesmo as "recomendações" não constituem protocolos rígidos a serem cegamente aplicados, mas expressam princípios ou fundamentos gerais que regem uma prática. O que também evidencia o quanto de "arte" – no sentido antigo do termo, mais ligado a uma atividade produtiva fundada em um saber singular do que no registro moderno relativo ao regime estético da obra de arte – reside na experiência analítica e o quanto o aprendizado sobre o fazer clínico não pode ser limitado à leitura de textos, mas sim essencialmente transmitido pela experiência do encontro com o analista, no divã ou fora dele.

★★★

No final do século XIX, as histéricas eram percebidas no quadro geral do grande teatro histérico, e seus sintomas eram vistos como dissimulação. Até hoje, aliás, não é incomum que pacientes saiam de consultas nos serviços de saúde depois de ouvirem enunciados do tipo: "Isso não é nada!", "É apenas psicológico!" ou "É de fundo emocional!". A gramática de enunciados desse tipo não esconde uma oposição muitas vezes subterrânea entre, de um lado, a dignidade do sintoma orgânico reconhecível, e, de outro, a suposta inverdade do sofrimento psíquico. É nesse cenário que o gesto freudiano de reconhecer a verdade do sofrimento psíquico funda a Psicanálise.

Embora Freud, como médico, tenha empregado diversos recursos terapêuticos disponíveis à época, como a eletroterapia, a hidroterapia, entre outros, a clínica da histeria é a primeira a mostrar a falência de métodos consagrados na neuropatologia da época. Nesse contexto, experimenta métodos que envolviam a hipnose, a sugestão ou a catarse, dos quais o método propriamente psicanalítico, aos poucos, desprendeu-se. Os caminhos que culminaram no estabelecimento da especificidade de sua disciplina, fundada exclusivamente na palavra, foram tortuosos. Bastante precocemente, contudo, em 1890, afirma:

> palavras também são a ferramenta essencial do tratamento anímico. O leigo achará difícil entender que distúrbios patológicos do corpo e da alma possam ser eliminados por "meras" palavras do médico. Ele achará que se lhe imputa acreditar em magia. E ele não está de todo enganado; as palavras de nossos discursos cotidianos nada mais são do que magia empalidecida. Mas será necessário trilhar mais um desvio para tornar compreensível como a ciência consegue devolver à palavra pelo menos uma parte de seu antigo poder mágico (neste volume, p. 19).

Como, por que meios, um tratamento fundado exclusivamente na palavra pode ter efeitos em sintomas que atingem o corpo e o psiquismo? Que ferramentas o analista dispõe para sua ação terapêutica? O que ocorre, de fato, num tratamento analítico? Quais os fins de uma análise? Quais as especificidades do tratamento analítico? Numa célebre carta endereçada ao pastor Oskar Pfister em 25 de novembro de 1928, Freud aponta para o que secretamente aproximaria dois importantes textos seus: "A questão da análise leiga" e "O futuro de uma ilusão". Afirma que com o primeiro quis defender a Psicanálise dos médicos e, com o segundo, dos sacerdotes. Por que, afinal de contas, proteger a Psicanálise dos médicos e dos sacerdotes? Para responder a essa questão, vale lembrar que estamos acostumados, pelo menos no Ocidente, e sobretudo desde René Descartes, a dividir tais cuidados reservando-os aos médicos, quando se trata de um sofrimento relacionado ao corpo, ou aos sacerdotes, quando se trata daquilo que foge ao material, ao anatômico ou ao fisiológico, ou seja, quando aquilo que sofre é a alma. Acostumamo-nos a tomar por óbvia uma dicotomia que, quando examinada com atenção em comparação com outras culturas, parece ser uma curiosa peculiaridade do Ocidente eurocêntrico. Outras sociedades não diferenciariam tão nitidamente os papéis médico e sacerdotal, que se mesclam, por exemplo, em figuras como um pajé, um druida ou um xamã. A Psicanálise surge, portanto, nos interstícios rejeitados pelas arbitrárias divisões que a antecedem. Não por acaso, em 1914, no artigo que abre a série dedicada à sua *Metapsicologia*, Freud define o primeiro conceito fundamental da Psicanálise, a *pulsão* [*Trieb*], como um "conceito fronteiriço [*Grenzbegriff*] entre o anímico e o somático".[1] Ou seja, a vida pulsional do ser humano embaralha a distinção entre corpo e alma, tão naturalizada em nossa cultura. O lugar do analista não é, pois, equivalente nem ao lugar outrora reservado ao médico nem ao do sacerdote. Não por acaso, na carta a Pfister mencionada acima, Freud afirma pretender entregar a análise a uma categoria que não existe ainda, e que ele designa com o termo *weltlicher Seelsorger*, algo como o cuidador de alma secular (ou mundano). Como lembra James Strachey, o leitor notará a presença maciça do termo "médico" [*Arzt*] para designar o analista, principalmente nos textos anteriores ao ensaio sobre "A questão da análise leiga", de 1926, assim como notará sua significativa ausência, nessa acepção, nos textos posteriores a essa data, quando o termo será substituído por "analista" [*Analytiker*].

---

[1] *As pulsões e seus destinos*. Publicado nesta coleção em 2013, em edição bilíngue e comentada.

O fenômeno da histeria, vale insistir, punha em xeque, outrora, os pressupostos tanto da medicina quanto da religião. Queimadas como bruxas ou como possuídas nas fogueiras da inquisição medieval, as histéricas são à época de Freud reputadas como farsantes sedutoras pelos médicos que não encontravam em sua lógica anátomo-patológica um lugar para aquele tipo de sofrimento. No corpo histérico, aparece como paralisia, cegueira, tosses, espasmos, etc. o que tinha origem no psíquico, e, curiosamente, métodos que usavam de influência psíquica (hipnose, magnetismo, catarse, etc.), de uma maneira ou de outra, pareciam ter maior efeito sobre tais corpos do que os métodos da neurologia ou da psiquiatria. O fenômeno da *conversão* de um sofrimento psíquico em sintoma físico aponta para algo fora do lugar. Para tratar desse "material fronteiriço", disso que se acomoda como refugiados indigentes numa terra de ninguém, Freud, o "judeu sem Deus", descendente de gerações de sobreviventes migrantes e perseguidos, teve de fazer sua teoria e sua prática atravessarem fronteiras, cruzarem limites nosográficos, epistemológicos e clínicos.

INÉDITOS

O presente volume inclui ainda alguns materiais inéditos em outras edições de Freud em português. Primeiramente, a carta 242, que contém uma importante indicação acerca do "caráter aparentemente sem fim de uma análise". Essa rápida menção mostra como algumas questões atravessam o pensamento de Freud de ponta a ponta, mesmo quando submergem e não aparecem na superfície do texto durante longos períodos.

Além disso, foram restituídos alguns trechos inéditos do escrito "A questão da análise leiga". São eles:

14 OBRAS INCOMPLETAS DE S. FREUD

três páginas do "Posfácio" de 1927, excluídas devido a sua contundência com relação à atitude dos norte-americanos a respeito da questão da análise leiga (neste volume, p. 300-304);[2] o *Post-Scriptum* de 1935 (neste volume, p. 305-306); e algumas notas de rodapé, preparadas, também em 1935, para uma reedição da obra, que não chegou a vir à luz (assinaladas como "nota de 1935"). Em uma dessas notas, Freud critica a tradução em língua inglesa das instâncias psíquicas: "Tornou-se usual na literatura psicanalítica de língua inglesa substituir os pronomes ingleses *I* [Eu] e *It* [Isso] pelos pronomes latinos *Ego* e *Id*. Em alemão dizemos *Ich* [Eu], *Es* [Isso] e *Überich* [Super-Eu]" (neste volume, p. 254). O material inédito do presente volume foi descoberto graças ao trabalho pioneiro de Ilse Grubrich-Simitis, na década 1990, e não faz parte nem da edição alemã da *Gesammelte Werke* (ver nota editorial; neste volume, p. 309-310).

NOTÍCIA

Os textos deste volume foram traduzidos em sua quase totalidade por Claudia Sibylle Dornbusch. As únicas exceções são as seguintes: a "Carta 242" e "Sobre *fausse reconnaissance*", traduzidos por Maria Rita Salzano Moraes. Os trechos inéditos que foram restituídos ao ensaio "A questão da análise leiga" foram traduzidos por Pedro Heliodoro Tavares.

Este volume conta com um aparato crítico original, inexistente em outras edições. Esse aparato contém não

---

[2] Uma tradução dessas três páginas foi publicada por Eduardo Vidal na revista da *Escola Letra Freudiana*, ano XXII, n. 32, 2003, com uma concisa, mas elucidativa apresentação.

apenas notas da tradutora (N.T.), mas também notas do revisor (N.R.), elaboradas pelo coordenador da tradução, e algumas notas do editor (N.E.). Ao fim de cada texto de Freud, o editor incluiu ainda uma notícia bibliográfica ou nota editorial (não numerada) que pretende reconstituir sumariamente a gênese e o contexto discursivo de cada ensaio, assim como apontar, sempre que possível, as principais linhas de força do texto, e referir uma ou outra notícia acerca de sua recepção ou repercussão na história da Psicanálise. Ao leitor familiarizado com o pensamento de Freud e com a história da recepção de seus trabalhos, a leitura desse material é dispensável.

AGRADECIMENTOS

Gostaríamos de agradecer especialmente a Ernani Chaves, por suas contribuições acerca da tradução do artigo "Erinnern, Wiederholen und Durcharbeiten". O aparato editorial deste volume foi revisado por Daniel Kupermann e Marcus Vinícius Silva, a quem agradecemos a disponibilidade e as valiosas sugestões. A Sérgio Laia, agradecemos pelo posfácio e pela calorosa recepção da coleção. Dividir a responsabilidade de um trabalho dessa monta é imprescindível.

NOTA SOBRE A 2ª EDIÇÃO

Foram feitas correções importantes às páginas 130, 155 e 379. Agradecemos aos leitores que nos enviaram sugestões.

Fundamentos da clínica psicanalítica

TRATAMENTO PSÍQUICO (TRATAMENTO ANÍMICO) (1890)

Psique é uma palavra grega que em tradução alemã significa "alma" [*Seele*[1]]. Portanto, tratamento psíquico seria *tratamento anímico* [*Seelenbehandlung*]. Poderíamos pensar, então, que se entende por isto: tratamento dos fenômenos patológicos da vida anímica. Mas não é esse o significado dessa palavra. Tratamento psíquico quer dizer, antes: tratamento que parte da alma, tratamento – de distúrbios anímicos ou físicos – com meios que inicial e diretamente terão efeito sobre o anímico da pessoa.

Um desses meios é, em primeira linha, a palavra, e palavras também são a ferramenta essencial do tratamento anímico. O leigo achará difícil entender que distúrbios patológicos do corpo e da alma possam ser eliminados por "meras" palavras do médico. Ele achará que se lhe imputa acreditar em magia. E ele não está de todo enganado; as palavras de nossos discursos cotidianos nada mais são do que magia empalidecida. Mas será necessário trilhar mais um desvio para tornar compreensível como a ciência consegue devolver à palavra pelo menos uma parte de seu antigo poder mágico.

Mesmo os médicos cientificamente treinados aprenderam a reconhecer o valor do tratamento anímico só em tempos recentes. Isso se explica facilmente, se considerarmos a evolução da Medicina no último meio século. Depois de um período bastante infrutífero de dependência da chamada Filosofia da Natureza, a Medicina, sob a feliz influência das Ciências Naturais, produziu os maiores avanços tanto como ciência quanto como arte, desbravou a estrutura do organismo a partir das unidades microscópicas (células), aprendeu a entender física e quimicamente cada uma das ações vitais (funções), diferenciou as transformações visíveis e palpáveis das partes do corpo, que são consequências dos diferentes processos patológicos, e por outro lado também encontrou os sinais que evidenciam processos patológicos profundos em seres ainda vivos; ademais, descobriu um grande número de vívidos focos de doenças, além de reduzir extraordinariamente os perigos de grandes intervenções cirúrgicas com o auxílio das novas descobertas. Todos esses progressos e descobertas se referiam à parte física do homem, o que fez com que, devido a uma tendência de juízo errônea, mas facilmente compreensível, os médicos limitassem o seu interesse ao físico, deixando com prazer o anímico para os filósofos, por eles tão desprezados.

É verdade que a Medicina moderna teria razões suficientes para estudar a relação inegável entre o físico e o anímico, mas por outro lado ela nunca deixou de representar o anímico como determinado pelo físico e dele dependente. Assim, destacava-se que as produções anímicas estavam associadas à presença de um cérebro de desenvolvimento normal e suficientemente alimentado e que, a cada adoecimento desse órgão, essas produções anímicas sofreriam distúrbios; que a introdução de substâncias nocivas na circulação permite o surgimento de certos estados de doença mental, ou, em escala menor, que os sonhos daquele que dorme são modificados de acordo com os estímulos que para fins de experimento lhe são dados.

A relação entre o corporal e o anímico (tanto no animal quanto no humano) é de efeito interativo [*Wechselwirkung*], mas o outro lado dessa relação, o efeito do anímico sobre o corpo, em tempos mais antigos era tratado de forma impiedosa pelos médicos. Eles pareciam ter medo de advogar para a vida anímica uma certa autonomia, como se com isso eles abandonassem o solo da cientificidade.

Essa direção unilateral da Medicina, voltada para o corporal, na última década e meia experimentou gradativamente uma mudança, que derivou diretamente da atividade médica. É que há uma grande quantidade de doentes de menor ou maior gravidade que com seus distúrbios e queixas colocam muitos desafios para a arte dos médicos, mas nos quais não são encontrados sinais visíveis e palpáveis do processo da doença nem em vida nem após a morte, apesar de todos os progressos nos métodos de exame da Medicina científica. Um grupo desses doentes chama a atenção pela riqueza e variedade do quadro clínico; eles não conseguem trabalhar intelectualmente devido à dor de cabeça ou à falta de atenção, seus olhos doem quando estão lendo, as pernas se cansam ao andar, com uma dor seca ou então sensação de dormência, a digestão fica prejudicada por sensações embaraçosas, arrotos ou cãibras estomacais, a evacuação não se dá sem auxílio, o sono é interrompido, etc. Eles podem ter todas essas formas de sofrimento ao mesmo tempo, em sequência ou apenas uma seleção delas; em todos os casos, parece evidente tratar-se da mesma doença. Nesse contexto, os sinais da doença muitas vezes são mutáveis, eles se alternam e se substituem mutuamente; o mesmo doente que até então era incapaz de trabalhar por causa da dor de cabeça, mas que tinha uma digestão razoavelmente boa, no dia seguinte fica feliz com a cabeça leve, mas a partir daí não tolera a maioria dos alimentos. Os incômodos também o abandonam repentinamente quando há uma transformação incisiva na sua vida; em uma viagem, ele poderá se sentir bastante bem e aproveitar as comidas variadas sem qualquer prejuízo, mas quando volta para casa talvez tenha de voltar a se limitar ao consumo de leite coalhado. Em alguns desses doentes, o transtorno – uma dor ou uma fraqueza semelhante a uma paralisia – pode mudar de repente o lado afetado do corpo, passando da direita para a região do corpo correspondente à esquerda. Mas em todos podemos observar que os sinais de sofrimento estão muito claramente sob a influência de excitações, oscilações de ânimo, preocupações, etc., bem como que eles podem desaparecer e dar lugar à saúde plena, sem deixar rastros, mesmo após uma longa duração.

A pesquisa médica por fim chegou à conclusão de que essas pessoas não devem ser vistas e tratadas como doentes dos olhos ou do estômago e assemelhados, mas que no caso delas deve se tratar de uma afecção de todo o sistema nervoso. O exame do cérebro e dos nervos desses doentes, porém, não permitiu encontrar até agora qualquer alteração palpável, e alguns traços do quadro clínico até tornam proibitiva a expectativa de que tais alterações que poderiam esclarecer a doença possam ser comprovadas com meios mais refinados de exame. Chamaram-se esses estados de nervosismo [*Nervosität*] (neurastenia, histeria), sendo eles caracterizados como meras afecções "funcionais" do sistema nervoso. Aliás, também em muitas afecções nervosas mais constantes e naquelas que só apresentam sinais de doenças anímicas (as chamadas ideias obsessivas, ideias delirantes, loucura) o exame detalhado do cérebro (após a morte do doente) não trouxe resultados.

Coube aos médicos a tarefa de examinar a natureza e a origem das manifestações da doença nesses doentes de nervos [*Nervösen*] ou neuróticos. Nesse contexto, então, descobriu-se que pelo menos em uma parte desses doentes os sinais do sofrimento se originavam nada mais, nada menos que de uma *influência modificada de sua vida anímica sobre o seu corpo*, ou seja, que a origem mais próxima do distúrbio deve ser procurada no anímico. Saber quais as origens remotas do distúrbio que afetou o anímico, que agora, por sua vez, influencia o físico por meio de um distúrbio, é outra questão e pode convenientemente ser deixada de lado neste momento. Mas a ciência médica tinha encontrado aqui a conexão que faltava para dedicar sua atenção plena ao lado até então desprezado na relação recíproca entre corpo e alma.

Somente quando se estuda o patológico é que se entende o normal. Muito já se sabia da influência do anímico sobre o corpo, que só agora era iluminado da forma correta. O exemplo de influência anímica sobre o corpo mais cotidiano, regular e observável em todos é oferecido pela chamada "expressão das oscilações de ânimo" [*Ausdruck der Gemütsbewegungen*]. Quase todos os estados anímicos de uma pessoa se manifestam nas tensões e nos relaxamentos de seus músculos faciais, na focalização de seus olhos, na vascularização da pele, no uso de seu aparelho fonador e na postura de seus membros, principalmente das mãos. Essas mudanças físicas adjacentes geralmente não trazem ao afetado nenhum benefício, muito pelo contrário, elas muitas vezes atrapalham as suas intenções quando ele quer esconder seus processos anímicos dos outros, mas para os outros elas servem de sinais confiáveis que permitem deduzir os processos anímicos, e nos quais se confia mais do que nas manifestações quase simultâneas e intencionais em forma de palavras. Se submetermos uma pessoa a um exame mais detalhado durante certas atividades anímicas, encontraremos outras consequências físicas destas nas alterações de sua atividade cardíaca, na mudança da distribuição sanguínea no corpo e assemelhados.

Em determinados estados anímicos que chamamos de "afetos", a participação do corpo é tão evidente e tão grandiosa que alguns pesquisadores da alma chegaram a acreditar que a essência dos afetos consistiria apenas nessas suas manifestações físicas. É de conhecimento geral que alterações extraordinárias acontecem na expressão facial, na circulação sanguínea, nas secreções, nos estados de excitação dos músculos voluntários, por exemplo, por influência do temor, da ira, da dor da alma [des Seelenschmerzes], do prazer sexual. Menos conhecidos, mas certamente garantidos são outros efeitos físicos dos afetos, que já não pertencem mais à expressão destes. Estados de afeto contínuos de natureza embaraçosa ou, como se costuma dizer, "depressiva", como tristeza [Kummer], preocupação e luto, reduzem a alimentação do corpo como um todo, fazem com que os cabelos percam o brilho, a gordura desapareça e as paredes dos vasos sanguíneos se modifiquem de forma doentia. Por outro lado, sob a influência de excitações alegres, de "felicidade", vemos o corpo todo florescer e a pessoa recuperar algumas marcas da juventude. Aparentemente, os grandes afetos têm muito a ver com a capacidade de resistência contra doenças e contaminações; um bom exemplo é quando observadores médicos relatam que é muito mais forte a tendência a doenças de campanha e disenteria em membros do exército derrotado do que entre os vencedores. Os afetos, e quase exclusivamente os de cunho depressivo, muitas vezes acabam por se tornar eles mesmos ocasionadores de doenças, tanto para doenças do sistema nervoso com alterações anatomicamente comprováveis quanto para doenças de outros órgãos, e devemos supor que a pessoa afetada já tinha uma predisposição para essa doença, até então não manifestada.

Estados patológicos já consolidados podem ser influenciados intensamente por afetos intempestivos, geralmente no sentido de uma piora, mas também há exemplos suficientes de que um grande susto ou uma tristeza repentina influenciou de forma curativa ou mesmo suspendeu um estado patológico bem-fundamentado através de uma reconfiguração curiosa da disposição do organismo. E, por fim, não resta dúvida de que o tempo de vida pode ser abreviado consideravelmente por afetos depressivos, assim como um susto intenso, uma "ofensa" [*Kränkung*] ou uma vergonha candente podem pôr um fim repentino à vida; curiosamente, este último efeito por vezes também é observado como consequência de uma grande alegria, inesperada.

Os afetos em sentido estrito se caracterizam por uma relação muito especial com os processos corporais, mas a rigor todos os estados anímicos, mesmo aqueles que estamos acostumados a considerar como "processos de pensamento", são "afetivos" em certa medida, e nenhum deles prescinde das manifestações corporais e da capacidade de transformar processos corporais. Mesmo na calma do pensamento através de "representações", são desviadas constantemente excitações para os músculos lisos e estriados de acordo com o conteúdo dessas representações, que por meio de reforço adequado podem se tornar evidentes, fornecendo explicações para algumas manifestações curiosas e supostamente "sobrenaturais". Assim, por exemplo, explica-se a chamada "adivinhação dos pensamentos" através dos pequenos e involuntários movimentos musculares que o "sujeito mediador" [*Medium*] executa quando se fazem experiências com ele, por exemplo, deixando-se conduzir por ele para encontrar um objeto escondido. Todo esse fenômeno mereceria, na verdade, ser chamado de *traição dos pensamentos* [*Gedankenverrat*].[2]

Os processos da vontade e da atenção também são capazes de influenciar profundamente os processos do corpo, tendo um papel importante nas doenças físicas como fomentadores ou inibidores. Um grande médico inglês relatou sobre si próprio que consegue produzir sensações e dores diversas em cada parte do corpo à qual ele quer dedicar sua atenção, e a maioria das pessoas parece se comportar de modo semelhante. Na avaliação de dores que normalmente se associam a fenômenos corporais, deve-se considerar sua evidente dependência de condições anímicas. Os leigos, que gostam de resumir tais influências anímicas sob o nome de "imaginação" [*Einbildung*], costumam ter pouco respeito diante de dores causadas pela imaginação, ao contrário daquelas causadas por ferimento, doença ou inflamação. Mas se trata de uma evidente injustiça; seja qual for a origem das dores, até mesmo a imaginação, as dores nem por isso são menos reais ou menos intensas.

Assim como dores são produzidas ou intensificadas através do empenho de atenção, elas também desaparecem com o afastamento da atenção. Pode-se usar essa experiência em toda criança, para acalmá-la; o guerreiro adulto não sente a dor da ferida no afã febril da batalha; o mártir muito provavelmente se tornará insensível à dor de seu sofrimento no calor excessivo de seu sentimento religioso, dirigindo todos os seus pensamentos à recompensa celestial que lhe acena. A influência da vontade sobre processos patológicos do corpo é mais difícil de ser comprovada através de exemplos, mas é bem possível que a predisposição a ficar saudável ou a vontade de morrer não deixem de ser importantes, mesmo para o resultado [*Ausgang*] de casos de doenças graves e geradoras de dúvidas.

O que mais se volta ao nosso interesse é o estado anímico da *expectativa*, através da qual se pode ativar uma série das mais eficazes forças anímicas para o adoecimento e para a cura de doenças físicas. A expectativa *temerosa* [*ängstlich*] certamente não é algo indiferente para o sucesso; seria importante saber ao certo se ela produz o tanto pelo adoecimento que se atribui a ela, e se é verdade, por exemplo, que durante a vigência de uma epidemia os mais vulneráveis são aqueles que têm medo de adoecer. O estado contrário, a *expectativa crédula* e esperançosa, é uma força efetiva com a qual, a rigor, devemos contar em todas as nossas tentativas de tratamento e de cura. Do contrário, não conseguiríamos explicar as peculiaridades dos efeitos que observamos nos medicamentos e nas intervenções curativas. Mas a *expectativa crédula* fica mais concreta nas chamadas curas milagrosas, que ainda hoje acontecem diante de nossos olhos sem a participação da arte médica. As verdadeiras curas milagrosas acontecem com crentes sob a influência de eventos adequados para a intensificação dos sentimentos religiosos, ou seja, em locais onde se idolatra uma imagem misericordiosa e operadora de milagres, onde uma pessoa sagrada ou divina se apresentou aos seus filhos humanos [*Menschenkindern*], tendo-lhes prometido a diminuição do sofrimento em troca de devoção, ou onde são guardadas as relíquias de um santo como tesouro. Parece que não é fácil apenas para a fé religiosa, sozinha, afastar a doença pelo caminho da expectativa, pois nas curas milagrosas geralmente ainda há outros eventos em jogo. Os tempos em que se busca a graça divina precisam se caracterizar por relações especiais; o sofrimento físico que o doente se autoimputa, as dificuldades e os sacrifícios da viagem de peregrinação precisam dignificá-lo de modo especial para essa graça.

Seria confortável, mas muito incorreto se simplesmente negássemos a fé a essas curas milagrosas e quiséssemos esclarecer os relatos a respeito através da junção de enganação religiosa e observação imperfeita. Por mais que muitas vezes essa tentativa de explicação possa estar certa, ela não tem o poder de eliminar o fato das curas milagrosas em si. Elas realmente existem, aconteceram em todas as épocas e não atingem apenas doenças de origem anímica, que, então, são motivadas por "imaginação" e sobre as quais justamente as circunstâncias da peregrinação poderiam ter um efeito mais forte, mas também estados patológicos "orgânicos", que anteriormente resistiram a todos os esforços médicos.

Mas há a necessidade aqui de invocar outros poderes que não os anímicos para esclarecer as curas milagrosas. Efeitos que para o nosso conhecimento podem ser tidos como incompreensíveis também não aparecem nessas circunstâncias. Tudo transcorre de forma natural; o poder mesmo da fé religiosa experimenta aqui uma intensificação por várias forças motrizes humanas. A fé religiosa do indivíduo é intensificada pela empolgação da massa de pessoas em cujo entorno ele costuma se aproximar do local sagrado. Através desse efeito de massa, todas as moções anímicas de cada pessoa podem ser intensificadas de forma imensurável. Onde o indivíduo busca a cura no local da graça, é o chamado, a visão do lugar que substitui a influência da massa de pessoas, é onde, novamente, apenas o poder da massa faz efeito. Essa influência ainda se mostra de outra forma. Como se sabe que a graça divina se volta sempre apenas a alguns poucos entre os muitos que a almejam, todos querem estar entre esses destacados e eleitos; a ambição adormecida em cada uma dessas pessoas vem em auxílio da fé religiosa. Onde há o feito conjunto de muitas forças poderosas, não é de surpreender se ocasionalmente o objetivo for realmente atingido.

Mesmo os incrédulos da religião não precisam abdicar de curas milagrosas. A fama e o efeito de massa substituem completamente a fé religiosa. A toda hora, há tratamentos da moda e médicos da moda, que dominam principalmente a sociedade elegante, onde a ambição de se antecipar ao outro e fazer igual aos mais elegantes representa as mais poderosas forças motrizes anímicas. Esses tratamentos da moda desenvolvem efeitos de cura que não pertencem à sua área de atuação, e os mesmos meios conseguem resultados muito melhores nas mãos do médico da moda, que se tornou famoso por ter ajudado a uma personalidade de destaque, do que nas de outros médicos. Assim, há milagreiros humanos e milagreiros divinos; salvo que estes últimos, elevados à fama pelo benefício da moda e pela imitação, gastam-se muito rápido, como é próprio à natureza das forças que agem através deles.

A compreensível insatisfação com a ajuda médica muitas vezes insuficiente, talvez também a revolta contra a obsessão pelo pensamento científico, que reflete para o homem a implacabilidade da natureza, hoje e em todos os tempos, criaram de novo uma condição curiosa para o poder de cura de pessoas e meios. A expectativa crédula apenas irá se estabelecer quando o ajudante não for um médico e puder se arvorar em nada entender da fundamentação científica para a arte da cura, quando o meio não for comprovado por um exame minucioso, mas, por exemplo, recomendado por uma preferência popular. Disso advém a quantidade excessiva de artes de cura natural e de artistas da cura natural, que agora novamente atacam os médicos e o exercício de seu ofício e dos quais podemos dizer com pelo menos alguma certeza que prejudicam mais do que ajudam àqueles em busca de cura. Se temos motivos aqui para criticarmos a expectativa crédula do doente, não podemos, porém, ser ingratos a ponto de esquecermos que o mesmo poder também apoia continuamente os nossos próprios esforços médicos. Provavelmente o efeito de todo remédio que o médico prescreve, de toda intervenção que ele faz se compõe de duas partes. Uma delas, às vezes maior, às vezes menor, mas nunca totalmente desprezível, é representada pelo comportamento anímico do doente. A expectativa crédula com que ele vem de encontro à influência da medida médica por um lado depende do tamanho de sua própria ambição pela cura e, por outro, de sua confiança de que tenha dado os passos certos para tanto, ou seja, de seu respeito pela arte médica em geral, além do poder que ele concede à pessoa do seu médico e mesmo da empatia puramente humana que o médico despertou nele. Há médicos que têm a capacidade de ganhar a confiança dos doentes mais desenvolvida que outros médicos; o doente muitas vezes já sente o alívio quando vê o médico entrando na sala.

Os médicos desde sempre, já em tempos antigos, exerceram o tratamento anímico, muito mais intensamente do que hoje. Se por tratamento anímico entendermos o esforço de evocarmos no doente os estados e condições anímicos mais favoráveis para a cura, então esse tipo de tratamento médico é historicamente o mais antigo. Os povos antigos não tinham praticamente nada à disposição além do tratamento psíquico; eles também nunca deixavam de reforçar o efeito de bebidas curativas e medidas de cura com o tratamento intensivo da alma. O uso conhecido de fórmulas mágicas, banhos de purificação, invocação de sonhos do oráculo dormindo no templo, entre outros, só pode ter tido efeito curativo pela via anímica. A própria personalidade do médico criou uma fama derivada diretamente do poder divino, uma vez que a arte da cura em seus primórdios estava nas mãos dos sacerdotes. Dessa forma, a pessoa do médico, naquela época assim como hoje, era uma das principais circunstâncias para atingir no doente o estado anímico favorável à cura.

Agora começamos a entender também a "magia" da palavra. Palavras, como sabemos, são os mais importantes mediadores da influência que uma pessoa quer ter sobre a outra; palavras são bons meios para provocar transformações anímicas naquele a quem elas são dirigidas, e por isso não soa mais estranho quando se afirma que a magia da palavra pode afastar manifestações de doença, ainda mais aquelas que se originam em estados anímicos.

Todas as influências anímicas que se mostraram eficazes para eliminar doenças têm algo de imponderável. Afetos, direcionamento da vontade, desvio da atenção, expectativa crédula, todos esses poderes que ocasionalmente suspendem o adoecimento em outros casos não conseguem fazê-lo sem que se possa responsabilizar a natureza da doença pelo diferente desfecho. Ao que parece, é a prepotência das personalidades animicamente tão diferentes que está impedindo a regularidade do sucesso da cura. Desde que, então, os médicos reconheceram claramente a importância do estado anímico para a cura, foi sugerida a tentativa de não mais deixar a cargo do doente definir que quantidade de complacência anímica poderá ser produzida nele, mas forçar o surgimento do estado anímico

32 OBRAS INCOMPLETAS DE S. FREUD

favorável com meios adequados e com foco no objetivo. Com esse esforço inicia-se o *tratamento anímico* moderno.

Portanto, resulta daí uma série de formas de tratamento, algumas delas óbvias, outras acessíveis à compreensão apenas depois de passar por complicados pré-requisitos. É óbvio, por exemplo, que o médico, que hoje em dia não provoca mais admiração como um sacerdote ou possuidor de uma ciência oculta, mantenha a sua personalidade de tal forma que ele consiga ganhar a confiança e um pouco da empatia de seu doente. É bom, então, em termos de distribuição, quando esse tipo de sucesso só lhe é garantido em um número limitado de doentes, enquanto outros, devido a seu grau de instrução e sua empatia, sentem-se mais atraídos por outras personalidades médicas. *Mas com a suspensão da livre escolha dos médicos, elimina-se uma condição importante para o influenciamento [Beeinflussung] anímico dos doentes.*

O médico deixa que se lhe escape toda uma série de recursos anímicos eficazes. Ele ou não tem o poder ou não se pode dar o direito de aplicar esses recursos. Isso vale principalmente para a evocação de afetos fortes, ou seja, para os recursos mais importantes por meio dos quais o anímico tem efeito sobre o físico. O destino muitas vezes cura doenças através de grandes excitações de alegria, de satisfação de necessidades, de realização de desejos; o médico, que fora do âmbito de sua arte muitas vezes também se torna impotente, não tem como concorrer com isso. Criar temor e pavor para fins de cura estaria mais no seu campo de ação, mas, com exceção de crianças, ele terá de pensar muito bem antes de recorrer a essas medidas ambíguas. Por outro lado, todas as relações com o doente associadas a sentimentos afetuosos não se aplicam para o médico, devido à importância desses estados anímicos para a vida. Dessa forma, o seu poder de modificar animicamente os seus pacientes desde o início pareceria tão limitado que o tratamento anímico executado de forma intencional não teria vantagens se comparado ao tipo praticado antigamente.

O médico pode tentar conduzir, por exemplo, a atividade da vontade e a atenção do doente, e em diferentes estados da doença terá bons motivos para fazê-lo. Quando ele insistentemente pede que o doente que se julga paralisado execute os movimentos que supostamente não consegue fazer, ou quando nega ao amedrontado a exigência deste de ser examinado devido a uma doença certamente inexistente, ele terá optado pelo tratamento correto; mas essas oportunidades específicas não lhe dão o direito de apresentar o tratamento anímico como um procedimento especial de cura. Por outro lado, através de um caminho curioso e imprevisível, ao médico foi dada a possibilidade de exercer uma profunda, mas passageira influência sobre a vida anímica de seus pacientes e usá-la para fins de cura.

Há muito tempo era de conhecimento geral, mas apenas nas últimas décadas suspendeu-se toda e qualquer suspeita a respeito de que através de certas intervenções suaves é possível levar pessoas a um estado anímico muito peculiar, bastante semelhante ao sono, e por isso chamado de *hipnose*.[3] Os procedimentos para chegar à hipnose, à primeira vista, não têm muito em comum. Pode-se hipnotizar alguém pedindo que a pessoa olhe fixamente para um objeto brilhante durante alguns minutos, ou então colocando um relógio de bolso durante o mesmo tempo junto ao ouvido da pessoa usada na experiência, ou ainda passando as próprias mãos esticadas repetidas vezes a uma pequena distância sobre o rosto e os membros da pessoa. Mas pode-se conseguir o mesmo anunciando com calma e de forma segura para a pessoa que se quer hipnotizar o início do estado hipnótico e de suas peculiaridades, ou seja, "convencendo-a através da fala". Pode-se também unir os procedimentos. Pede-se que a pessoa se sente, coloca-se um dedo diante dos seus olhos e pede-se que olhe fixamente para ele, dizendo a ela, em seguida: você está se sentindo cansado. Os seus olhos já estão se fechando, você não consegue mantê-los abertos. Seus membros estão pesados, você não consegue mais se mexer. Você está adormecendo, etc. Percebe-se que todos esses procedimentos têm em comum uma captura da atenção; no primeiro tipo, trata-se de extenuar a atenção através de estímulos sensoriais fracos e uniformes. Ainda não foi esclarecida de forma satisfatória a dúvida em relação a como o mero convencimento pela palavra produz exatamente o mesmo estado que os outros procedimentos. Hipnotizadores experientes informam que com esse procedimento consegue-se uma clara transformação hipnótica em cerca de 80 por cento das pessoas testadas. Mas não se tem qualquer indício a partir do qual se possa adivinhar de antemão quais pessoas são hipnotizáveis e quais pessoas não o são. Um estado de doença absolutamente não faz parte das condições da hipnose; pessoas normais, ao que parece, são facilmente hipnotizáveis, e uma parte dos nervosos é especialmente difícil de hipnotizar, enquanto doentes mentais são totalmente refratários. O estado hipnótico tem diversas gradações; em seu grau mais leve, o hipnotizado sente apenas algo como uma leve anestesia, e o grau mais alto, caracterizado por singularidades específicas, foi chamado de *sonambulismo*, devido à sua semelhança com o *andar durante o sono*, observado como fenômeno natural. Mas a hipnose não é um sono como o nosso sono noturno, ou como aquele produzido artificialmente por soníferos.

Há modificações em seu interior, e ali se mostram produções anímicas preservadas, que não se apresentam no sono normal.

Alguns fenômenos da hipnose, como as mudanças da atividade muscular, têm apenas interesse científico. O mais significativo e, para nós, mais importante sinal da hipnose está no comportamento do hipnotizado diante de seu hipnotizador. Enquanto para o mundo exterior o hipnotizado se comporta como alguém que dorme, ou seja, afastou-se dele com todos os sentidos, ele está *acordado* para a pessoa que o colocou em hipnose, ouve e vê apenas ela, entende-a e responde a ela. Esse fenômeno, a que chamamos de *rapport* na hipnose, encontra um análogo no modo como algumas pessoas dormem, por exemplo, a mãe que alimenta o seu filho. É algo tão curioso que deveria nos trazer a compreensão da relação entre hipnotizado e hipnotizador.

Mas o fato de o mundo do hipnotizado, digamos, ser restrito ao hipnotizador não é a única coisa. Chega a ponto de o primeiro ser totalmente submisso ao último, *obediente e crédulo*, e isso ocorre na hipnose profunda de forma praticamente ilimitada. E na execução dessa obediência e dessa credulidade mostra-se então como sendo uma característica do estado hipnótico o fato de ser a influência da vida anímica sobre o corpo do hipnotizado extraordinariamente intensificada. Se o hipnotizador disser: você não consegue mexer o braço, esse braço cairá como se fosse imóvel; aparentemente, o hipnotizado usa toda a sua força e não consegue movê-lo. Se o hipnotizador disser: seu braço se mexe automaticamente, você não pode impedi-lo, esse braço se moverá, e vemos o hipnotizado fazer movimentos inúteis para imobilizar o braço. A representação [*Vorstellung*] que o hipnotizador deu ao hipnotizado através da palavra provocou justamente aquele comportamento anímico-corporal que corresponde ao seu conteúdo. Por um lado, há aí obediência, mas por outro há um aumento da influência física de uma ideia. A palavra aqui volta a se transformar em magia.

O mesmo vale para a área das percepções sensoriais. O hipnotizador diz: você vê uma cobra, você cheira uma rosa, você ouve a mais bela das músicas, e o hipnotizado vê, cheira, ouve tal como a representação [*Vorstellung*] prescrita o exige dele. Como saber se o hipnotizado de fato tem essas percepções? Poderíamos supor que ele apenas esteja fingindo; mas não há motivo para duvidarmos, pois ele se comporta como se estivesse sentido de fato, manifesta todos os afetos que pertencem à sensação e, sob certas circunstâncias, após a hipnose ele poderá relatar as suas percepções e vivências imaginadas. Percebe-se, então, que ele viu e ouviu, assim como vemos e ouvimos no sonho, isto é, ele *alucinou*. Aparentemente, ele é tão crédulo diante do hipnotizador que está *convencido* de que a cobra deva ser vista se o hipnotizador a anuncia, e essa convicção tem um efeito tão forte sobre o físico que ele de fato vê a cobra, como, de resto, em certas ocasiões pode acontecer também com pessoas não hipnotizadas.

Diga-se aqui de passagem que tal credulidade que o hipnotizado apresenta diante de seu hipnotizador, além da hipnose, só é encontrada na vida real *na criança diante dos pais amados*, e essa sintonia [*Einstellung*] da própria vida anímica com a de outra pessoa com uma submissão semelhante tem um único correspondente, mas agora completo, em alguns *relacionamentos amorosos* com uma total entrega. A somatória da exclusividade do foco em uma pessoa com a obediência crédula, aliás, é algo que caracteriza o amar.

Há ainda muito a relatar sobre o estado hipnótico. A fala do hipnotizador, que expressa os efeitos mágicos anteriormente descritos, é chamada de *sugestão*, e criou-se o costume de usar esse nome também nos casos em que há apenas a intenção de produzir efeito semelhante. Assim como o movimento e a sensação, todas as outras atividades anímicas do hipnotizado obedecem a essa sugestão, enquanto ele não costuma empreender nada por motivação própria. Pode-se aproveitar a obediência hipnótica para uma série de experiências altamente curiosas, que permitem miradas profundas no mecanismo anímico, e criando no espectador a profunda convicção, indelével, do poder insuspeitado do anímico sobre o físico. Assim como se pode instar o hipnotizado a ver o que não está lá, também se pode proibi-lo de ver algo que está lá e quer se impor a seus sentidos, por exemplo, uma determinada pessoa (a chamada alucinação negativa), e essa pessoa, então, achará impossível se fazer perceptível ao hipnotizado através de qualquer tipo de estímulo; ela será tratada por ele "como ar". Pode-se aplicar a sugestão ao hipnotizado de que execute determinada ação apenas algum tempo após acordar da hipnose (a sugestão pós-hipnótica), e o hipnotizado cumprirá esse tempo e executará a ação sugerida em meio a seu estado de vigília, sem saber indicar um motivo para tanto. Se então perguntarmos por que ele fez aquilo neste momento, ele se reportará a uma pressão obscura à qual não conseguiu resistir, ou então inventará um pretexto minimamente plausível, sem se lembrar do motivo real, que foi a sugestão nele aplicada.

O acordar da hipnose se dá sem esforço, através da palavra poderosa do hipnotizador: acorde! Nas hipnoses mais profundas, faltará a lembrança de tudo que foi vivenciado durante a hipnose sob influência do hipnotizador.

Essa parte da vida anímica chegará a permanecer isolada do resto. Outros hipnotizados têm uma lembrança onírica, outros ainda se lembram de tudo, mas relatam que estiveram sob uma coerção anímica [*seelischer Zwang*[4]], contra a qual não havia resistência.

O ganho científico que o conhecimento dos fatos hipnóticos trouxe para médicos e pesquisadores da alma dificilmente será superestimado. Mas para destacar a importância prática dos novos achados, coloque-se o médico no lugar do hipnotizador e o paciente no lugar do hipnotizado. A hipnose, nesse caso, não parece como que talhada para satisfazer todas as necessidades do médico, desde que este queira aparecer diante do doente como "médico da alma"? A hipnose presenteia o médico com uma autoridade que provavelmente um sacerdote ou um curandeiro nunca tiveram, na medida em que reúne todo o interesse anímico do hipnotizado na pessoa do médico; ela elimina a autoingerência [*Eigenmächtigkeit*] da vida anímica no doente, autoingerência em que reconhecemos o impedimento para a expressão de influências anímicas sobre o corpo; ela produz, em si e *per se*, um aumento do poder anímico sobre o corporal que comumente só se observa sob as mais fortes influências de afetos, e pela possibilidade de deixar aflorar depois, em estado normal, o que foi dito ao doente na hipnose (sugestão pós-hipnótica), fornece ao médico os meios para utilizar no estado de vigília o seu grande poder durante a hipnose para modificar o paciente. Assim teríamos um padrão simples para o tipo de cura através do tratamento anímico. O médico coloca o paciente em estado de hipnose, aplica a sugestão de que ele não está doente, modificada de acordo com as respectivas circunstâncias, e de que após acordar não sentirá mais nenhum sinal de sofrimento, depois do que acordará o doente e ficará na expectativa de que a sugestão fez a sua parte para sanar a doença. Esse procedimento teria de ser repetido em número suficiente, caso apenas uma sessão não tenha resolvido.

Apenas uma única dúvida poderia afastar médico e pacientes da utilização de tal procedimento de cura, mesmo sendo ele tão promissor. Caso os resultados mostrassem que o benefício da hipnose, de um lado, traria de outro lado, por exemplo, um prejuízo, um distúrbio ou enfraquecimento na vida anímica do hipnotizado. As experiências feitas até agora já são suficientes para afastar essa preocupação; hipnoses únicas são absolutamente inofensivas, mesmo aquelas repetidas com frequência não fazem mal como um todo. Só há uma coisa a destacar: nos casos em que as circunstâncias tornam necessária a utilização contínua da hipnose, produz-se um hábito e uma dependência do médico hipnotizador, o que não pode ser a intenção do procedimento de cura.

O tratamento hipnótico significa realmente uma grande ampliação do âmbito de poder do médico, significando um progresso na arte da cura. Pode-se aconselhar a todo aquele que sofre que confie na hipnose, quando exercida por um médico confiável e experiente. Mas se deveria usar a hipnose de uma forma diferente daquela geralmente praticada hoje. Normalmente só se usa esse tipo de tratamento quando todos os outros recursos falharam, o sofredor já está prestes a desistir e se sentindo desencorajado. Então se abandona o médico que não sabe hipnotizar ou não exerce o procedimento, e procura-se um médico desconhecido que geralmente nada mais exercita e nada sabe além de hipnotizar. O médico de família deveria estar familiarizado com o método hipnótico de cura, utilizando-o desde o início, se ele julgar que o caso e a pessoa estejam aptos para tanto. Onde ela fosse aplicável, a hipnose deveria existir de igual para igual ao lado dos outros procedimentos de cura, e não significar um último refúgio ou até o abandono da cientificidade a caminho do charlatanismo. O procedimento de cura da hipnose não é útil apenas em todos os estados nervosos e nos distúrbios surgidos por "imaginação", além da desabituação de hábitos doentios (alcoolismo, vício em morfina, desvios sexuais), mas também em muitas doenças orgânicas, mesmo as infecciosas, nas quais em caso de continuidade da patologia de base se tem a perspectiva de eliminar os sinais da doença que num primeiro momento afligem o doente, como dores, inibição dos movimentos e afins. A seleção dos casos para a utilização do procedimento hipnótico depende integralmente da decisão do médico.

Mas é chegada a hora de dissipar a impressão de que com a ferramenta da hipnose começou um confortável período de atividades milagrosas para o médico. Ainda há inúmeras circunstâncias a considerar, adequadas para diminuir significativamente as nossas expectativas em relação ao procedimento hipnótico de cura e reduzir as esperanças ativadas no doente à sua medida justa. Principalmente uma condição básica se revelou insustentável, que afirma que através da hipnose se teria conseguido demover dos doentes a autoingerência em seu comportamento anímico. Eles a preservam e a comprovam já em seu posicionamento contra a tentativa de hipnotizá-los. Quando dissemos anteriormente que cerca de 80 por cento das pessoas são hipnotizáveis, esse número elevado só se produziu porque todos os casos que apresentavam algum traço de influenciamento [Beeinflussung] foram computados como casos positivos. Hipnoses realmente profundas com submissão total, tal como as que escolhemos na descrição para servirem de modelo, na realidade são raras, pelo menos não tão frequentes como seria desejável para o interesse da cura. Pode-se voltar a diluir a impressão desse fato, destacando que a profundidade da hipnose e a submissão diante das sugestões não andam no mesmo compasso, e muitas vezes podemos observar um bom efeito da sugestão em um torpor hipnótico leve. Mas mesmo se tomarmos separadamente a submissão hipnótica como o mais essencial desse estado, precisamos admitir que as pessoas mostram a sua especificidade na medida em que só se deixam influenciar pela submissão até certo ponto, que é o momento em que param. Portanto, as pessoas mostram graus muito diferentes de utilidade para o procedimento hipnótico de cura. Se fosse possível encontrar meios com os quais pudéssemos intensificar todos esses graus especiais do estado hipnótico até chegarmos à hipnose completa, suspenderíamos novamente a especificidade dos doentes, e o ideal do tratamento anímico seria concretizado. Mas esse progresso até hoje não se efetivou; ainda depende muito mais do doente do que do médico qual o grau de submissão que se colocará à disposição da sugestão, isto é, está a cargo do arbítrio do paciente.

Mais importante é outro aspecto. Quando se descrevem os sucessos altamente curiosos da sugestão no estado hipnótico, esquece-se que se trata aqui – como em todos os efeitos anímicos – de relações de grandeza e de força. Se colocarmos uma pessoa saudável em hipnose profunda e dissermos a ela que morda uma batata que apresentamos a ela como pera, ou então se dissermos a ela que está vendo um conhecido que precisa cumprimentar, facilmente veremos uma submissão total, porque não há um motivo sério no hipnotizado que possa se rebelar contra a sugestão. Mas já no caso de outros comandos, por exemplo, quando se pede a uma menina normalmente tímida que tire a roupa, ou a um homem honesto que se aproprie de um objeto valioso por meio de roubo, pode-se perceber uma resistência no hipnotizado, que pode ir até o ponto de recusar obediência à sugestão. A partir disso, aprendemos que na melhor das hipnoses a sugestão não tem poder ilimitado, mas apenas um poder de certa intensidade. O hipnotizado se dispõe a oferecer pequenos sacrifícios; com os grandes, ele é reticente, assim como ele o seria em estado de vigília. Agora, se lidamos com um doente e através da sugestão o instamos à recusa da doença, perceberemos que isso para ele significa um grande sacrifício, e não um pequeno. O poder da sugestão aí se mede também com a força que criou as manifestações da doença e as mantém, mas a experiência mostra que esta última é de ordem totalmente diferente da influência hipnótica. O mesmo doente que ingressa em toda situação onírica que lhe é sugerida – desde que não seja abjeta –, submetendo-se totalmente a ela, pode permanecer completamente avesso a uma sugestão que, por exemplo, contrarie a sua paralisia imaginada. Acrescente-se a isso que, na prática, justamente os nervosos em geral são difíceis de hipnotizar, de modo que não será a influência hipnótica plena, mas apenas uma fração dela a lutar a batalha contra as forças poderosas através das quais a doença está ancorada na vida anímica.

Portanto, se a hipnose ou mesmo a hipnose profunda foi bem-sucedida uma vez, isso não garante de antemão que a sugestão saia vitoriosa em relação à doença. Ainda será necessária a batalha, e muitas vezes o resultado é incerto. Por isso, uma única sessão de hipnose de nada serve contra distúrbios sérios de origem anímica. Mas com a repetição da hipnose, cai o efeito de milagre para o qual talvez o doente tenha se preparado. Nesse caso, pode-se conseguir que com repetidas hipnoses o influenciamento da doença, de início fraco, passe a se tornar cada vez mais evidente, até que se instale um resultado satisfatório. Contudo, um tratamento hipnótico desse tipo pode ser tão trabalhoso e tomar tanto tempo quanto qualquer outro.

Outra forma como a relativa fraqueza da sugestão se revela em comparação às afecções a serem combatidas é que a sugestão consegue a suspensão das manifestações da doença, mas apenas por pouco tempo. Após decorrido esse período, os sinais de sofrimento voltam e precisam ser eliminados por uma nova hipnose com sugestão. Se esse percurso se repetir com uma frequência razoável, geralmente ele esgotará a paciência tanto do doente quanto do médico e terá como consequência a desistência do tratamento hipnótico. Esses também são os casos em que se costumam estabelecer no doente a dependência do médico e uma espécie de vício pela hipnose.

É bom que o doente conheça essas falhas do método hipnótico de cura e as possibilidades de se decepcionar na sua aplicação. O poder de cura da sugestão hipnótica é um fato, ele não precisa do louvor exacerbado. Por outro lado, é facilmente compreensível que os médicos a quem o tratamento anímico hipnótico prometia muito mais do que podia cumprir não se cansem de buscar outros procedimentos que possibilitem uma intervenção mais profunda ou menos imprevisível na alma do doente. Pode-se ter a expectativa segura de que o tratamento anímico moderno, focado no objetivo – que acaba sendo uma revitalização recente de antigos métodos de cura –, ainda fornecerá aos médicos armas muito mais poderosas na batalha contra a doença. Uma percepção mais profunda dos processos da vida anímica, cujos primeiros passos repousam justamente sobre as experiências hipnóticas, apontará recursos e caminhos para tanto.

Psychische Behandlung (Seelenbehandlung) (1890)

1890 Primeira publicação: In: KOSSMANN, R.; WEISS, J. *Die Gesundheit: Ihre Erhaltung, ihre Störung, ihre Wiederherstellung.* Stuttgart, Berlin und Leipzig: Union Deutsche Verlagsgesellschaft

1942 *Gesammelte Werke*, t. V, p. 289-315

Não há dúvida de que a melhor tradução para a palavra grega *psyché* em alemão é *Seele*. As dificuldades se colocam a partir da tradução dessas palavras para línguas como o português – ou mesmo para o inglês. A questão tornou-se central depois da famosa crítica de Bruno Bettelheim às versões inglesas. Estas vertiam o substantivo *Seele* por *mind* e o adjetivo *seelisch* por *mental*, o que resultaria na tradução por "mente" e "mental" em português, nas traduções indiretas. Ocorre que em alemão, assim como em grego, a mesma palavra – *Seele* – é empregada tanto no âmbito filosófico-científico, para se referir ao psiquismo em seus aspectos cognitivos, emocionais, sensoriais, etc., quanto no âmbito místico-religioso, quanto ainda no âmbito estético-literário. De toda forma, apesar dos inconvenientes, parece menos inadequado traduzir *Seele/seelisch* pelo par "alma/anímico" do que por "mente/mental".

O presente artigo foi publicado em 1890, numa obra coletiva de divulgação científica intitulada *Die Gesundheit* [A saúde], cuja leitura Freud recomendou a seus próprios filhos. Por muitos anos, acreditou-se que o texto havia sido publicado em 1905, quando, na verdade, a primeira edição data de 15 anos antes. Freud tinha pouco mais de 30 anos quando o publicou, antes, portanto, da consolidação da técnica propriamente psicanalítica. No início de sua prática clínica em Medicina, que remonta a alguns anos antes, Freud empregou diversos recursos terapêuticos então usuais, incluindo a eletroterapia e a hidroterapia, antes de se inclinar em direção a outros métodos que privilegiam aspectos da influência ou da fala, tais como a hipnose, a sugestão e o método catártico (ab-reação). Àquela altura, no mundo médico, e especialmente em Viena, a validade da hipnose como método terapêutico era bastante controversa, encontrando em seu eminente professor Theodor Meynert um forte opositor.

Duas viagens foram decisivas para que Freud pudesse decidir-se acerca da validade da hipnose. Em 1885-86, Freud obtém uma bolsa de estudos para estagiar em Paris, na Salpêtrière, junto a Jean-Martin Charcot, com quem aprendeu a primazia do fato clínico, consubstanciada na frase que nunca mais esqueceu: "*la théorie c'est bon, mais ça n'empêche pas d'exister*" ("Teoria é bom, mas não impede [um fato] de existir"). Os relatos acerca do papel decisivo dessa temporada são inúmeros. De maneira geral,

FUNDAMENTOS DA CLÍNICA PSICANALÍTICA 45

consolida-se a mudança de interesse de Freud da neuroanatomia rumo à psicopatologia, iniciada alguns anos antes, quando o caso "Anna O." lhe é relatado por Breuer. Ainda em Paris, Freud se convence da existência da histeria masculina, o que culminaria com a associação entre histeria e trauma. Algum tempo mais tarde, no verão de 1889, empreende outra viagem à França, também determinante. Em Nancy, encontra Hippolyte Bernheim a fim de aperfeiçoar a técnica de hipnose, levando consigo sua paciente Anna von Lieben, conhecida como Frau Cecilia. Charcot e Bernheim mantinham diferentes perspectivas acerca da natureza do hipnotismo. Para o primeiro, a hipnose era uma histeria produzida artificialmente, uma condição mórbida, ao passo que, para o segundo, era um fenômeno da psicologia normal, da mesma natureza que o sono. A passagem de Charcot a Bernheim corresponderia à passagem de uma clínica do olhar a uma clínica da palavra, já que este último concebia a hipnose como resultado da sugestão pela palavra. Contudo, antes de abandonar definitivamente a técnica hipnótica, Freud oscilou quanto a esses dois mestres. Outro aspecto que deve ser destacado é o papel de Freud como tradutor. Traduziu do francês para o alemão tanto a obra de Bernheim quanto a de Charcot, contribuindo ainda com a redação de notas de rodapé e prefácio.

De todo modo, o emprego freudiano de tais métodos deve ser visto sob o pano de fundo da forte impressão causada pelo método catártico (ab-reação) de Breuer (cf. notícia bibliográfica de "O método psicanalítico freudiano", neste volume, p. 59). Nesse artigo precoce, vale destacar ainda a aposta freudiana na causalidade psíquica, cujo meio de ação não é outro que não o poder aparentemente "mágico" das palavras, sem que Freud se desse conta ainda do fenômeno transferencial. À questão acerca de *como* o tratamento da alma pode ter efeitos no corpo, Freud, como cientista natural, não hesita em responder: através da eficácia da palavra, que passa a ser cada vez mais uma ferramenta essencial do método. Não por acaso, no ano seguinte, Freud escreveria seu célebre estudo *Sobre a concepção das afasias: um estudo crítico* (publicado pela primeira vez no Brasil em 2013, nesta mesma coleção).

Vale a pena ressaltar como, já àquela altura, Freud reconhecia os limites do método hipnótico, o que fica claro principalmente nas últimas páginas do texto, em que ele sonha com armas "mais poderosas na batalha contra a doença".

NOTAS

[1] Ver nota bibliográfica, ao final do texto. (N.R.)

[2] O verbo *verraten* tem em alemão uma dupla conotação de "trair" e "deixar de ocultar", claramente manifesta neste exemplo. (N.R.)

[3] A atribuição causal (por isso) se deve ao fato de a palavra "hipnose" derivar de "sono" [*Hypnos*] a partir da língua grega. (N.R.)

[4] Cabe destacar que aqui Freud vale-se do mesmo vocábulo utilizado para caracterizar a neurose *obsessiva* [*Zwangsneurose*] ou as *compulsões* que lhe são inerentes. (N.R.)

CARTA A FLIEß 242 [133]

Viena, 16 de abril de 1900
IX., Berggasse 19

Dr. Sigm. Freud
Docente de doenças nervosas
a.d. Universidade

Querido Wilhelm!

Lá se vai a saudação encomendada da Terra do Sol. Pois, novamente, não cheguei lá. O objetivo de chegar a Trento e ao Lago de Garda teve de ser reconsiderado, porque, de início, meu companheiro ficou com medo da viagem de volta de 22 horas, ao que tive de lhe dar razão. Depois soubemos que o lugar para onde queríamos ir estava com muita neve, quase tanta quanto por aqui. Depois, a sexta-feira transformou-se num terrível dia chuvoso. Além disso, Martin adoeceu de repente, e decidi ficar. Por fim, no sábado o tempo ficou tolerável, mas todas as cinco crianças, depois de Mathilde, ficaram de cama com catapora. É claro que não é nada sério, mas mesmo assim, uma combinação tão grande de aborrecimentos que estou bem contente de ainda estar em casa.

Você tem plena razão, meus desejos não são muito maleáveis; uma renúncia parcial logo resulta num "defunto inteiro", e isso não me agrada. Foi o que também aconteceu neste caso.

Nesse meio-tempo vocês estiveram em Dresden, com problemas domésticos de porte menor, felizmente, e mais rapidamente superados. São estranhas distribuições. Nós passamos por toda uma espécie de outras coisas, mas nada que se pareça com isso. Nossa casa vai bem, as pessoas são fiéis e persistentes. Cada camada da cultura tem suas queixas específicas.

E.[1] finalmente concluiu sua carreira de paciente com um convite para jantar em minha casa. Seu enigma está *quase* totalmente solucionado; sua saúde excelente, sua essência totalmente mudada; dos sintomas permaneceu um resto, no momento. Estou começando a entender que o caráter aparentemente sem fim do tratamento é algo regular e tem a ver com a transferência. Espero que esse resto não prejudique o resultado prático. Só dependia de mim ainda ter continuado com o tratamento, mas percebi que isso seria um compromisso entre o estar doente e o estar sadio, o qual os próprios pacientes desejam e com o qual o médico, por isso mesmo, não deve concordar. A conclusão assintótica do tratamento, que, para mim, é indiferente, continua sendo uma decepção mais para os de fora. De qualquer forma, estarei de olho no paciente. Como ele teve de participar de todos os meus erros técnicos e teóricos, penso que, de fato, um próximo caso poderia ser resolvido na metade do tempo. Tomara que você agora me envie esse próximo caso.

L.G.[2] vai muito bem. Ela não será mais nenhum fracasso.

Às vezes a coisa caminha no sentido de uma síntese, mas eu a detenho.

Fora isso, Viena é Viena, ou seja, altamente repulsiva. Se eu me despedisse com "na próxima Páscoa, em Roma", eu me veria como um judeu devoto. Portanto, prefiro: "Até o nosso encontro no verão ou no outono em Berlim, ou onde você quiser".

Saudações cordiais

Teu Sigm.

FUNDAMENTOS DA CLÍNICA PSICANALÍTICA   49

Carta a Fließ

1950   *Aus den Anfängen der Psychoanalyse*, estabelecida por Marie Bona-
parte, Anna Freud e Ernst Kris

1985   *The Complete Letters of Sigmund Freud to Wilhelm Fließ* (1887-1904),
editadas por J. M. Masson

1986   *Briefe an Wilhelm Fließ*, 1887-1904. Ungekürzte Ausgabe

A correspondência com Fließ foi decisiva para a constituição
das principais linhas de força do pensamento de Freud. Nesse sentido,
ela possui um estatuto à parte em relação à farta correspondência com
outros missivistas. [Na nota do editor inserida no volume *Neurose, psicose,
perversão*, p. 54-55, o leitor encontrará informações mais detalhadas sobre
a troca epistolar Freud-Fließ.]

Na carta que o leitor tem em mãos, Freud menciona a conclusão
do tratamento do "caso E.", provavelmente aludindo a seu paciente
Oscar Fellner, que ele qualifica de "perseverante". Freud refere-se a esse
caso, direta ou indiretamente, diversas vezes em sua correspondência
com Fließ. A primeira menção data de 20 de abril de 1895; a última
é essa que o leitor tem em mãos, de 16 de abril de 1900. Destacam-se
passagens em que Freud comenta a equivalência entre dinheiro e fezes
(24 de janeiro de 1897), evoca a solução de um enigma através da análise de uma homofonia entre o alemão e o francês feita pelo próprio
paciente (29 de dezembro de 1897), indica a proximidade do término
da análise devido à descoberta de uma cena primitiva (21 de dezembro
de 1889), que ele compara à descoberta arqueológica, como se Heinrich
Schliemann tivesse exumado Troia ainda uma vez. Por demonstrar em
sua própria carne a realidade de suas doutrinas, Freud presenteia seu
paciente com uma reprodução de *Édipo e a Esfinge*, conforme carta de
21 de dezembro de 1899. Desde então Freud nutre a expectativa de
uma resolução do caso.

É nesse contexto que ele aborda o caráter aparentemente "infinito" ou "sem-fim" [*Endlos*] do tratamento, anunciando um tema
que será sistematizado somente muitos anos mais tarde, em 1937,
em seu "A análise finita e a infinita" [*Die endliche und die unendliche
Analyse*]. Esse fragmento é particularmente importante por agluti-
nar, de modo embrionário, ideias tais como: o caráter "assintótico"
do término de uma análise, que se concluiria por uma decisão do
analista; o incontornável "resto" sintomático, com o qual o analista
deve moderar sua ambição terapêutica; e, *last but not least*, a ligação
desses fatores à "transferência".

ANZIEU, D. *L'auto-analyse de Freud et la découverte de la psychanalyse*. Paris: PUF, 1975. • RUDNYTSKY, P. *Psychoanalytic conversations: interviews with clinicians, commentators and critics*. Hillsdale, NJ: The Analytic Press, 2000.

NOTAS

[1] Trata-se aqui da menção a um paciente de Freud designado simplesmente pela inicial "E.". (N.R.)

[2] Novamente Freud usa de iniciais para se referir a pacientes. Desta vez, uma mulher. (N.R.)

O MÉTODO PSICANALÍTICO FREUDIANO (1904 [1905])

"O método peculiar de psicoterapia que Freud exerce e chama de Psicanálise tem sua origem no chamado processo catártico, sobre o qual ele relatou à sua época nos *Estudos sobre histeria*, em 1895, elaborados com J. Breuer. A terapia catártica foi uma invenção de Breuer, que com seu auxílio primeiramente, de certa forma, fabricou [*hergestellt*] uma doente histérica um decênio antes, percebendo então a patogênese de seus sintomas. Devido a um encorajamento pessoal de Breuer, Freud então retomou o procedimento e o experimentou em um número maior de doentes.

O procedimento catártico pressupunha que o paciente fosse hipnotizável e fundava-se na ampliação da consciência, que se instaura na hipnose. Ele tinha como objetivo o afastamento dos sintomas da doença, e alcançava essa meta fazendo com que os pacientes regredissem até o estado psíquico em que o sintoma havia aparecido pela primeira vez. Então, no doente hipnotizado surgiam lembranças, pensamentos e impulsos que até então tinham ficado de fora de sua consciência, e quando ele, sob intensas expressões dos afetos, tinha comunicado ao médico esses seus processos anímicos, o sintoma tinha sido superado, e o retorno dele, suspenso. Essa experiência, repetida regularmente, foi explanada pelos dois autores em seu trabalho conjunto, no sentido de que o sintoma estaria no lugar de processos psíquicos reprimidos [*unterdrückten*] e que não chegaram à consciência, ou seja, seria uma transformação (conversão) da última. A eficácia terapêutica de seu procedimento era explicada por eles a partir do escoamento [*Abfuhr*] do afeto que até então se encontrava "comprimido" e que tinha estado colado às ações anímicas reprimidas (ab-reação). O esquema simples da intervenção terapêutica, no entanto, começou a se complicar quando ficou evidente que não era uma impressão única (traumática), mas geralmente uma série dessas impressões, difíceis de serem superadas, que participavam do surgimento do sintoma.

A característica principal do método catártico, que o coloca em oposição a todos os outros procedimentos da psicoterapia, portanto, consiste no fato de que nesse método a eficácia terapêutica não é transferida para uma proibição sugestiva do médico. Ele espera, ao contrário, que os sintomas desapareçam por conta própria, se a intervenção, que se baseia em determinados pressupostos sobre o mecanismo psíquico, conseguir levar processos anímicos por um percurso diferente do atual, que desembocou na formação do sintoma.

As mudanças que Freud fez no procedimento catártico de Breuer inicialmente eram mudanças técnicas; mas estas precisavam de novos resultados e acabaram, na sequência, por mostrar a premência de uma concepção de um trabalho terapêutico de outro tipo, mas que não contradizia a concepção anterior.

Se o trabalho catártico já havia abdicado da sugestão, Freud, por sua vez, deu um passo além e também desistiu da hipnose. Atualmente, ele atende os seus doentes deixando que eles se posicionem confortavelmente em um divã [Ruhebett[1]], sem qualquer outro tipo de influenciamento, enquanto ele próprio, fora do escopo visual dos pacientes, senta-se em uma cadeira atrás deles. Ele também não exige que fechem os olhos e evita qualquer contato e todo procedimento que possa lembrar a hipnose. Portanto, uma sessão assim transcorre como uma conversa entre duas pessoas igualmente despertas, sendo que uma delas poupa todo e qualquer esforço muscular, assim como toda impressão dos sentidos que possa atrapalhar a concentração na sua própria atividade anímica.

Uma vez que sabemos que toda forma de ser hipnotizado, por maior que seja a habilidade do médico, está fundada na arbitrariedade do paciente, e que um grande número de pessoas neuróticas não é passível de ser hipnotizado por nenhum procedimento, foi recusando a hipnose que se conseguiu garantir que o procedimento fosse aplicável a uma quantidade ilimitada de doentes. Por outro lado, ficou de fora a ampliação da consciência que, justamente, tinha fornecido ao médico aquele material psíquico de lembranças e imaginações [Vorstellungen[2]], com ajuda do qual era possível executar a transposição dos sintomas e a libertação dos afetos. Se não se criasse um substituto para essa ausência, não haveria como falar de uma intervenção terapêutica eficaz.

Freud, então, encontrou um tal substituto plenamente suficiente nas ocorrências[3] [Einfälle] dos doentes, isto é, naquelas ocorrências involuntárias, geralmente sentidas como pensamentos que atrapalham e que, por isso, sob condições normais seriam afastados, pois costumavam atravessar o contexto de uma apresentação [Darstellung] intencionada. Para se apoderar dessas ocorrências, ele convida os doentes a falarem à vontade em suas comunicações, 'como, por exemplo, em uma conversa na qual de um assunto se passa a outro totalmente diferente'.[4] Antes de convidá-los à narrativa detalhada do histórico de sua doença, ele reforça a instrução de que eles lhe contem tudo que lhes vem à cabeça, mesmo se acharem não ser importante, ou se acharem que aquilo não vem ao caso, ou que não faz sentido. Mas com bastante ênfase exige deles que não excluam nenhum pensamento ou nenhuma ocorrência da comunicação pelo fato de lhes parecer vergonhoso ou embaraçoso. Nos esforços de reunir esse material a partir das ocorrências, até então esquecidas, Freud então observou aquilo que viria a ser determinante para toda a sua concepção. Já durante a narração do histórico da doença, os doentes evidenciam lacunas nas lembranças, seja porque processos que de fato aconteceram foram esquecidos, seja porque relações temporais tenham ficado confusas ou porque relações causais tenham sido esfaceladas, de modo a resultarem daí efeitos incompreensíveis. Sem amnésia de qualquer tipo não há histórico da doença neurótica. Se insistirmos com o narrador que preencha essas lacunas da memória com um esforço de atenção, perceberemos que as ocorrências que surgem a partir daí são refreadas [*zurückgedrängt*] por ele com todas as formas de crítica, até que, por fim, ele sinta o mal-estar direto quando a lembrança realmente aparece. A partir dessa experiência, Freud conclui que as amnésias são resultado de um processo que ele chama de *recalque* [*Verdrängung*], e cujo motivo ele entende serem as sensações de mal-estar. Ele julga sentir as forças psíquicas que trouxeram à tona esse recalque na *resistência* que se ergue contra o restabelecimento.

O momento da resistência acabou se tornando um dos fundamentos de sua teoria. As ocorrências que até então eram colocadas de lado, sob inúmeros pretextos (como citado na fórmula acima), porém, ele vê como derivados das formações psíquicas recalcadas (pensamentos ou moções), como deformações destas, devido à resistência que há contra a sua reprodução.

Quanto maior a resistência, maior será essa deformação. Nessa relação das ocorrências involuntárias com o material psíquico recalcado reside, então, o seu valor para a técnica terapêutica. Se tivermos um procedimento que possibilite nos levar das ocorrências ao recalcado, das deformações ao deformado, também poderemos tornar acessível à consciência, e sem hipnose, o que era inconsciente na vida anímica.

Com base nisso, Freud desenvolveu uma *arte da interpretação*, que tem o mérito de, a partir dos minérios das ocorrências involuntárias, representar o teor de metal dos pensamentos recalcados. Os objetos desse trabalho de interpretação não são apenas as ocorrências do doente, mas também os seus sonhos, que permitem o acesso mais direto ao conhecimento do inconsciente, bem como seus atos involuntários e não planejados (atos sintomáticos) e equívocos em suas realizações[5] [*Leistungen*] na vida cotidiana (equivocar-se[6] ao falar [*Versprechen*], ao agir [*Vergreifen*] e assemelhados). Os detalhes dessa técnica de interpretação ou de tradução ainda não foram publicados por Freud. Segundo as suas indicações, trata-se de uma série de regras obtidas empiricamente, mostrando como, a partir de ocorrências, pode-se construir o material inconsciente, bem como instruções acerca de como entender quando as ocorrências do paciente falham, além de experiências sobre as resistências típicas mais importantes que aparecem no decorrer de um tratamento deste tipo. Um alentado livro sobre *A interpretação do sonho* [*Die Traumdeutung*], publicado por Freud em 1900, pode ser visto como precursor de uma introdução a essa técnica.

A partir dessas indicações, poderíamos concluir acerca da técnica do método psicanalítico que o seu inventor dispendeu esforço supérfluo e agiu mal em abandonar o procedimento pouco complicado da hipnose. Mas, por um lado, uma vez aprendida, a técnica da Psicanálise é muito mais fácil de exercer do que pode parecer em uma descrição; por outro lado, nenhum outro caminho leva ao objetivo e, por isso, o caminho mais trabalhoso ainda acaba sendo o mais curto. Pode-se objetar em relação à hipnose que ela encobre a resistência, impedindo, assim, que o médico consiga vislumbrar o jogo das forças psíquicas. No entanto, a hipnose não acaba com a resistência, ela apenas desvia dela e, por isso, só fornece informações incompletas e sucessos apenas passageiros.

A tarefa que o método psicanalítico quer resolver pode ser expressa em várias fórmulas, mas que em essência se equivalem, todas. Pode-se dizer: a tarefa do tratamento é suspender as amnésias. Se todas as lacunas da memória forem preenchidas e todos os efeitos misteriosos da vida psíquica forem esclarecidos, impossibilita-se a continuidade e até mesmo uma nova formação do sofrimento. Podemos formular essa condição de outro modo: tornar todos os recalques reversíveis; o estado psíquico, então, seria o mesmo que aquele em que todas as amnésias foram preenchidas. Em outra formulação, ainda vamos além: tratar-se-ia de tornar o inconsciente acessível ao consciente, o que ocorre através da superação das resistências. Mas não podemos esquecer aqui que um estado ideal como esse também não existe em uma pessoa normal, e que só raras vezes conseguimos nos aproximar minimamente desse ponto no tratamento. Assim como a saúde e a doença não são separadas por princípio, mas apenas por um limite somatório determinável a partir da prática, assim também o objetivo do tratamento nunca será algo diferente do que a cura prática [*praktische Genesung*] do doente, o estabelecimento de sua capacidade de realizar e de gozar.[7] Em caso de tratamento incompleto ou de resultados imperfeitos desse tratamento, alcançamos principalmente uma melhora significativa do estado psíquico geral do doente, enquanto os sintomas podem continuar existindo, sem, porém, estigmatizá-lo como doente, mas tendo menor importância para ele.

À exceção de pequenas modificações, o processo terapêutico permanece o mesmo para todos os quadros sintomáticos da histeria multiforme e também para todas as formações da neurose obsessiva. Mas não se fala de uma aplicabilidade ilimitada desse processo. A natureza do método psicanalítico cria indicações e contraindicações, tanto do lado das pessoas a serem tratadas quanto em respeito ao quadro da doença. Os mais favoráveis para a Psicanálise são os casos crônicos de psiconeuroses com sintomas pouco intempestivos ou potencialmente pouco perigosos, ou seja, inicialmente todos os tipos de neurose obsessiva, de pensamento e atuação obsessiva, e casos de histeria em que fobias e abulias têm papel preponderante, mas também todas as manifestações somáticas da histeria, desde que a eliminação rápida dos sintomas, como no caso da anorexia, não se torne a tarefa principal do médico. Em casos agudos de histeria, teremos de esperar o início de um estágio mais calmo; em todos os casos em que o esgotamento nervoso esteja em primeiro lugar, evitaremos um procedimento que, ele próprio, exigirá esforço, que trará progressos lentos e que durante certo tempo não poderá levar em consideração a continuidade dos sintomas.

Precisamos fazer várias exigências à pessoa que será submetida com sucesso à Psicanálise. Em primeiro lugar, ela deverá ser capaz de mostrar um estado psíquico normal; em tempos de confusão ou de depressão melancólica, nada podemos fazer, nem no caso de uma histeria. Além disso, podemos exigir determinado grau de inteligência natural e de desenvolvimento ético; no caso de pessoas desprovidas de valores, logo o interesse abandonará o médico, interesse que no início o capacitava a se aprofundar na vida anímica do doente. Deformações marcantes de caráter, traços de constituição realmente degenerativa expressam-se no tratamento [*Kur*] como uma fonte de resistências praticamente insuperáveis. Nesse sentido, a constituição, aliás, coloca limites para a curabilidade através da psicoterapia. Também uma faixa etária por volta do quinto decênio cria condições desfavoráveis para a Psicanálise. A massa de material psíquico não será mais dominável nessa fase, o tempo necessário para o restabelecimento será longo demais e a capacidade de reverter processos psíquicos começa a fraquejar.

Apesar de todas essas limitações, a quantidade de pessoas adequadas para a Psicanálise é excepcionalmente grande, e segundo as afirmações de Freud, a ampliação de nosso saber terapêutico através desse procedimento é considerável. Freud usa longos períodos de tempo, meio ano até três anos para um tratamento eficaz; mas ele informa que até então, devido a diversos fatores fáceis de serem adivinhados, geralmente só conseguiu testar o seu tratamento em casos muito graves, pessoas com uma doença de muitos anos e total incapacidade produtiva que, iludidas por todos os tratamentos anteriores, buscavam um último refúgio em seu procedimento novo e muito questionado. Em casos de doenças mais leves, a duração do tratamento possivelmente seria muito mais curta, e poder-se-ia obter um ganho extraordinário em termos de prevenção para o futuro."

FUNDAMENTOS DA CLÍNICA PSICANALÍTICA 59

Die Freudsche psychoanalytische Methode (1904 [1905])

1904 Primeira publicação: In: LOEWENFELD, Leopold. *Die psychischen Zwangserscheinungen*, p. 545-551. Wiesbaden: Bergmann

1906 *Sammlung kleiner Schriften zur Neurosenlehre*. Leipzig; Wien: Franz Deuticke, p. 218-224, v. I

1925 *Gesammelte Schriften*, t. VI, p. 3-10

1942 *Gesammelte Werke*, t. V, 1-10

O presente artigo, escrito em terceira pessoa, é a contribuição de Freud para o livro de Leopold Loewenfeld *Die psychischen Zwangserscheinungen* [Os fenômenos compulsivos psíquicos]. Conforme relata James Strachey, tudo indica que a contribuição de Freud foi redigida um pouco antes de novembro de 1903, data em que Loewenfeld assina o prefácio da obra. Sua importância para Freud é tal que, em 1909, numa nota de rodapé a seu estudo clínico sobre o Homem dos Ratos, confessa que seu livro de cabeceira, seu manual padrão para a abordagem da neurose obsessiva continuava sendo o livro de Loewenfeld.

Ao longo da década de 1890, a técnica freudiana havia sofrido diversas modificações. Foi por isso que Freud aceitou o convite de Loewenfeld para recensear as modificações técnicas posteriores aos *Estudos sobre a histeria*, publicados pouco antes. Além disso, lembra Paul-Laurent Assoun (2009), era a oportunidade perfeita para promulgar oficialmente a Psicanálise como técnica terapêutica, em um momento em que o tratamento analítico já havia começado a se instituir internacionalmente, notadamente com Eugen Bleuler, em Zurique.

Este artigo pode ser lido como a primeira exposição abrangente acerca da técnica psicanalítica, em sua especificidade não apenas com relação à sugestão e à hipnose, que já não empregava há algum tempo, mas ainda ao método catártico. Vale lembrar que Freud estava familiarizado com o método catártico havia bastante tempo, desde que Breuer relatara o caso Anna O., o que ocorreu em diversas ocasiões a partir de novembro de 1882. A "*talking cure*" já havia impressionado o jovem médico bastante precocemente. Mas teria sido o caso Emmy von N., a baronesa Fanny Moser, o acontecimento decisivo para que Freud abandonasse o método hipnótico, quando ela, por volta de 1889, pediu-lhe que lhe deixasse falar sem interrupções. A "arte da interpretação" criada por Freud é correlata à técnica da associação livre, que progressivamente iria se firmar como especificidade da prática analítica, primeiramente de maneira "focal", depois especificamente "livre". É digno de nota que, no contexto de um esforço obstinado em reconhecer a cientificidade da Psicanálise, Freud designe como "arte" [*Kunst*] a principal ferramenta técnica de sua jovem ciência.

O texto vale ainda pela elucidação das relações entre resistência e recalque. Finalmente, o artigo contém uma das passagens mais citadas de Freud, segundo a qual o objetivo do tratamento analítico seria o de estabelecer no paciente "sua capacidade de realizar [*leisten*] e de gozar [*genießen*]", muitas vezes traduzido erroneamente – e de forma menos abrangente – como "capacidade de trabalhar e de amar". Contudo, em um trecho suprimido de "A questão da análise leiga" (ver p. 303), Freud emprega outra variante da fórmula: "restituir as capacidades perdidas de trabalhar e de fruir [*verlorene Arbeits- und Genußfähigkeiten*]". Colocadas lado a lado, essas duas variantes parecem indicar uma concepção alargada de atividades tais como realizar, produzir, trabalhar.

NOTAS

[1] Literalmente, "cama de descanso". O termo *Diwan*, existente na língua alemã, não foi empregado por Freud para se referir à característica forma de móvel utilizado em consultórios de Psicanálise. (N.R.)

[2] *Vorstellung* é uma palavra alemã que, quando utilizada numa conotação conceitual específica, não somente na Psicanálise, como também por vários autores na Filosofia, tem sua melhor tradução por "representação". Ocorre que, sendo também uma palavra de uso corrente na língua, pode ter os sentidos de "noção", "ideia", "imaginação", entre outros. Nesta coleção procuramos ficar atentos ao contexto, buscando a tradução mais adequada, ainda que assinalando sempre que adequado o termo alemão entre colchetes. (N.R.)

[3] O termo alemão traduzido aqui por "ocorrência", *Einfall*, remete literalmente àquilo que "cai para dentro", como uma ideia ou imagem que "se impõe" à pessoa. (N.R.)

[4] A expressão original em alemão "*aus dem Hundertsten ins Tausendste kommen*" significa, literalmente, "sair de um centésimo e chegar a um milionésimo", querendo dizer que uma coisa leva a outra, um assunto leva a mil outros, e se perde o fio da meada, esquecendo-se de buscá-lo, já que se trata de conversa informal e não há necessidade de coerência absoluta. (N.T.)

[5] Aqui Freud se refere ao que ficou conhecido como ato falho. O termo composto *Fehlleistung*, entretanto, refere-se mais do que a um ato [*Handlung*] específico, a qualquer realização ou produção [*Leistung*]. (N.R.)

[6] Vale notar que os títulos dos capítulos do livro *Sobre a psicopatologia da vida cotidiana* [*Zur Psychopathologie des Alltagslebens*] são em sua maioria formados por verbos com o prefixo *ver-*, indicando diferentes

modalidades de equívoco: no falar [*sprechen* – *versprechen*], no agir [*greifen* – *vergreifen*], ao ler [*lesen* – *verlesen*] etc. (N.R.)

[7] Essa passagem, além de relevante, foi também bastante difundida, ao nosso ver, de modo equivocado. Na versão corrente, parece que o objetivo de uma análise consistiria em estabelecer no analisando sua capacidade de "trabalhar" e de "amar". Entretanto, aqui, Freud emprega termos mais abrangentes: *leisten* (realizar, produzir) e *genießen* (gozar, fruir de modo agradável). Numa tradução menos literal, teríamos: capacidade de realizar [coisas] e gozar [a vida]. Joyce McDougall complementa a frase de Freud, entre parênteses, com a expressão: "*avec plaisir!*" (Cf. MCDOUGALL. Quelles valeurs pour la psychanalyse ?. *Revue Française de Psychanalyse*, v. 52, n. 3, 1988, p. 598). (N.R., N.E.)

SOBRE PSICOTERAPIA (1905 [1904])

Meus senhores! Cerca de oito anos se passaram desde que pude falar neste círculo sobre o tema da histeria, a convite de seu finado presidente, Professor von Reder. Pouco antes (1895) eu tinha publicado junto com o Doutor Josef Breuer os *Estudos sobre histeria* e empreendido a tentativa de introduzir uma forma inovadora de tratamento da neurose, com base na nova descoberta que devemos àquele pesquisador. Felizmente, posso dizer que os esforços de nossos *Estudos* tiveram sucesso; as ideias lá defendidas sobre a forma como agem traumas psíquicos através da contenção de afeto e a concepção dos sintomas histéricos como sucedâneos de uma moção transportada do anímico para o corpóreo, ideias para as quais criamos os termos "ab-reação" e "conversão" [*Konversion*], hoje são amplamente conhecidas e compreendidas. Não há – pelo menos em solo alemão – nenhuma concepção [*Darstellung*] da histeria que até certo ponto não lhes fosse tributária, e não há colega especialista na área que não tenha, ao menos durante certo tempo, acompanhado essa teoria. E mesmo assim, esses teoremas e esses termos, enquanto ainda estavam frescos, devem ter soado bastante estranhos!

Não posso dizer o mesmo sobre o procedimento terapêutico que foi sugerido aos colegas juntamente com a nossa doutrina [*Lehre*]. Esse procedimento até hoje luta pelo reconhecimento. Podemos invocar motivos especiais para tal fato. A técnica do procedimento ainda não estava totalmente formada naquela época; eu não conseguia dar ao médico leitor do livro as instruções que o capacitariam a executar aquele tratamento de forma completa. Mas certamente também houve motivos de ordem geral. Para muitos médicos, ainda hoje a psico-terapia parece ser um produto do misticismo moderno, e, se comparada a nossos remédios físico-químicos, cuja utilização se fundamenta em descobertas fisiológicas, é considerada não científica, indigna do interesse de um pesquisador de Ciências Naturais. Permitam-me, então, discutir e destacar a causa da psicoterapia diante dos senhores, apresentando o que pode ser considerado injustiça ou erro na condenação mencionada.

Deixem-me lembrar, em primeiro lugar, que a psi-coterapia não é um procedimento de cura moderno. Pelo contrário, ela é a terapia mais antiga da qual se serviu a Medicina. Na obra muito instrutiva de Löwenfeld (*Manual global de psicoterapia* [*Lehrbuch der gesamten Psychotherapie*]), os senhores poderão ler quais eram os métodos da Medicina primitiva e da antiga. Os senhores terão de associá-los em grande parte à psicoterapia; para fins de cura, colo-cavam-se os doentes no estado de "expectativa crédula", que ainda hoje nos fornece a mesma coisa. Mesmo depois de os médicos terem descoberto outros meios de cura, os empenhos psicoterapêuticos de um ou de outro tipo nunca sucumbiram na Medicina.

Em segundo lugar, chamo a atenção para o fato de que nós, médicos, não podemos prescindir da psicoterapia, porque uma outra parte, levada em alta consideração no processo de cura – que são os doentes –, não tem a intenção de abdicar dela. Os senhores sabem que esclarecimentos a esse respeito devemos à Escola de Nancy (Liébault, Bernheim). Um fator dependente da disposição psíquica dos doentes influencia, sem que seja nosso intuito, em todo o processo de cura introduzido pelo médico, geralmente no sentido positivo, às vezes também como obstáculo. Para esse fato, aprendemos a usar a palavra "sugestão", e Moebius nos ensinou que a falta de confiabilidade de que reclamamos em tantos de nossos métodos de cura remonta justamente à influência nociva desse fator mais que poderoso. Nós, médicos, os senhores todos, portanto, estamos constantemente praticando a psicoterapia, mesmo quando não nos damos conta disso e não sendo a nossa intenção; apenas há a desvantagem de que os senhores dessa forma deixam totalmente a cargo do doente a influência do fator psíquico. Assim, ele se torna incontrolável, não dosável, incapaz de gradação crescente. Não será, então, uma aspiração genuína do médico se apoderar desse fator, utilizar-se dele no intuito de conduzi-lo e de fortalecê-lo? Nada além disso é o que a psicoterapia científica exige dos senhores.

Em terceiro lugar, senhores colegas, quero apontar para a experiência, há muito conhecida, de que certas formas de sofrimento, e especificamente as psiconeuroses, são muito mais acessíveis a influências anímicas do que a qualquer outra medicação. Não se trata de uma fala moderna, mas de informações de médicos antigos, quando se diz que essas doenças não são curadas pelo medicamento, mas pelo médico, provavelmente a personalidade do médico, na medida em que através dela se exerce influência psíquica. Certamente sei, senhores colegas, que entre os senhores é muito popular aquela opinião que o esteta Vischer expressou em sua paródia de Fausto (*Fausto*, parte III da tragédia):

"Sei que, amiúde, o que é corporal
Tem efeito no moral"

Mas não deveria ser mais adequado e mais frequente influenciar o lado moral de uma pessoa com meios morais, isto é, psíquicos?

Há muitos tipos e caminhos de psicoterapia. São bons todos os que levam ao objetivo da cura. Nosso consolo habitual: "Ah, tudo vai ficar bem!", com que somos tão generosos diante dos doentes, corresponde a um dos métodos psicoterapêuticos; só que, ao olharmos mais profundamente para a essência das neuroses, não víamos a necessidade de nos limitarmos ao consolo. Desenvolvemos a técnica da sugestão hipnótica, da psicoterapia pela distração, pelo exercício, pela evocação de afetos úteis. Não desprezo nenhuma delas e as exerceria todas sob as condições adequadas. Se na verdade me limitei a um único procedimento de cura, o método que Breuer chamou de "catártico", e que prefiro chamar de "analítico", então foram importantes para mim apenas motivos subjetivos. Devido à minha participação no estabelecimento dessa terapia, sinto-me na obrigação pessoal de me dedicar a pesquisá-la e de expandir a sua técnica. Posso afirmar que o método analítico da psicoterapia é aquele que tem o efeito mais profundo, a maior amplitude e através do qual se atinge a mais considerável modificação do paciente. Se por um momento eu abandonar a perspectiva terapêutica, posso afirmar a respeito da psicoterapia que ela é a mais interessante e a única a nos ensinar algo sobre o surgimento e o contexto das manifestações da doença. Devido às informações que ela nos oferece a respeito do mecanismo do estar animicamente doente, só ela poderia ser capaz de ir além de si própria e nos apontar o caminho para outros tipos de influência terapêutica.

Quanto a esse método catártico ou analítico da psicoterapia, permitam-me agora corrigir alguns equívocos e prestar alguns esclarecimentos.

a) Percebo que esse método muito frequentemente é confundido com o tratamento hipnótico sugestivo, e o percebo a partir do fato de que com uma frequência bastante alta também colegas, para os quais não costumo agir como homem de confiança, mandam-me pacientes, é claro que pacientes refratários, com a tarefa de que eu os hipnotize. Ocorre que há cerca de oito anos não tenho mais exercido a hipnose para fins terapêuticos (à exceção de alguns experimentos) e costumo retornar tais encomendas com o conselho de que aquele que confia em hipnose a faça ele mesmo. Na verdade, entre a técnica sugestiva e a analítica há o maior contraste, aquele contraste que o grande Leonardo da Vinci condensou para as artes nas fórmulas *per via di porre* e *per via di levare*. A pintura, diz Da Vinci, trabalha *per via di porre*; é que ela coloca montinhos de tinta onde eles antes não existiam, na tela sem cores; a escultura, por sua vez, procede *per via di levare*, já que retira da pedra o necessário para revelar a superfície da estátua nela contida. De forma muito semelhante, meus senhores, a técnica sugestiva tenta fazer efeito *per via di porre*, ela não se preocupa com a origem, a força e a importância dos sintomas da doença, mas aplica algo, que é a sugestão, da qual ela espera que seja forte o suficiente para impedir a ideia patogênica de se expressar. A terapia analítica, por sua vez, não quer aplicar nada, não quer introduzir algo novo, mas quer tirar, extrair, e para esse fim ela se ocupa da gênese dos sintomas da doença e do contexto psíquico da ideia patogênica, cuja eliminação é o seu objetivo. Nesse caminho da pesquisa, ela nos trouxe um subsídio muito importante para a nossa compreensão. Eu desisti tão cedo da técnica sugestiva e, com ela, da hipnose porque eu me desesperava diante do fato de tentar tornar a sugestão tão forte e durável quanto seria necessário para a cura definitiva. Em todos os casos graves, eu via a sugestão aplicada sobre eles se esfarelar, e então o estar doente ou algo substituto voltava a se instalar. Além disso, o que eu critico nessa técnica é que ela nos encobre a percepção do jogo de forças psíquico, por exemplo, não nos permite reconhecer a *resistência* com que os doentes se agarram à sua doença, portanto, com que também são avessos à cura e que, na verdade, é a única a possibilitar a compreensão de seu comportamento na vida.

b) Parece-me ser um equívoco bastante disseminado entre os colegas a concepção de que a técnica da pesquisa sobre as origens da doença e a eliminação das manifestações seja fácil e óbvia através dessa investigação. Concluo isso porque nenhum dos muitos que se interessam pela minha terapia e emitem opiniões seguras sobre ela jamais me perguntou como de fato eu agia. Isso só pode ter uma única explicação: eles acham que não há nada a perguntar e que é algo autoexplicativo. Às vezes, também ouço com espanto que neste ou naquele setor do hospital um jovem médico recebeu a incumbência de seu chefe de proceder a uma "Psicanálise" em uma histérica. Tenho a plena convicção de que não o deixariam examinar um tumor extirpado sem que antes tivessem se certificado de que ele domina a técnica histológica. Da mesma forma, chega a mim a notícia de que este ou aquele colega marca consultas com um paciente para proceder a um tratamento psíquico, quando estou certo de que ele não conhece a técnica desse tratamento. Portanto, ele deve esperar que o doente lhe revele os seus segredos, ou busca a salvação em algum tipo de confissão ou na informação sigilosa. Não me causaria espanto se o doente tratado dessa forma experimentasse mais danos do que vantagens. Pois o instrumento anímico não é fácil de ser tocado. Nessas ocasiões, sempre me lembro da fala de um neurótico mundialmente conhecido, que evidentemente nunca esteve em tratamento médico, e que só viveu na imaginação de um poeta. Refiro-me ao príncipe Hamlet da Dinamarca. O rei enviou os cortesãos Rosenkrantz e Guildenstern [*sic*] até ele para sondá-lo, para lhe arrancar o segredo de seu desgosto [*Verstimmung*]. Ele os descarta; e eis que trazem flautas ao palco. Hamlet toma uma flauta e pede a um de seus atormentadores que a toque, que seria tão fácil quanto mentir. O cortesão se recusa, pois não conhece nenhum movimento para tocá-la, e como Hamlet não consegue convencê-lo a tocar a flauta, por fim explode: "Porque me olhas agora assim, que coisa indigna fazes de mim? Querias me tocar, querias saber de meus movimentos; querias escrutinar o coração de meus mistérios, da minha mais baixa nota até o meu ápice: há muita música, há uma bela voz, mas não podes tocar-me qual uma pequena flauta. Tomes-me pelo instrumento que for, não poderias me tocar" (ato III, cena 2).

c) A partir de determinadas observações minhas, os senhores devem ter deduzido que o tratamento analítico possui algumas características que o mantêm distante do ideal de uma terapia. *Tuto, cito, iucunde;*[1] o pesquisar e o procurar não vêm acompanhados necessariamente da rapidez do sucesso, e a menção à resistência preparará os senhores para a expectativa de experiências desagradáveis. Certamente, o tratamento psicoterapêutico exige muito, tanto do doente quanto do médico; do primeiro ele exige o sacrifício da sinceridade total, apresenta-se para ele como tomador de tempo e, por isso, caro; para o médico, ele também representa um grande empenho de tempo e, devido à técnica que ele precisa aprender e executar, mostra-se bastante trabalhoso. Eu mesmo também acho muito justificável que se utilizem métodos de cura mais confortáveis enquanto se tem a perspectiva, justamente, de alcançar resultados com eles. É este apenas o ponto crucial; se com o procedimento mais trabalhoso e dispendioso tivermos resultados muito melhores que com o tratamento breve e mais fácil, então apesar de tudo o primeiro se justifica. Pensem, meus senhores, em quanto a terapia de Finsen contra o lúpus é mais desconfortável e exige maior empenho do que a antiga técnica de cauterização e de lixar e mesmo assim significa um grande progresso, só porque os resultados são melhores; é que cura o lúpus de modo radical. Não quero impor a comparação aqui; mas o método psicanalítico pode advogar para si uma primazia parecida. Na verdade, só pude elaborar e testar o meu método terapêutico em casos graves e gravíssimos; o meu material de início eram apenas doentes que tinham tentado de tudo sem sucesso e que viveram em instituições durante anos. Não juntei experiências suficientes para poder dizer aos senhores como a minha terapia se comporta naqueles distúrbios mais leves, que surgem esporadicamente e que vemos serem curados sob as mais diversas influências e também de forma espontânea. A terapia psicanalítica foi criada a partir de e para doentes com incapacidade duradoura de viver, e o seu triunfo é que torna um número satisfatório deles capazes de viver a sua existência de forma duradoura. Então, todo o empenho contra esse sucesso parecerá irrisório. Não podemos esconder que diante do doente costumamos negar que, em termos de importância para o indivíduo por ela acometido, uma neurose grave não fica atrás de uma caquexia[2] [*Kachexie*], de uma temida doença geral.

d) As indicações e contraindicações desse tratamento não podem ser postas de forma definitiva, em decorrência das muitas limitações práticas que afetaram a minha atividade. Mesmo assim, tentarei debater alguns pontos com os senhores:

1) De tanto focar na doença, não se deve esquecer o valor de uma pessoa, e rejeitem-se aquelas que não possuem um determinado grau de instrução e um caráter relativamente confiável. Não esqueçamos que há também pessoas saudáveis que não prestam e que facilmente somos inclinados, no caso dessas pessoas inferiores, a empurrar para a doença tudo aquilo que as torna incapazes de viver, assim que demonstram qualquer traço de neurose. Sou da opinião de que a neurose não cunha o seu portador como *dégénéré*, mas que com uma frequência razoável ela se encontra no mesmo indivíduo, sociabilizada com as manifestações da degeneração. A psicoterapia analítica não é, diga-se aqui, um procedimento para o tratamento da degeneração neuropática; ao contrário, ela encontra uma barreira nessa terapia. Ela também não pode ser aplicada em pessoas que não se sintam impelidas à terapia por si próprias através de seu sofrimento, mas que se submetem a ela apenas por uma imposição de seus parentes. A propriedade decisiva para a adequação ao tratamento psicanalítico, a educabilidade [*Erziehbarkeit*],

ainda precisará de uma análise mais detalhada a partir de outro ponto de vista.

2) Se quiser seguir pela via segura, limite a sua seleção a pessoas que possuem um estado normal, já que no procedimento psicanalítico é a partir dele que nos apoderamos do que é da ordem do doentio. Portanto, psicoses, estados de confusão e de profunda melancolia [*Verstimmung*] (quero dizer: tóxicos) são inadequados para a Psicanálise, pelo menos tal como ela é exercida até agora. Não descarto absolutamente que com uma modificação adequada do procedimento se possa superar essa contraindicação e, assim, iniciar uma psicoterapia das psicoses.

3) A idade dos doentes é relevante na seleção para o tratamento psicanalítico, na medida em que nas pessoas próximas ou acima dos 50 anos, por um lado, costuma faltar a plasticidade dos processos anímicos nos quais a terapia se fia – pessoas idosas não são mais educáveis – e, por outro lado, o material a ser trabalhado prolonga a duração do tratamento até o imponderável. O limite de idade para baixo só pode ser definido individualmente; pessoas jovens antes da puberdade muitas vezes são influenciáveis de modo excelente.

4) Não iremos recorrer à Psicanálise quando se tratar da eliminação rápida de manifestações ameaçadoras, por exemplo, no caso de uma anorexia histérica.

Os senhores agora devem ter a impressão de que a área de aplicação da psicoterapia analítica é muito limitada, uma vez que os senhores só ouviram de mim contraindicações. Mesmo assim, restam casos e formas de doença em número suficiente nos quais se pode experimentar essa terapia, todas as formas crônicas de histeria com manifestações residuais, a grande área dos estados obsessivos, abulias e assemelhados.

É muito bom que dessa forma possamos ajudar do melhor modo justamente as pessoas mais valiosas e altamente desenvolvidas. Mas ali onde pouco se podia fazer com a psicoterapia analítica, pode-se afirmar tranquilamente que qualquer outro tratamento certamente não alcançaria absolutamente nada.

e) Certamente, os senhores quererão me perguntar sobre a utilização da Psicanálise com a possibilidade de causar danos. Posso lhes responder que se os senhores apenas quiserem julgar superficialmente e mostrarem a mesma benevolência crítica que mostraram em relação aos nossos outros métodos terapêuticos também aqui em relação a esse procedimento, os senhores terão de concordar com a opinião de que no caso de um tratamento analítico conduzido com conhecimento de causa, não há por que temer um dano ao paciente. Outra opinião talvez terá aquele que, enquanto leigo, estiver acostumado a imputar ao tratamento tudo o que ocorre em um caso de doença. Pois não faz tanto tempo que contra as nossas instituições de hidroterapia havia um preconceito semelhante. Várias pessoas às quais se aconselhava procurar uma instituição dessas ficavam reticentes, porque tinham algum conhecido que entrou naquela instituição enquanto nervoso e lá enlouqueceu. Como os senhores adivinharam, tratava-se de casos de paralisia geral incipientes, que no estágio inicial ainda podiam ser tratados em uma instituição de hidroterapia, e que lá seguiam seu curso irrefreável até o distúrbio psíquico manifesto; para o leigo, a água era a culpada e a causadora dessa triste alteração. Quando se trata de empregar novas formas de influência, sequer os médicos estão livres de tais erros de julgamento. Lembro-me de ter feito, certa vez, uma tentativa de psicoterapia em uma mulher que passara boa parte de sua existência na alternância entre mania e melancolia. Eu a acolhi ao fim de uma melancolia; parecia ir tudo bem durante duas semanas; na terceira, já estávamos no início da nova mania. Certamente, fora uma alteração espontânea do quadro da doença, pois duas semanas não é um período de tempo em que a psicoterapia analítica consiga obter resultados, mas o médico excelente – entrementes já falecido – que veio a ver a doente junto comigo não conteve o comentário de que a psicoterapia devia ter sido a culpada por aquela "piora". Tenho plena convicção de que sob outras circunstâncias ele teria se mostrado mais crítico.

f) Para finalizar, senhores colegas, digo a mim mesmo que não posso abusar de sua atenção por tanto tempo em benefício da psicoterapia analítica sem lhes dizer em que consiste esse tratamento e em que se baseia. Porém, posso fazê-lo apenas com pequenas alusões, pois preciso ser breve. Essa terapia, portanto, fundamenta-se na concepção de que representações [*Vorstellungen*] inconscientes – ou melhor: a inconsciência de determinados processos anímicos – sejam a causa mais próxima dos sintomas patológicos. Essa é a convicção que dividimos com a escola francesa (Janet), que, aliás, em uma esquematização dura mostra que o sintoma histérico remonta a uma *idée fixe* inconsciente. Mas não se assustem, achando que com isso entraremos nas profundezas da filosofia mais obscura. O nosso inconsciente não é bem o mesmo que o dos filósofos, e, além disso, a maioria dos filósofos não quer saber nada do "psíquico inconsciente". Mas se os senhores partilharem do nosso ponto de vista, verão que a transposição desse inconsciente na vida anímica dos doentes para um consciente terá o resultado positivo que é corrigir o desvio do normal e suspender a coerção

[*Zwang*] sob a qual se encontra a sua vida anímica. Pois a vontade consciente vai até onde vão os processos psíquicos conscientes, e cada coerção psíquica origina-se a partir do inconsciente. Os senhores também jamais precisarão temer que o doente seja prejudicado pelo abalo que significa a entrada do inconsciente em sua consciência, pois os senhores poderão verificar pela teoria que o efeito somático e afetivo da moção tornada consciente nunca poderá ser tão forte quanto o da inconsciente. Nós só dominamos todas as nossas moções porque aplicamos a elas as nossas capacidades anímicas mais altas, associadas à consciência.

Mas os senhores também poderão escolher outra perspectiva para compreender o tratamento psicanalítico. O desvendamento e a transposição do inconsciente se dão a partir de uma constante *resistência* por parte do doente. O surgimento desse inconsciente está associado ao *desprazer*, e, devido a esse desprazer, ele sempre será rechaçado pelo doente. E é nesse conflito na vida anímica do paciente que os senhores irão interferir; se os senhores conseguirem fazer com que, por motivos de uma melhor convicção, o doente aceite algo que até então ele havia rejeitado (recalcado) devido à regulagem automática do desprazer, os senhores terão realizado com ele parte de um trabalho educativo. Já podemos dizer que se trata de educação quando convencemos alguém que não gosta de sair da cama de manhã cedo a fazê-lo mesmo assim. Então, os senhores poderão entender o tratamento psicanalítico de forma bastante geral como sendo um tipo de *educação póstuma para superar resistências interiores*. Mas em nenhum outro ponto uma tal educação póstuma dos nervosos é mais necessária do que em relação ao elemento anímico de sua vida sexual. E em nenhum outro lugar a cultura e a educação fizeram estragos maiores do que justamente aqui, e é aqui também que – como lhes mostrará a experiência – se encontram as etiologias domináveis das neuroses; o outro elemento etiológico, a contribuição constitucional, nos é dado como algo imutável. Mas surge daí uma exigência importante a ser feita ao médico. Ele não apenas precisa ser, ele próprio, de um caráter íntegro – "o moral é óbvio", como costuma dizer a personagem principal de *Auch Einer*, de Vischer –, mas ele também precisa, para si próprio, ter superado a mescla de lascívia e recato, com a qual infelizmente tantos outros costumam enfrentar os problemas sexuais.

Aqui talvez seja o lugar para fazermos mais uma observação. Eu sei que a minha ênfase no papel do sexual para o surgimento das psiconeuroses se tornou conhecida em amplos círculos. Mas sei também que restrições e determinações mais precisas junto ao grande público pouco adiantam; a quantidade tem pouco espaço em seu cérebro e retém apenas o cerne mais rudimentar da afirmação, guardando um extremo que é fácil de lembrar. Isso deve ter acontecido com vários médicos, que imaginam que na minha teoria eu afirme que as neuroses, em última análise, originem-se a partir da privação sexual. E não falta esse tipo de privação considerando as condições de vida da nossa sociedade. Mas partindo de tal pressuposto, poder-se-ia optar, então, por evitar o árduo desvio que passa pelo tratamento psíquico e almejar diretamente a cura, recomendando a atividade sexual como meio de cura! Agora não sei o que poderia me mover a descartar essa conclusão, se ela fosse justificável. Mas não é bem assim. A necessidade e a privação sexual são apenas um dos fatores que estão em jogo no mecanismo da neurose; se fosse apenas ele a existir, a consequência não seria a doença, mas sim o excesso. O outro fator, igualmente imprescindível, e que tantas vezes é esquecido, é a repulsa sexual dos neuróticos, sua incapacidade de amar, aquele traço psíquico que chamei de "recalque". É só a partir do conflito entre as duas aspirações que surge a doença neurótica, e por isso o conselho da atividade sexual no caso das psiconeuroses na verdade só raramente pode ser considerado uma boa recomendação.

Deixem-me fechar com esta observação de defesa. Esperemos que o interesse dos senhores pela psicoterapia, assim que despido de todo preconceito hostil, apoie-nos para que produzamos resultados positivos também no tratamento dos casos graves de psiconeuroses.

OBRAS INCOMPLETAS DE S. FREUD

Über Psychotherapie (1905 [1904])

1905 Primeira publicação: *Wiener Medizinische Presse*, 46, n. 1, 1 Jan., p. 9-16
1924 *Zur Technik der Psychoanalyse und zur Metapsychologie*, p. 11-24
1925 *Gesammelte Schriften*, t. VI, p. 11-24
1942 *Gesammelte Werke*, t. V, p. 13-26

O presente artigo corresponde à conferência apresentada por Freud no Colégio Vienense de Médicos, em 12 de dezembro de 1904. Uma década antes, em outubro de 1895, Freud havia apresentado uma série de três conferências para esse mesmo público, e, um ano mais tarde, tinha experimentado o malogro de não ser sequer escutado pelos membros da Associação de Psiquiatria e Neurologia. Agora trata-se, segundo Jones, do fechamento de um ciclo de conferências em que Freud buscava o reconhecimento científico da Psicanálise junto a entidades médicas. Depois dessa data, a estratégia freudiana de difusão da Psicanálise seria totalmente revista. De fato, o reconhecimento médico que tanto almejara nos anos de formação só viria muito mais tarde, na década de 1930, sendo recebido então com certo desgosto, principalmente depois de outro prêmio, o prestigioso Prêmio Goethe.

Aqueles anos eram promissores em termos da emancipação intelectual: depois de longa espera no cargo de *Privatdozent*, tinha recebido sua promoção universitária. Havia pouco, tinha cortado relações com Wilhelm Fließ. De fato, o ano de 1905 é excepcionalmente produtivo. Perto de completar 50 anos, Freud publicaria nada mais nada menos do que: *Três ensaios sobre a teoria sexual*; *O chiste e sua relação com o inconsciente*; e *Fragmento de uma análise de histeria* (Caso Dora).

Vale lembrar que os termos "psicoterapia" e "psicoterapêutico" são ainda relativamente novos, remontando, respectivamente, a Bernheim (1891) e Tucke (1872). Se Bernheim havia ligado psicoterapia e sugestão, tratava-se agora justamente de separar definitivamente essas duas noções. Essa separação definitiva é consolidada através de um recurso, tornado célebre, a Leonardo da Vinci. Ao passo que o método sugestivo pode ser comparado à pintura, que opera *per via di porre*, ou seja, por acréscimos, a psicoterapia psicanalítica opera *per via di levare*, por subtrações ou retiradas, como a escultura.

O principal conceito que Freud elabora nessa altura é o conceito de resistência, que desloca o eixo da técnica analítica, centrada antes disso apenas na rememoração de conteúdos recalcados. Na Psicanálise contemporânea, a distinção entre "psicoterapia", caracterizada como

FUNDAMENTOS DA CLÍNICA PSICANALÍTICA 79

tentativa de suprimir sintomas, e "Psicanálise", que visaria a objetivos mais ambiciosos, começou a se impor em certas escolas psicanalíticas. Conforme nota Assoun (2009, p. 1086), o presente artigo vai na direção oposta, quer dizer, pretende apresentar a Psicanálise como psicoterapia propriamente dita, opondo-se a terapias alternativas que seriam, no fundo, técnicas sugestivas.

Atualmente, com a ampliação da clínica psicanalítica para além do campo da neurose, questiona-se se a Psicanálise opera de fato apenas *per via di levare* como a escultura, uma vez que frente a quadros de sofrimento psíquico como o autismo, as psicoses e os chamados *borderlines* ou casos-limite o psicanalista é convocado a compartilhar das produções realizadas na análise.

NOTAS

[1] "Seguro, célere e agradável" conforme apregoa a tradição médica atribuída a Esculápio. (N.R.)

[2] Termo usado na Medicina para referir um enfraquecimento corporal generalizado. (N.R.)

SOBRE PSICANÁLISE "SELVAGEM" (1910)

Há alguns dias, apareceu no meu consultório, acompanhada de uma amiga protetora, uma senhora mais velha que se queixava de estados de angústia [*Angstzustände*]. Com seus 40 e tantos anos, bastante bem conservada, mas, ao que parecia, não havia ainda fechado o ciclo de sua feminilidade. O motivo da irrupção daqueles estados tinha sido o divórcio de seu último marido; no entanto, a angústia, segundo ela informou, havia aumentado consideravelmente desde que ela havia se consultado com um jovem médico em seu bairro; pois ele havia detalhado para ela que a causa de sua angústia seria a sua necessidade sexual. Ela não conseguiria, segundo ele, suportar a falta da relação sexual com o marido, e, por isso, só havia três caminhos para a cura [*Gesundheit*]: voltar para o marido, ter um amante ou a satisfação solitária. Desde então ela estava convencida de que era incurável, pois não queria voltar para o marido, e os dois outros meios iam contra a sua moral e a sua religião. Mas ela viera até mim, porque o médico havia lhe dito que aquela era uma abordagem nova, que se devia a mim, e que ela viesse confirmar comigo pessoalmente que era assim, e não de outra forma. A amiga, uma mulher mais velha que a primeira, esquálida e com aspecto de doente, implorou-me que eu assegurasse à paciente de que o médico tinha se enganado. Não podia ser assim, pois ela mesma era viúva há muitos anos e permanecera uma senhora decente, sem sofrer daquela angústia.

Não quero me deter aqui na difícil situação em que fui colocado através dessa visita, mas gostaria de lançar luz sobre o comportamento do colega que encaminhou essa doente para mim. Antes, porém, gostaria de lembrar uma advertência, que talvez − ou, assim espero − não seja supérflua. A experiência de longos anos me ensinou − como poderia ensinar a qualquer outro − a não aceitar facilmente como verdade o que pacientes, especialmente os doentes de nervos[1] [*Nervöse*], contam acerca de seus médicos. O médico dos nervos [*Nervenarzt*], em todo tipo de tratamento, não só facilmente virará objeto, sendo alvo das múltiplas moções hostis do paciente; às vezes, ele precisará assumir a responsabilidade pelos desejos secretos recalcados dos doentes de nervos, através de uma espécie de projeção. Então, será um fato triste, mas significativo que tais acusações em nenhum outro lugar encontrarão credibilidade maior que nos ouvidos de outros médicos.

Portanto, tenho o direito de esperar que a senhora em meu consultório tenha apresentado um relato tendenciosamente deformado a respeito das afirmações de seu médico, e que seria injusto com ele, que não conheço pessoalmente, se as minhas observações sobre Psicanálise "selvagem" se atrelassem justamente a esse caso. Mas talvez com isso eu impeça outros de cometerem injustiças com seus doentes.

Suponhamos, portanto, que o médico tenha dito exatamente o que a paciente me relatou.

Então, facilmente qualquer pessoa dirá, para criticá-lo, que um médico, se julgar ser necessário conversar com uma mulher sobre o tema da sexualidade, terá de fazê-lo com tato e discrição. Mas essas exigências coincidem com o respeito a certas prescrições *técnicas* da Psicanálise; além disso, o médico teria descartado ou interpretado mal uma série de ensinamentos *científicos* da Psicanálise, mostrando com isso quão pouco ele avançou no entendimento da essência e das intenções dessa área.

Comecemos com o último aspecto, os enganos científicos. Os conselhos do médico permitem reconhecer claramente qual o sentido que ele atribui à "vida sexual". No sentido popular, sendo que por necessidades sexuais ele nada mais entende que a necessidade do coito ou coisas análogas que propiciam o orgasmo e a descarga [*Entleerung*] das substâncias sexuais. Mas não pode ter ficado despercebido do médico que é comum criticar a Psicanálise no sentido de que ela estende o conceito do sexual para além da dimensão usual. Eis um fato; se ele pode ser usado como objeção, é algo que não discutiremos aqui. O conceito do sexual engloba muito mais na Psicanálise; tanto para cima quanto para baixo, ele vai além do sentido popular. Essa ampliação tem justificativa genética;[2] julgamos ser parte da "vida sexual" também todas as ativações de sensações carinhosas que se originaram da fonte das moções sexuais primitivas, mesmo se essas moções experimentam um bloqueio de seu objetivo sexual original ou se elas trocaram esse objetivo por outro, não mais sexual. Por isso, também preferimos falar em *psicossexualidade*, enfatizando que não se deve esquecer nem subestimar o fator anímico da vida sexual. Utilizamos a palavra "sexualidade" no mesmo sentido amplo em que na língua alemã se usa a palavra "amar" [*lieben*]. Também já sabemos há tempos que a insatisfação anímica pode perdurar com todas as suas consequências onde não há falta de relação sexual normal, e como terapeutas sempre nos detemos diante do fato de que das aspirações sexuais não satisfeitas, aspirações que combatemos quando assumem a forma de satisfação substituta como sintomas nervosos, muitas vezes, apenas uma pequena parte delas pode ser descarregada pelo coito ou por outros atos sexuais.

Aqueles que não compartilham dessa concepção de psicossexualidade não têm direito de se reportar às teses basilares [*Lehrsätze*] da Psicanálise em que se trata do significado etiológico da sexualidade. Enfatizando exclusivamente o fator somático do sexual, eles certamente simplificaram em muito o problema, mas assumirão, sozinhos, a responsabilidade pelos seus procedimentos.

A partir dos conselhos do médico, ainda vem à luz um segundo mal-entendido, igualmente grave.

É verdade que a Psicanálise afirma que a insatisfação sexual seja a causa dos males nervosos. Mas será que ela não diz mais que isso? Será que se quer deixar de lado, por ser mais complicado, que ela ensina que os sintomas nervosos brotam de um conflito entre dois poderes, entre uma libido (que geralmente cresceu em excesso) e uma recusa sexual ou um recalque demasiadamente rígido? Quem não se esquecer desse segundo fator, que de fato não foi relegado a uma posição secundária, nunca acreditará que a satisfação sexual em si geralmente seja um elemento de cura confiável contra os males dos doentes de nervos. Uma boa parte dessas pessoas, sob as dadas circunstâncias, não é capaz de satisfação, em absoluto ou em determinada situação. Se elas fossem capazes de se satisfazer, se não tivessem as suas resistências internas, a força da pulsão lhes apontaria o caminho para a satisfação, mesmo se o médico não lhes aconselhasse isso. Qual, então, o sentido de um conselho como aquele que o médico supostamente deu àquela senhora?

Mesmo sendo cientificamente justificável, é inexequível para ela. Se ela não tivesse resistências internas contra o onanismo ou contra uma relação amorosa, há muito ela já teria recorrido a esses meios. Ou será que o médico acha que uma mulher de mais de 40 anos não sabe que se pode arranjar um amante, ou será que ele superestima tanto a sua própria influência a ponto de achar que sem o beneplácito médico ela nunca conseguiria decidir dar um tal passo?

Isso tudo parece muito claro, mas, mesmo assim, precisamos concordar que há um momento que muitas vezes dificulta a tomada de decisão. Alguns dos estados nervosos, as chamadas *neuroses atuais* [*Aktualneurosen*], como a neurastenia típica e a neurose de angústia pura [*reine Angstneurose*], aparentemente dependem do fator somático da vida sexual, enquanto ainda não temos uma concepção [*Vorstellung*] segura quanto ao papel do fator psíquico e do recalque nesses quadros. Em casos desse tipo, é praticamente obrigatório para o médico ter em vista uma terapia atual, uma modificação da atividade sexual somática, e ele o fará com toda razão se o seu diagnóstico tiver sido correto. A senhora que se consultou com o jovem médico se queixava essencialmente de estados de angústia; a partir daí ele provavelmente supôs que ela sofria de neurose de angústia e se julgou no direito de recomendar a ela uma terapia somática. Novamente, um mal-entendido confortável! Quem sofre de angústia [*Angst*] nem por isso tem necessariamente uma neurose de angústia; o diagnóstico não pode ser deduzido a partir do nome; precisa-se saber que fenômenos caracterizam uma neurose de angústia, para distingui-los de outros estados de doença também manifestados pela angústia. Tenho a impressão de que a senhora em questão sofria de uma *histeria de angústia*, e todo o valor, completamente suficiente, de tais diferenciações nosográficas reside no fato de apontar para outra etiologia e outra terapia. Quem tivesse considerado a possibilidade de tal histeria de angústia não teria sucumbido ao esquecimento dos fatores psíquicos, tal como fica evidente nos conselhos alternativos do médico.

Curiosamente, nessa alternativa terapêutica do suposto psicanalista não sobra espaço – para a Psicanálise. Essa mulher, segundo ele, só se curaria de sua angústia se voltasse para o marido, ou se satisfizesse pelo onanismo ou com um amante. E em que momento entraria o tratamento analítico, no qual vislumbramos o principal recurso no caso de estados de angústia?

Chegamos, assim, aos erros técnicos que reconhecemos no procedimento do médico no caso referido. É uma concepção há muito superada, que se atém à aparência de superfície, de que o doente sofra em decorrência de um tipo de desconhecimento, e que, se esse desconhecimento for suspenso [*aufhebe*] através da comunicação [*Mitteilung*] (sobre as relações entre as causas de sua doença e a sua vida, sobre as suas vivências de infância, etc.), ele será curado. Não é o desconhecimento [*Unwissenheit*[3]] em si o momento patogênico, mas a fundamentação do desconhecimento em *resistências internas* que primeiro evocaram o desconhecimento e ainda agora o sustentam. E é no combate contra essas resistências que reside a tarefa da terapia. A comunicação daquilo que o paciente não sabe, porque o recalcou, é apenas uma das preparações necessárias para a terapia. Se o conhecimento do inconsciente fosse tão importante para o doente como quer crer o inexperiente em Psicanálise, para a cura seria suficiente o doente assistir a palestras ou ler livros a respeito. Mas essas medidas têm a mesma influência sobre os sintomas de males nervosos quanto a distribuição de cardápios para os famintos. Essa comparação é útil até para além deste uso imediato, pois a comunicação do inconsciente ao doente, via de regra, tem como consequência a intensificação do conflito dentro dele e o aumento do sofrimento.

Mas como a Psicanálise não pode prescindir dessa comunicação, ela prescreve que a comunicação não se dê antes de serem preenchidos dois pré-requisitos. Primeiro, até que o doente se aproxime ele próprio do recalcado, com preparação adequada, e segundo, até que ele tenha se apegado ao médico em tal medida (*transferência*) que os sentimentos em relação ao médico tornem impossível uma nova fuga.

Só com o preenchimento desses pré-requisitos será possível reconhecer e dominar as resistências que levaram ao recalque e ao desconhecimento. Uma intervenção psicanalítica, portanto, certamente pressupõe um contato mais prolongado com o doente, e tentativas de, logo na primeira sessão, atropelá-lo com a comunicação abrupta de seus segredos, adivinhados pelo médico, são tecnicamente condenáveis e geralmente colhem como resultado uma inimizade profunda por parte do doente em relação ao médico, cortando todas as possíveis influências futuras.

Acrescente-se a isso que às vezes damos conselhos errados e nunca somos capazes de adivinhar tudo. Através dessas determinações técnicas específicas, a Psicanálise substitui a exigência do "tato médico" inapreensível, tido como um talento especial.

Portanto, não é suficiente para o médico conhecer alguns dos resultados da Psicanálise; ele precisa ter se familiarizado com a sua técnica, se quiser conduzir a sua atuação médica seguindo as perspectivas psicanalíticas. Essa técnica até hoje não pode ser aprendida através de livros e certamente só poderá ser atingida por si próprio, com grande empenho de tempo, esforço e sucesso. Como as outras técnicas médicas, estas são aprendidas com aqueles que já as dominam. Por isso, para avaliar o caso ao qual eu atrelo essas observações, certamente não é indiferente o fato de eu não conhecer o médico que aparentemente deu aqueles conselhos, nem de eu nunca ter ouvido o seu nome.

Não é agradável nem para mim nem para meus amigos e colegas monopolizar de tal modo o direito ao exercício de uma técnica médica. Mas diante dos perigos que acarreta o exercício previsível de uma Psicanálise "selvagem" tanto para os doentes quanto para a causa da Psicanálise, não nos restava outro caminho. Na primavera de 1910, fundamos uma associação psicanalítica internacional, cujos membros declaram a ela pertencer através da publicação de seus nomes, para assim poder afastar a responsabilidade pelas atividades de todos aqueles que não fazem parte de nós e que chamam o seu procedimento médico de "Psicanálise". Pois, na verdade, esses analistas selvagens prejudicam mais a causa do que o doente individual. Muitas vezes presenciei que um procedimento desastrado desse tipo, que no início provocou uma piora no estado do doente, no final mesmo assim acabou sendo suficiente para a sua cura. Nem sempre, mas muitas vezes. Depois de ter reclamado por muito tempo do médico, sabendo-se distante o suficiente de sua influência exercida, os sintomas do doente começam a diminuir, ou então ele decide dar um passo no caminho de sua cura. A melhora definitiva, depois, surge "por si só" ou então é atribuída ao tratamento altamente indiferente de um médico ao qual o doente se dirigiu posteriormente. No caso da senhora, cuja reclamação contra o médico ouvimos, quero crer que afinal o psicanalista selvagem acabou por fazer mais pela sua paciente do que qualquer autoridade altamente aclamada, que teria dito a ela que o seu problema era uma "neurose vasomotora". Ele direcionou à força o olhar da paciente para o real motivo de seu sofrimento, e essa intervenção, apesar de toda a resistência da paciente, não deixará de ter consequências favoráveis. Mas ele prejudicou a si próprio e ajudou a reforçar os preconceitos que surgem em decorrência de compreensíveis resistências de afeto [*Affektwiderstände*] no doente contra a atividade do psicanalista. E isso pode ser evitado.

OBRAS INCOMPLETAS DE S. FREUD

Über "wilde" Psychoanalyse (1910)

1910   Primeira publicação: *Zentralblatt für Psychoanalyse*, t. I, n. 3, p. 91-95
1925   *Gesammelte Schriften*, t. VI, p. 37-44
1943   *Gesammelte Werke*, t. XI, p. 118-125

Nem sempre é fácil distinguir questões técnicas e questões éticas postas pela prática analítica. Este artigo é um belo exemplo dessa fronteira nem sempre tão nítida. Redigido em um momento em que a prática e a teoria freudianas começam a se difundir para além do círculo restrito dos discípulos, o artigo pretende repor algumas diretrizes fundamentais da interpretação analítica, a partir de um caso de interpretação "selvagem" de um sintoma, proferida por um médico que, de maneira descuidada, havia se apropriado de uma versão vulgar de ideias psicanalíticas. Publicado no ano de fundação da Internationale Psychoanalytische Vereinigung (IPV), que um quarto de século mais tarde seria convertida em Associação Internacional de Psicanálise (IPA), "Sobre psicanálise 'selvagem'" faz parte do primeiro esforço de institucionalização da prática psicanalítica.

Destaca-se, ainda, a importância dada por Freud ao "tato" como elemento constitutivo da interpretação, indicando a atenção merecida pela dimensão "estética" da clínica, isto é, para a sensibilidade do psicanalista aos movimentos psíquicos do analisando.

Ainda que possa ser enquadrado principalmente como um artigo técnico, a relevância do presente artigo não se esgota nisso. Note-se, por exemplo, como Freud aproveita o contraexemplo da má compreensão do papel da sexualidade para a Psicanálise a fim de esclarecer seu próprio ponto de vista.

Vale ainda ressaltar o emprego da categoria de "neurose de angústia" no quadro das assim chamadas "neuroses atuais", entidade nosográfica em franco desuso já àquela altura do pensamento de Freud.

NOTAS

[1] Freud emprega aqui o termo *Nervöse*, mais abrangente e menos técnico do que o termo *Neurotiker*, que geralmente designa os neuróticos. (N.R.)

[2] Cabe ressaltar que Freud comumente faz uso do termo "genético" [*genetisch*] remetendo ao seu significado em língua grega, ou seja, ao que diz respeito às *origens*; não necessariamente com as conotações

biológicas da ciência atual, referentes ao "material genético" (cromossomos, DNA, tendências inatas, etc.). (N.R.)

[3] Na Psicanálise é importante diferenciar o *desconhecimento* [*Unwissenheit*] da mera *ignorância* [*nicht wissen*]. Levando-se em consideração a hipótese do inconsciente, o primeiro caso diz respeito a um saber que é impedido do seu registro consciente, e o segundo, a uma simples ausência de informação. (N.R.)

RECOMENDAÇÕES AO MÉDICO PARA O TRATAMENTO PSICANALÍTICO (1912)[1]

As regras técnicas que aqui coloco como proposta resultaram da minha própria experiência ao longo de muitos anos, após ter retornado de outros caminhos que geraram prejuízos também próprios. Facilmente se percebe que elas, ou pelo menos muitas delas, juntam-se em uma única prescrição. Espero que levá-la em conta poupe aos médicos que lidam com a análise muito esforço desnecessário, protegendo-os de várias inadvertências; mas devo dizer expressamente que essa técnica resultou como a única adequada para mim, como indivíduo; não ouso questionar que outra personalidade médica, de constituição totalmente diferente, possa se ver impelida a privilegiar outra postura em relação ao doente e à tarefa a ser resolvida.

a) A tarefa que segue, diante da qual se vê o analista que como tal trata mais de um paciente por dia, também lhe parecerá a mais difícil. Pois ela consiste em, ao longo do tratamento, manter na memória os incontáveis nomes, datas, detalhes da lembrança, ocorrências[2] [*Einfälle*] e produções da doença que um paciente apresenta durante meses e anos, não os confundindo com material semelhante oriundo de pacientes analisados ao mesmo tempo ou em momento anterior. Se nos virmos obrigados a atender diariamente seis, até oito pacientes ou mais, o trabalho da memória que consegue armazenar tudo isso produzirá em quem vê de fora incredulidade, admiração ou até mesmo compaixão. Em todo caso, devem estar curiosos em relação à técnica que permite o domínio de tamanho volume e imaginar que ela se utilize de meios de apoio especiais.

No entanto, a técnica é muito simples. Ela recusa todos os meios de apoio, como ouviremos a seguir, mesmo a anotação, consistindo apenas no fato de não querer memorizar algo específico e dispensando a mesma "atenção equiflutuante"[3] – como eu já a havia chamado[4] – ao que ouvimos. Dessa forma, economizamos o esforço da atenção que, de resto, não conseguiríamos mesmo durante muitas horas ao dia, além de evitarmos um perigo, que é inseparável da postura atenta e intencional. Pois assim que afiamos a atenção intencionalmente até um determinado ponto, começamos a selecionar em meio ao material apresentado; fixamos uma parte de maneira bastante acurada, eliminando outra em seu lugar e, nessa seleção, fiamos as nossas expectativas ou as nossas inclinações. Mas é justamente isso que não podemos fazer; se na seleção seguimos as nossas expectativas, corremos o risco de nunca encontrarmos algo diferente daquilo que já sabemos; se seguirmos as nossas inclinações, certamente falsificaremos a possível percepção. Não nos esqueçamos de que em geral ouvimos coisas cuja importância só se revelará *a posteriori* [*nachträglich*].

Como se vê, a prescrição de lembrar tudo em igual medida é a contrapartida necessária de exigirmos do analisando que conte tudo que lhe ocorre, sem crítica ou seleção. Se um médico se comportar de forma diferente, em grande parte ele destruirá o ganho que resulta da obediência à "regra psicanalítica fundamental" por parte do paciente. A regra para o médico pode ser formulada da seguinte maneira: mantenha todas as influências conscientes longe de sua capacidade de memorização e se entregue completamente à sua "memória inconsciente", ou, dito de maneira puramente técnica: ouça o que lhe dizem e não se preocupe se vai se lembrar de algo ou não.

O que se consegue por essa via e por si só satisfaz a todas as exigências durante o tratamento. Aquelas partes do material que já se uniram em uma contextualização também se tornam disponíveis conscientemente para o médico; o restante, ainda descontextualizado, caótico e desorganizado, parece estar imerso num primeiro momento, mas ressurge e se torna disponível na memória assim que o analisando apresenta algo novo que possa estabelecer uma relação com esse material e através do qual possa haver uma continuidade. Então, recebe-se com um sorriso o elogio, não merecido, do paciente, por conta de uma "memória especialmente boa", mesmo se depois de anos a fio reproduzimos um detalhe que possivelmente teria escapado à intenção consciente de fixá-lo na memória.

Enganos nessas lembranças só ocorrem em alguns momentos e em pontos em que nos sentimos incomodados em relação a nós mesmos (ver adiante), ou seja, quando se fica muito aquém do ideal do analista. Confusões com o material de outros pacientes são bastante raras. Em uma discussão com o analisando sobre se e como ele teria dito algo específico, geralmente o médico acaba tendo razão.[i]

b) Não recomendo fazer anotações de grande extensão nas sessões com o analisando, nem fazer registros da sessão e assemelhados. Além da impressão desfavorável que isso causa em alguns pacientes, valem, por sua vez, os mesmos aspectos que destacamos na memorização. Necessariamente, fazemos uma seleção nociva do material enquanto anotamos ou estenografamos, além do que ocupamos uma parte de nossa própria atividade intelectual, que deveria ser mais bem aplicada na interpretação do que ouvimos. Sem sermos criticados por isso, podemos aceitar exceções a essa regra, valendo para datas, textos de sonho [*Traumtexte*] ou resultados específicos relevantes, que facilmente podem ser separados do contexto, sendo adequados como exemplos de uma utilização autônoma. Mas também não costumo fazer isso. Anoto exemplos à noite depois de terminado o trabalho, a partir do que me lembro; quanto aos textos de sonho que me interessam particularmente, peço que os pacientes os registrem após contarem o sonho.

c) A anotação durante a sessão com o paciente se justificaria a partir da intenção de tornar o caso tratado o objeto de uma publicação científica. Isso dificilmente seria recusado. Mas temos de ter em mente que registros

---

[i] Frequentemente o analisando afirma já ter feito determinada declaração, quando podemos assegurar, com tranquila superioridade, que o faz pela primeira vez. Então percebe-se que o analisante tivera antes a intenção de o dizer, mas foi impedido por uma resistência ainda presente. A recordação de tal intenção lhe é indistinguível da de sua realização. [Freud retoma o tema dessa nota em seu "Sobre *fausse reconnaissance* ("*déjà raconté*") durante o trabalho analítico", neste volume, p. 183. (N.R.)]

acurados do histórico analítico de uma doença trazem menos benefícios do que se poderia deles esperar. A rigor, eles pertencem àquela exatidão aparente da qual a psiquiatria "moderna" nos disponibiliza vários exemplos notórios. Geralmente são cansativos para o leitor e não conseguem substituir a sua presença na análise. Aliás, fizemos a experiência de que o leitor, se ele quiser acreditar no analista, também lhe dará crédito pelo pouco trabalho que dedicou a seu material; mas se ele não quiser levar a sério nem a análise nem o analista, ele ignorará os registros acurados do tratamento. Não parece ser esse o caminho para resolver a falta de evidências encontrada nas apresentações psicanalíticas.

d) É bem verdade que um dos méritos do trabalho analítico é que nele pesquisa e tratamento coincidem, mas a técnica que serve a um, de um certo ponto de vista, acaba se opondo à outra. Não é bom abordar um caso cientificamente enquanto o respectivo tratamento não tiver sido concluído, construir a sua estrutura, inferir a continuidade, fazer imagens do status atual da situação de tempos em tempos, tal como o interesse científico o exigiria. O sucesso é prejudicado nesses casos, que de antemão são definidos pelo aproveitamento científico e tratados de acordo com essas necessidades; por outro lado, os casos que mais têm sucesso são aqueles em que procedemos quase sem intenção, nos surpreendendo com cada mudança de rumo e com que nos defrontamos sempre desarmados e sem preconcepções. O comportamento correto do analista consiste em se alçar de uma configuração psíquica para a outra, se preciso for, não especular e meditar enquanto analisa e só submeter o material obtido ao trabalho sintético do pensamento após terminada a análise. A diferença entre as duas configurações perderia a importância, se já estivéssemos de posse de todos os conhecimentos ou pelo menos dos conhecimentos essenciais sobre a Psicologia do inconsciente e sobre a estrutura das neuroses que poderíamos obter a partir do trabalho psicanalítico. Atualmente, ainda estamos bem longe desse objetivo e não podemos bloquear os caminhos para verificar o que até agora foi descoberto e descobrir novidades a respeito.

e) Sou insistente em recomendar aos colegas que no tratamento psicanalítico tomem como exemplo o cirurgião, que coloca de lado todos os seus afetos e até a sua compaixão humana e estabelece um único objetivo para as suas forças psíquicas: realizar a operação o mais perfeitamente possível. Nas atuais condições, para o psicanalista existe uma aspiração por afeto mais perigosa, que é a ambição terapêutica de realizar, através de seu meio novo e muito criticado, algo que possa ser convincente para outros. Dessa forma, ele não só coloca a si próprio em uma situação desfavorável para o seu trabalho, mas também se expõe, indefeso, a certas resistências do paciente, de cujo embate de forças, afinal, depende essencialmente o restabelecimento [*Genesung*]. A justificativa para essa frieza a ser exigida do analista dá-se pelo fato de que para ambas as partes ela cria as condições mais favoráveis: para o médico, a preservação desejável de sua própria vida afetiva; para o doente, a maior amplitude de assistência possível hoje. Um velho cirurgião usou como seu lema as seguintes palavras: "*Je le pansai, Dieu le guérit*". [Eu lhe fiz os curativos, Deus o curou]. O analista deveria se dar por satisfeito com algo parecido.

f) É fácil inferir em qual objetivo essas regras aqui apresentadas confluem. Elas todas querem criar no médico o contraponto da "regra psicanalítica fundamental" estabelecida para o analisando. Assim como o analisando deve comunicar tudo que ele capta em sua auto-observação, evitando todos os apartes lógicos e afetivos que querem motivá-lo a proceder a uma seleção, também o médico deverá ser capaz de utilizar tudo que lhe foi dito para a finalidade da interpretação, do reconhecimento do inconsciente oculto, sem substituir a seleção descartada pelo doente por uma censura própria; resumindo em uma fórmula: ele deverá dirigir para o inconsciente emissor do doente o seu próprio inconsciente enquanto órgão receptor; deverá sintonizar-se com o analisando, assim como o receptor do telefone se sintoniza com o transmissor. Assim como o receptor transforma novamente em ondas sonoras as oscilações elétricas da linha, originadas por ondas sonoras, da mesma forma o inconsciente do médico é capaz de reconstituir, a partir das ramificações do inconsciente que lhe são informadas, esse inconsciente que determinou as ocorrências [*Einfälle*] trazidas pelo paciente.

Mas se o médico deve ser capaz de se servir assim de seu inconsciente como instrumento durante a análise, então ele próprio terá de preencher amplamente uma condição psicológica. Ele não poderá tolerar quaisquer resistências dentro de si próprio, resistências estas que afastam de seu consciente aquilo que foi reconhecido pelo seu inconsciente; do contrário, ele introduziria um novo tipo de seleção e deformação na análise, o que seria muito mais nocivo do que aquilo que foi produzido pela tensão de sua atenção consciente. Para tanto, não basta ele ser uma pessoa razoavelmente normal; pode-se, antes, exigir que ele tenha se submetido a uma purificação[5] [*Purifizierung*] psicanalítica e que tenha tomado conhecimento daqueles complexos próprios, adequados para atrapalhá-lo na absorção daquilo que lhe é apresentado pelo analisando. A bem da verdade, não se pode duvidar do efeito desqualificante de tais defeitos próprios; cada recalque não resolvido do médico corresponde, de acordo com uma expressão precisa de Wilhelm Stekel, a um "ponto cego" em sua percepção analítica.

Há anos, quando perguntado sobre como nos transformamos em analistas, respondi: através da análise dos próprios sonhos. Certamente, essa preparação é suficiente para muitas pessoas, mas não para todas que querem aprender a análise. Também não são todas as que conseguem interpretar os próprios sonhos sem ajuda de terceiros. Considero parte dos muitos méritos da escola analítica de Zurique[6] o fato de ter enfatizado essa condição, concretizando-a na exigência de que todo aquele que quiser executar uma análise dos outros deverá primeiro submeter-se a uma análise junto a um especialista. Quem levar a tarefa a sério deveria optar por esse caminho, que promete várias vantagens: o sacrifício de ter se aberto diante de outra pessoa sem a pressão de uma doença existente é largamente recompensado. Não apenas realizaremos em um tempo muito mais curto e com menos esforço afetivo a intenção de conhecermos o oculto de nós mesmos, mas também adquiriremos impressões e convicções no próprio corpo que em vão buscamos alcançar a partir do estudo de livros e ouvindo conferências. Por fim, também não será pouco o ganho que teremos a partir da relação psíquica que costuma se estabelecer entre o analisando e o seu guia [*Einführenden*].

Tal análise de alguém quase saudável compreensivelmente permanecerá inacabada. Aquele que souber reconhecer o alto valor do autoconhecimento e do aumento do autocontrole adquiridos através dela depois continuará o desbravamento analítico de sua própria pessoa como uma autoanálise, contentando-se com o fato de que tanto dentro de si quanto fora terá de esperar encontrar scmpre algo de novo. Mas aquele que, enquanto analista, tiver desprezado o cuidado da autoanálise não apenas será punido através da incapacidade de aprender em certa medida com os seus pacientes, mas ele também correrá o risco mais sério, que poderá se tornar um risco para outros. Ele facilmente irá se ver diante da tentação, em uma tosca autopercepção, de projetar na Ciência aquilo que, como se fosse teoria de validade geral, ele reconhecer das idiossincrasias de sua própria pessoa; ele trará descrédito para o método analítico e induzirá inexperientes ao erro.

g) Acrescentarei algumas outras regras em que se faz a transição entre a postura do médico para o tratamento do analisando.

Certamente é tentador para o jovem e ambicioso analista o fato de investir muito da própria individualidade para levar o paciente consigo e içá-lo, com esse impulso, por sobre as barreiras de sua personalidade estreita. Devíamos crer ser totalmente aceitável e até útil para superar as resistências existentes no doente quando o médico lhe oferece uma visão de seus próprios defeitos psíquicos e conflitos, possibilitando a ele uma igualdade de posições quando lhe dá informações sigilosas de sua vida. Ora, a confiança de um equivale à do outro – dirão –, e quem exige intimidade do outro também deve dá-la em troca.

Porém, no trânsito psicanalítico muitas coisas acontecem de modo diferente do que esperamos a partir dos pressupostos da Psicologia da Consciência. A experiência não nos evidencia a excelência dessa técnica afetiva. Também não é difícil concordarmos que com ela abandonamos o chão psicanalítico e nos aproximamos dos tratamentos por sugestão. Assim, consegue-se que o paciente, mais cordato, informe com maior facilidade aquilo que ele conhece e o que ele teria mantido oculto ainda durante algum tempo por obra de resistências convencionais. Para a descoberta do que é inconsciente para o paciente, essa técnica em nada contribui; ela ainda o torna mais incapaz de superar resistências mais profundas e, em casos mais graves, ela fracassa regularmente diante da insaciedade despertada no paciente, que passa a querer inverter a relação, achando a análise do médico mais interessante que a sua própria.

Também a resolução da transferência, que é uma das tarefas principais do tratamento, é dificultada pela postura de intimidade do médico, e o eventual ganho inicial ao final é mais do que anulado. Por isso, não hesito aqui em avaliar esse tipo de técnica como sendo falha. O médico precisa ser opaco para o analisando e, assim como uma superfície espelhada, não deve mostrar nada além daquilo que lhe é mostrado. No entanto, não há praticamente nada a criticar quando um psicoterapeuta mistura uma parte de análise com uma porção de influência por sugestão, para alcançar resultados visíveis em um espaço mais curto, tal como se torna necessário em instituições; mas podemos exigir que ele próprio não tenha dúvidas sobre o que está fazendo e que saiba que o seu método não é aquele da autêntica Psicanálise.

h) Outra tentação resulta da atividade educativa que recai sobre o médico no tratamento psicanalítico sem um intuito específico. No processo de dissolução dos entraves ao desenvolvimento, é natural que o médico aponte novos objetivos para as aspirações agora liberadas. Então, depois de tanto esforço para libertar a pessoa da neurose, é uma ambição perfeitamente compreensível que ele queira transformá-la em algo especialmente destacado, prescrevendo objetivos bastante altos para os desejos dessa pessoa. Mas aqui também o médico deveria controlar-se, tomando como diretriz menos os próprios desejos do que a aptidão do analisando. Nem todos os neuróticos têm muito talento para a sublimação; podemos supor para muitos deles que não teriam adoecido se fossem dotados da arte de sublimar suas pulsões. Se os forçarmos demais na direção da sublimação, cortando-lhes as mais próximas e confortáveis satisfações pulsionais, tornaríamos a vida deles ainda mais difícil do que já lhes parece ser. Enquanto médicos, precisamos, antes de tudo, ser tolerantes diante da fraqueza do doente; precisamos nos contentar com o fato de termos recuperado uma parte da capacidade de realizar e fruir[7] também para um paciente que não apresente elevados valores. A ambição educativa é tão pouco adequada quanto a terapêutica. Além disso, considere-se que muitas pessoas adoeceram justamente na tentativa de sublimar suas pulsões para além da medida autorizada pela sua organização, e que naqueles capazes de fazer a sublimação esse processo costuma acontecer por si mesmo, assim que as suas inibições são superadas através da análise. Portanto, acho que o empenho em utilizar o tratamento analítico regularmente para a sublimação das pulsões será sempre louvável, mas definitivamente não é recomendado para todos os casos.

i) Entre que limites devemos usar a cooperação intelectual do analisando no tratamento? É difícil afirmarmos algo a esse respeito que tenha validade geral. A personalidade do paciente é o fator decisivo, em primeira linha. Mas cuidado e reserva também devem ser observados aqui. É incorreto dar tarefas ao analisando, tais como reunir as suas lembranças, meditar sobre um determinado período de sua vida e tarefas assemelhadas. Ele terá, antes, de aprender principalmente o que não é fácil para ninguém admitir: que pela atividade intelectual como a meditação, que pelo empenho da vontade e da atenção não será resolvido nenhum dos mistérios da neurose, que só serão resolvidos através do seguimento paciente da regra psicanalítica, que estipula o desligamento da crítica ao inconsciente e seus derivados. Essa regra deve ser seguida de forma especialmente rígida com aqueles pacientes que exercitam a arte de resvalar para a intelectualização durante o tratamento, e assim refletindo muito e frequentemente com muita erudição sobre o seu estado resguardam-se, dessa forma, de fazer algo para controlar aquele estado. Por isso, com os meus pacientes não gosto de recorrer à leitura de escritos psicanalíticos; eu exijo que aprendam com sua própria pessoa e lhes asseguro que desse modo experienciarão mais, e coisas mais valiosas do que toda a literatura psicanalítica poderia lhes transmitir. Mas entendo que sob as condições de uma internação em uma instituição pode ser vantajoso usar a leitura para preparar os analisandos e para estabelecer um clima de influência.

Desaconselho veementemente que busquem a concordância e o apoio dos pais ou parentes, dando-lhes para ler alguma obra – introdutória ou mais aprofundada – da nossa literatura. Geralmente, essa medida bem-intencionada é suficiente para fazer eclodir precocemente a oposição natural, e em determinado momento inevitável, dos parentes contra o tratamento psicanalítico dos seus familiares, de modo que nem se chega a começar o tratamento.

Exprimo aqui a esperança de que a experiência progressiva dos psicanalistas logo nos leve a um consenso sobre as questões da técnica com que se deva tratar de modo mais eficaz os neuróticos. Quanto ao tratamento dos "parentes", confesso aqui a minha total desorientação e deposito pouca confiança em seu tratamento individual.

Ratschläge für den Arzt bei der psychoanalytischen Behandlung (1912)

1912   *Zentralblatt für Psychoanalyse*, 2, n. 9, p. 483-489

1925   *Gesammelte Schriften*, t. VI, p. 64-75

1943   *Gesammelte Werke*, t. VIII, p. 376-387

Antes de 1910, Freud já havia publicado três dos seus principais estudos clínicos, incluindo aí "Dora", "O homem dos Ratos" e "O pequeno Hans". É a partir deles que o essencial da técnica psicanalítica podia ser inferido até então. Mas ainda não havia uma sistematização das diretrizes da técnica analítica. Naquela altura, Freud alimentava a esperança de publicar uma espécie de *Allgemeine Technik der Psychoanalyse* (Exposição geral da técnica psicanalítica). Em 1908, confessa a Abraham esse desejo de publicar algo acerca das regras técnicas do tratamento analítico. No Natal, relata a Ferenczi que perto de 24 páginas estão escritas. Mas elas nunca seriam publicadas. No verão seguinte, informa Ernest Jones, tudo indica que Freud parecia preferir fazer circular um breve memorando contendo recomendações técnicas, reservado aos discípulos mais próximos. Em carta a Jung de 30 de dezembro de 1908, elogia um ensaio de Ferenczi sobre a transferência, acrescentando que este se aproximaria bastante de sua própria perspectiva. Finalmente, em carta a Jung datada de 2 de fevereiro de 1910, informa que não pretende publicá-lo ainda. Dois meses depois relata a Ferenczi a intenção de retomar a escrita do texto. Contudo, segundo Strachey, a hesitação quanto à publicação de um trabalho sistemático sobre a técnica ou sobre o método indicaria uma certa relutância de Freud, que temia, entre outras coisas, que suas recomendações fossem tomadas como regras inflexíveis.

O presente artigo foi escrito e publicado em 1912. Como o próprio título indica com precisão, trata-se aqui de elencar uma série de recomendações técnicas ao praticante da Psicanálise, constituindo-se em um dos textos mais pragmáticos de toda a obra freudiana. Uma contribuição decisiva desse artigo é a explicitação da "atenção equiflutuante". Segundo nota Assoun (2009, p. 319), o adjetivo *gleichschwebend*, para além da mera questão da flutuação, designa as pequenas batidas de asa suficientes para que um pássaro possa planar. É esse tipo de atenção que Freud recomenda aos analistas, suficiente para que o analista possa escutar, sem seleção prévia, as associações livres do analisando.

NOTAS

[1] Freud utiliza no título deste escrito a palavra *Arzt* (médico) para se referir ao profissional que exerce a Psicanálise, ao passo que em "A questão da análise leiga" ["Die Frage der Laienanalyse"], publicado neste mesmo volume, o autor faça questão de mostrar que, ainda que a Psicanálise tenha se originado na Medicina, seu exercício não é uma prerrogativa dos médicos. Ele escreve o segundo trabalho visando, sobretudo, separar radicalmente os estatutos da Medicina e da Psicanálise. Essa aparente contradição pode ser superada se atentarmos para a distância temporal entre os dois artigos. Por volta de 1912, época de redação do presente ensaio, os primeiros psicanalistas eram oriundos principalmente da formação acadêmica médica. (N.R.)

[2] *Einfälle*. Aquilo que ocorre espontaneamente ao pensamento e, consequentemente, à fala do analisando quando em livre associação. (N.R.)

[3] *Gleichschwebende Aufmerksamkeit*. A noção de *atenção* em língua portuguesa encontra no alemão as opções por *Achtung* [atenção pontual] ou *Aufmerksamkeit* [atenção continuada]. A isso se soma o adjetivo engendrado por Freud a partir de uma composição entre *gleich* [igualitário, equitativo] e *schwebend* [flutuante]. Em língua portuguesa a solução pelo neologismo "equiflutuante" parece ter sido difundida, entre outros, pelo psicanalista Renato Mezan. (N.R.)

[4] Segundo James Strachey, trata-se de uma ocorrência, na história clínica do Pequeno Hans, de uma expressão bastante próxima dessa, embora ainda não qualificada com o adjetivo "flutuante". (N.E.)

[5] A palavra que provavelmente pode causar estranhamento ao leitor psicanalítico não é exatamente a mesma utilizada em contextos religiosos, *Purifikation*, ainda que possa ser compreendida como sinônimo de *Reinigung* (purificação, tornar puro) em muitos casos. O contexto aqui aponta para uma metáfora relativa a aspectos resistenciais, para o recalcado. (N.R.)

[6] Como Freud costuma se referir às contribuições de Carl Gustav Jung. (N.R.)

[7] Ver a nota 7 do texto "O método psicanalítico freudiano" (neste volume, p. 61). (N.E.)

SOBRE A DINÂMICA DA TRANSFERÊNCIA (1912)

O tema da "transferência", difícil de ser esgotado, recentemente foi tratado de forma descritiva por Wilhelm Stekel nesta *Zentralblatt*.[i] Quero acrescentar aqui apenas algumas considerações, que pretendem esclarecer como necessariamente a transferência se desencadeia durante um tratamento psicanalítico, e como ela assume o papel já conhecido durante o tratamento.

Que fique claro para nós que, através da junção de predisposições inatas e influências durante os anos de infância, todas as pessoas adquiriram uma determinada idiossincrasia ao conduzirem a sua vida amorosa, ou seja, daí vêm as condições que a pessoa estipula para o amor, as pulsões a satisfazer e as metas almejadas.[ii] Isso resulta,

---

[i] *Zentralblatt für Psychoanalyse* [Folha Central de Psicanálise], ano II, n. II, p. 26. [Na verdade, o artigo de Stekel começa na página 27. (N.E.)]

[ii] Protejamo-nos aqui contra a objeção errônea que acredita termos negado a importância dos fatores inatos (constitucionais), por termos destacado as impressões infantis. Tal crítica origina-se na estreiteza da necessidade de causalidade dos homens, que quer se satisfazer com um único momento originário, ao contrário da configuração usual da realidade. A Psicanálise se pronunciou muito sobre os fatores acidentais da etiologia e pouco sobre os constitucionais; mas isso apenas porque

108 OBRAS INCOMPLETAS DE S. FREUD

digamos, em um clichê (ou em vários deles), que ao longo da vida é repetido regularmente, é reeditado, na medida em que as condições externas e a natureza dos objetos amorosos acessíveis o permitirem, o que certamente não é de todo imutável, mesmo diante de impressões recentes. Nossas experiências mostraram, então, que dessas moções que determinam a vida amorosa, apenas uma parte passou pelo pleno desenvolvimento psíquico; essa parte está voltada para a realidade, à disposição da personalidade consciente, e constitui uma parte desta. Outra parte dessas moções libidinosas foi detida em seu desenvolvimento, foi mantida distante da personalidade consciente e da realidade, e só conseguiu se expandir na fantasia ou então permaneceu totalmente no inconsciente, sendo, portanto, desconhecida para a consciência da personalidade. Aquele cuja necessidade de amor não é satisfeita plenamente pela realidade terá de se aproximar de cada nova pessoa que se avizinha com representações de expectativas libidinosas, e é muito provável que as duas porções de sua libido, tanto

---

pôde trazer algo de novo no primeiro caso, e no segundo não sabia mais do que em geral já se sabe. Rejeitamos o estabelecimento de uma oposição fundamental entre as duas sequências de fatores etiológicos; supomos, antes, uma colaboração regular entre ambas, produzindo o efeito observado. Δαίμον καὶ Τύχη [Destino e Acaso] determinam o destino de um homem; raras vezes, talvez nunca, uma dessas forças apenas. A distribuição da eficácia etiológica entre as duas só poderá se realizar individualmente e em cada caso específico. A sequência em que grandezas alternantes de ambos os fatores se compõem certamente também terá seus casos extremos. Dependendo do nível do nosso conhecimento, iremos avaliar de modo diferente a parcela da constituição ou da vivência em cada caso específico, e nos reservamos o direito de modificarmos o nosso juízo com a mudança de nossas compreensões. Aliás, poderíamos arriscar a entender a própria constituição como o precipitado das influências acidentais sobre a infinita série dos antepassados.

aquela capaz de chegar à consciência quanto a inconsciente, tenham participação nessa postura.

Portanto, é totalmente normal e compreensível que o investimento libidinal [*Libidobesetzung*] de uma pessoa parcialmente insatisfeita, carregado de muita expectativa, também se volte para a figura do médico. Conforme o nosso pressuposto, esse investimento irá se guiar por modelos, irá dar sequência a um dos clichês presentes na respectiva pessoa ou, como também poderíamos afirmar, irá inserir o médico em uma das "sequências" psíquicas que o paciente em sofrimento formou até aquele momento. Isso corresponderá às relações reais com o médico, se para essa inserção for determinante a imago do pai (para usar uma expressão feliz de Jung).[i] Mas a transferência não está atrelada a esse modelo; ela poderá se dar também a partir da imago da mãe ou do irmão. As peculiaridades da transferência para o médico, ultrapassando a medida e o tipo daquilo que se justificaria de forma sóbria e racional, será compreensível a partir da consideração de que, justamente, não foram apenas as representações de expectativas conscientes, mas também as retidas ou inconscientes que produziram tal transferência.

Sobre essa conduta da transferência nada mais haveria a dizer ou pensar, se não houvesse aí dois pontos ainda obscuros, que são de especial interesse para o psicanalista. Primeiro, não entendemos por que a transferência no caso de pessoas neuróticas é tão mais intensa na análise do que nas outras pessoas, não analisadas; segundo, permanece uma incógnita o motivo de ser a transferência, na análise, a *mais forte resistência* contra o tratamento, enquanto fora

---

[i] JUNG, Carl Gustav. Symbole und Wandlungen der Libido. *Jahrbuch für Psychoanalyse*, v. III, p. 164.

da análise temos de reconhecê-la como portadora do efeito de cura e condição para o sucesso do tratamento. Uma experiência confirmada inúmeras vezes, aleatoriamente, mostra que todas as vezes em que as associações livres de um paciente são impedidas,[i] o impasse pode ser resolvido a partir da garantia ao paciente de que agora ele está sob o domínio de uma ideia que lhe ocorreu [*Einfall*] que diz respeito à pessoa do médico ou a algo ligado a ele. Assim que se presta esse esclarecimento, o obstáculo desaparece, ou então a situação de fracasso foi transformada em uma situação de ocultação de tais ideias que lhe ocorreram [*Einfälle*].

À primeira vista, parece ser uma grande desvantagem metodológica da Psicanálise o fato de que nela a transferência – até então a força mais poderosa do sucesso – transforma-se no meio mais forte de resistência. Olhando mais de perto, porém, afastamos pelo menos o primeiro dos dois problemas. Não é correto afirmar que a transferência aparece mais intensamente e de forma mais desmedida durante a Psicanálise do que fora dela. Nas instituições em que pacientes nervosos não têm tratamento psicanalítico, observamos as maiores intensidades e as formas mais indignas de transferência, chegando à servidão, até mesmo um viés indubitavelmente erótico da transferência. Numa época em que mal havia Psicanálise, uma observadora sensível como Gabriele Reuter descreveu isso num livro curioso, que nos revela, aliás, as melhores descobertas sobre a essência e o surgimento das neuroses.[ii] Essas características da transferência, portanto,

---

[i] Quero dizer: quando elas de fato cessam, e não quando o paciente não as externa devido a um simples sentimento de desprazer.

[ii] *Aus guter Familie* [De boa família], 1895.

não devem ser colocadas na conta da Psicanálise, mas sim atribuídas à própria neurose. O segundo problema, por ora, permanece intacto.

Esse problema, em que perguntamos por que na Psicanálise a transferência aparece como obstáculo, precisa ser analisado mais atentamente. Visualizemos a situação psicológica do tratamento: um pré-requisito regular e imprescindível de *toda* psiconeurose é o processo que Jung com precisão chamou de *introversão* da libido.[i] Isso significa o seguinte: a porção da libido capaz de chegar à consciência e voltada à realidade é diminuída, e a porção apartada da realidade, inconsciente, que, por exemplo, ainda alimenta as fantasias da pessoa, mas pertence ao inconsciente, é aumentada proporcionalmente. A libido moveu-se (total ou parcialmente) para a regressão, reanimando as imagines infantis.[ii] É nessa direção que segue, então, o tratamento analítico, que quer resgatar a libido, torná-la novamente acessível à consciência e, por fim, colocá-la a serviço da realidade. Nos pontos em que a pesquisa analítica topa com a libido recolhida em seus esconderijos, necessariamente eclode uma batalha; todas

---

[i] Não obstante algumas declarações de Jung darem a impressão de que ele via nessa introversão algo característico da *dementia praecox*, o que no caso de outras neuroses não seria considerado da mesma maneira.

[ii] Seria confortável dizer: ela voltou a investir os "complexos" infantis. Mas isso não seria correto; justificável seria apenas a seguinte afirmação: as porções inconscientes desses complexos. O extraordinário emaranhado do tema tratado neste trabalho produz a tentação de se debruçar sobre uma série de problemas cujo esclarecimento seria necessário, antes de se falar dos processos psíquicos a serem descritos aqui com palavras inequívocas. Tais problemas são: a delimitação recíproca da introversão e da regressão, a inserção da teoria do complexo na teoria da libido, as relações do fantasiar com o consciente e o inconsciente, assim como com a realidade, entre outros. Não devo desculpar-me se tenho, aqui, resistido a essas tentações.

as forças que causaram a regressão da libido irão se levantar como "resistências" contra o trabalho, para conservar esse novo estado. É que se a introversão ou regressão da libido não tivesse se justificado por uma determinada relação com o mundo externo (em sua forma mais geral: através do impedimento [*Versagung*] da satisfação) e sido, ela própria, adequada para aquele momento, ela nem poderia ter se formado. As resistências com essa origem, no entanto, não são as únicas, nem mesmo as mais fortes. A libido disponível para a personalidade sempre esteve sob a atração dos complexos inconscientes (ou, mais corretamente: as porções desses complexos pertencentes ao inconsciente) e resvalou para a regressão, porque a atração da realidade tinha ficado menos intensa. Para libertá-la, essa atração do inconsciente agora precisa ser superada, ou seja, o recalque [*Verdrängung*] das pulsões inconscientes desde então constituídas no indivíduo e suas produções precisam ser suspensos. Isso resulta na parte de longe mais grandiosa da resistência, que tão frequentemente faz perdurar a doença, mesmo quando o afastamento da realidade volta a perder a justificativa provisória. A análise tem de lutar contra as resistências de ambas as fontes. A resistência acompanha o tratamento a cada passo; cada ocorrência [*Einfall*], cada ato do analisando precisa prestar contas à resistência e coloca-se como um acordo entre as forças que objetivam a cura e aquelas mencionadas, que a elas se opõem.

Se acompanharmos um complexo patogênico desde a sua representação no consciente (seja ele evidente como sintoma, seja mesmo bastante imperceptível) até sua raiz no inconsciente, logo chegaremos a uma região em que a resistência se evidencia tão claramente, que a próxima ocorrência [*Einfall*] terá de lhe fazer jus e aparecer como

FUNDAMENTOS DA CLÍNICA PSICANALÍTICA **113**

acordo entre as suas exigências e aquelas do trabalho de pesquisa. É aqui então que, segundo a comprovação pela experiência, entra em cena a transferência. Se algo da matéria do complexo (o conteúdo do complexo) for adequado para ser transferido à pessoa do médico, então se dá essa transferência, resultando na ideia seguinte e anunciando-se através dos sinais de uma resistência, por exemplo, com uma interrupção. A partir dessa experiência, concluímos que essa ideia de transferência [*Übertragungsidee*] chegou à consciência antes de todas as outras possibilidades de ocorrências [*Einfallsmöglichkeiten*],[1] *porque* ela também satisfaz a resistência. Tal processo repete-se inúmeras vezes no decorrer de uma análise. Sempre que nos aproximamos de um complexo patogênico, a porção do complexo capaz de transferência é empurrada para a consciência e defendida com a maior insistência.[i]

Após a superação desta, a dos outros elementos do complexo apresenta poucas dificuldades. Quanto mais tempo durar um tratamento analítico e quanto mais claramente o paciente reconhecer que apenas distorções do material patogênico não oferecem proteção contra o descortinamento, com mais coerência ele se utilizará daquele tipo de distorção que aparentemente lhe oferece as maiores vantagens: a distorção através da transferência. Essas relações seguem na direção de uma situação em que

---

[i] De onde, porém, não podemos deduzir de forma generalizante uma importância patogênica específica do elemento escolhido para a resistência transferencial [*Übertragungswiderstand*]. Se em uma batalha em torno da posse de uma determinada igrejinha ou de uma única fazenda o combate for marcado por intensa amargura, não precisaremos supor, por isso, que a igreja seja um elemento nacional sagrado ou que a casa de fazenda esconda os tesouros do exército. O valor dos objetos pode ser apenas tático e talvez só se destaque nessa única batalha.

finalmente todos os conflitos precisam ser resolvidos no terreno da transferência.

Assim, no tratamento analítico, a transferência parece-nos surgir primeiro apenas como a arma mais poderosa da resistência, e podemos concluir que a intensidade e a duração da transferência são um efeito e uma expressão da resistência. O mecanismo da transferência, é bem verdade, resolve-se a partir de seu retorno à disponibilidade da libido, que permaneceu em posse de imagos infantis; o esclarecimento de seu papel no tratamento, porém, só funciona se abordarmos os seus vínculos com a resistência.

Por que motivo a transferência se adequa tão perfei-tamente como meio de resistência? Poderíamos crer que a resposta a tal pergunta seria fácil. Pois é óbvio que a confissão de cada moção de desejo é especialmente dificultada quando deve ser abandonada diante daquela pessoa para a qual a moção é direcionada. Essa pressão resulta em situações que na realidade parecem ser praticamente inexequíveis. É justamente isso que o analisando quer alcançar, quando faz coincidir o objeto de suas moções emotivas com o médico. No entanto, uma consideração mais aprofundada mostra que essa aparente vantagem não pode levar à solução do problema. Uma relação de proximidade carinhosa e devotada, por outro lado, poderá ajudar a superar todas as dificuldades de admitir [tais afetos]. Como sabemos, costuma-se dizer, em condições reais análogas: "não tenho vergonha diante de ti, a ti eu posso dizer tudo". A transferência para o médico, portanto, poderia servir também para aliviar o peso da confissão, e não entenderíamos por que ela a dificulta.

A resposta a essa pergunta aqui colocada diver-sas vezes não será obtida através de mais reflexões, mas pela experiência que se faz por ocasião do tratamento de cada uma das resistências à transferência. Percebe-se, por fim, que não conseguimos compreender a utilização da transferência para fins de resistência, se pensarmos na "transferência" pura e simplesmente. Precisamos tomar a decisão de separar uma transferência "positiva" de uma "negativa", a transferência de sentimentos carinhosos daquela de sentimentos hostis, tratando os dois tipos de transferência para o médico de forma separada. Assim, a transferência positiva subdivide-se ainda naquela de sentimentos simpáticos ou carinhosos, capazes de chegar à consciência, e naquela que segue pela via inconsciente. Em relação às últimas, a análise comprova que elas remontam regularmente a fontes eróticas, de modo que temos de chegar à conclusão de que todas as nossas relações emotivas utilizáveis ao longo da vida, como simpatia, amizade, confiança e assemelhados, têm associação genética com a sexualidade e se desenvolveram pelo enfraquecimento da meta sexual a partir de desejos puramente sexuais, por mais que eles se apresentem como puros e não sensuais por nossa autopercepção consciente. Originalmente, conhecíamos apenas metas sexuais; a Psicanálise nos mostra que as pessoas de quem apenas gostamos ou que admiramos em nossa realidade ainda podem continuar sendo objetos sexuais em nosso inconsciente.

A solução desse enigma é, portanto, que a transferência para o médico só se mostra propícia à resistência durante o tratamento enquanto ela for transferência negativa ou positiva de moções eróticas recalcadas. Se "suspendermos" a transferência tornando-a consciente, desprenderemos da pessoa do médico apenas esses dois componentes do ato emotivo; o outro componente, capaz de chegar à consciência e não repulsivo, permanece, sendo portador do sucesso na Psicanálise, tanto quanto em outros métodos de tratamento. Nesse sentido, admitimos que os resultados da Psicanálise se dão com base em sugestão; desde que se entenda por sugestão aquilo que compartilhamos com Ferenczi[i]: o sugestionamento de uma pessoa por meio dos fenômenos de transferência que nela são possíveis. Nós cuidamos da autonomia final do paciente, na medida em que utilizamos a sugestão para fazê-lo desempenhar um trabalho psíquico que tem como resultado necessário uma melhora duradoura de sua situação psíquica.

Pode-se, ainda, perguntar por que os fenômenos de resistência da transferência só aparecem na Psicanálise, e não no tratamento indiferenciado, por exemplo, em instituições. A resposta é: elas também aparecem lá, mas precisam ser reconhecidas como tais. A irrupção da transferência negativa, aliás, é bastante frequente em instituições. O doente, justamente, deixa a instituição sem se transformar ou tem recidivas assim que entra no domínio da transferência negativa. A transferência erótica não tem efeito tão inibidor nas instituições, já que lá, assim como na vida, ela é embelezada, em vez de ser revelada; mas ela se manifesta claramente enquanto resistência contra a cura, não afugentando o doente da instituição – ao contrário, ela o segura na instituição –, mas o distanciando da vida. É que para a cura é bastante indiferente se o doente na instituição supera esta ou aquela angústia ou inibição; depende muito mais de ele poder se libertar disso também na realidade da sua vida.

A transferência negativa mereceria uma atenção detalhada, que no âmbito destas considerações não será possível. Nas formas curáveis de psiconeurose, ela se encontra

---

[i] FERENCZI, Sándor. Introjektion und Übertragung [Introjeção e transferência]. *Jahrbuch für Psychoanalyse*, v. I, 1909.

FUNDAMENTOS DA CLÍNICA PSICANALÍTICA **117**

ao lado da transferência carinhosa, muitas vezes voltada, ao mesmo tempo, para a mesma pessoa, situação para a qual Bleuler cunhou a boa expressão "ambivalência".[i] Uma tal ambivalência de sentimentos parece ser normal até determinado grau, mas um alto grau de ambivalência certamente será a marca específica de pessoas neuróticas. No caso da neurose obsessiva, parece ser característica a precoce "separação dos pares de opostos" para a vida pulsional, parecendo ser também uma de suas condições constitucionais. A ambivalência das inclinações emocionais é a que melhor explica a capacidade dos neuróticos de colocar as transferências a serviço da resistência. Ali onde a capacidade de transferência se tornou essencialmente negativa, tal como nos paranoides, acaba a possibilidade de influência e de cura.

Com todas essas considerações, no entanto, fizemos jus a apenas um lado do problema da transferência; faz-se necessário voltarmos a nossa atenção para um outro aspecto do mesmo fenômeno. Quem teve uma clara impressão de como o analisando é arrancado de seus vínculos reais e lançado para o médico, assim que entra no domínio de uma farta resistência transferencial, e como ele depois toma a liberdade de desprezar a regra psicanalítica fundamental de informar tudo o que vem à mente sem crítica, como ele se esquece dos princípios com os quais iniciou o tratamento, e como relações e conclusões lógicas que antes o impressionaram bastante agora lhe parecem

---

[i] BLEULER, Eugen. Dementia praecox oder Gruppe der Schizophrenien [Demência precoce ou grupos de esquizofrenias]. *Handbuch der Psychiatrie*, Aschaffenburg, 1911. – Palestra sobre ambivalência em Berna, 1910, mencionada no *Zentralblatt für Psychoanalyse*, v. I, p. 266. – Para os mesmos fenômenos, Wilhelm Stekel tinha sugerido antes o termo "bipolaridade".

indiferentes, terá a necessidade de explicar essa impressão ainda a partir de outros fatores, além dos aqui elencados, e eles não estão tão distantes; resultam, por sua vez, da situação psicanalítica para a qual o tratamento deslocou o analisando.

Rastreando a libido que havia se dispersado do consciente, adentrou-se o âmbito do inconsciente. As reações que se alcançam, então, trazem à tona muito das características de processos inconscientes, tais como as conhecemos pelo estudo dos sonhos. As moções inconscientes não querem ser lembradas, tal como o tratamento o deseja, mas elas almejam se reproduzir, de acordo com a atemporalidade e a capacidade alucinatória do inconsciente. Semelhante ao que ocorre no sonho, o paciente atribui atualidade e realidade aos resultados do despertar de suas moções inconscientes; ele quer acionar as suas paixões, sem levar em consideração a situação real. O médico quer levá-lo a inserir essas moções emocionais no contexto do tratamento e no de sua história de vida, subordiná-las à observação pensante e reconhecê-las em seu valor psíquico. Essa luta entre médico e paciente, entre intelecto e vida pulsional, entre reconhecer e querer agir, acontece quase exclusivamente nos fenômenos de transferência. É nesse campo que precisa acontecer a vitória, cuja expressão é a cura duradoura da neurose. É inegável que o controle dos fenômenos de transferência oferece as maiores dificuldades para o psicanalista, mas não esqueçamos que são justamente elas que nos prestam o inestimável serviço de tornar manifestas e atuais as moções amorosas ocultas e esquecidas dos pacientes, pois, afinal, ninguém pode ser abatido *in absentia* ou *in effigie*.

Zur Dynamik der Übertragung (1912)

1912 *Zentralblatt für Psychoanalyse*, t. II, n. 4, p. 167-173
1925 *Gesammelte Schriften*, t. VI, p. 53-63
1943 *Gesammelte Werke*, t. VIII, p. 363-374

O fenômeno da transferência é um dos pilares do tratamento analítico. Já em 1895, nos *Estudos sobre a histeria*, Freud descreve a transferência como uma *mésalliance*, uma "conexão falsa [*falsche Verknüpfung*]". As expressões empregadas, uma de origem francesa e uma de origem germânica, colocam em cena na própria escrita freudiana a amplitude e plasticidade do termo *Übertragung*, que designa transferência, mas também pode significar tradução [geralmente, *Übersetzung*]. Naquela altura, contudo, embora Freud reconhecesse o fenômeno, a transferência ainda não tinha centralidade no dispositivo analítico. Não por acaso, Freud elaborou o conceito de transferência sobretudo nos casos clínicos, especialmente em "Dora" e em "O homem dos Ratos", quando paulatinamente o conceito vai ganhando contornos mais específicos e delimitados, à medida que impasses clínicos vão induzindo a reformulações teóricas e técnicas.

O presente artigo constitui, talvez, o primeiro esforço de sistematização acerca da transferência, decisivo no contexto das primeiras dissidências do movimento psicanalítico. Escrito no final de 1911, Freud anuncia sua conclusão em carta a Jung, datada de 31 de dezembro.

O artigo começa referindo o estudo recém-publicado por Stekel, na mesma revista, sob o título de "As diferentes formas da transferência". Por um lado, o título de Freud contrapõe o aspecto "dinâmico" ao caráter "descritivo" da análise de Stekel. Por outro lado, não custa lembrar que "dinâmico" se refere, ao lado dos aspectos "tópico" e "econômico", a um dos três aspectos da abordagem metapsicológica.

A conclusão do texto evoca duas expressões latinas, oriundas do direito. *In absentia* (em ausência) é um termo jurídico que designa um processo em que o acusado se recusa a comparecer ao julgamento. *In effigie* (em imagem) também é uma expressão jurídica, que designa o tipo de aplicação de uma punição física ou da lei capital a um substituto ou representação do condenado, quando este se encontra foragido, por exemplo, em outro país. Entre os séculos XVI e XVII, a pena *in effigie* podia ser aplicada a um manequim ou a uma imagem. Em 1521, a Inquisição, por exemplo, queimou uma imagem de Lutero, em Roma. No século XVIII, bastava castigar a inscrição de seu nome. Em ambos os casos, a dimensão metafórica é essencial.

Sendo um texto fundamental da técnica psicanalítica, teve grande repercussão. Podemos destacar três capítulos dessa recepção. Melanie Klein relê a transferência sobretudo como *situação transferencial*, sob a perspectiva das relações objetais primitivas, ampliando o alcance do conceito para a análise com crianças, através do conceito de personificação no brincar, assim como para o campo da psicose. Donald Winnicott publicou, nos anos 1950, um artigo intitulado "Formas clínicas da transferência", no qual diferencia as manifestações bem como o manejo técnico da transferência nas neuroses, nas psicoses e nos pacientes *borderlines*. Por usa vez, Wilfred Bion trata a transferência como um caso particular de *transformação*. Finalmente, Jacques Lacan dedicou a sessão do dia 3 de fevereiro de 1954 do seu *Seminário* sobre *Os escritos técnicos de Freud* a uma releitura dos conceitos de transferência e resistência. Alguns anos mais tarde, dedicou um ano de seu *Seminário* a uma redefinição do conceito de transferência, afastando-o dos fenômenos da sugestão, resistência e repetição aos quais estava vinculado na obra de Freud, e articulando-o em torno da noção de *amor ao saber*.

BION, W. R. *Transformations*: *change from learning to growth*. London: Heinemann Medical Books, 1965. • KLEIN, M. The origins of transference. 1952. In: *Envy and gratitude and other works*, 1946-1963. p. 48-56. London: Karnac, 1993. • LACAN, J. *O Seminário, livro 1*: *Os escritos técnicos de Freud*. Rio de Janeiro: Jorge Zahar, 1979. • LACAN, J. *O Seminário, livro 8*: *A transferência*. Rio de Janeiro: Jorge Zahar, 1992.

NOTAS

[1] *Einfall*: trata-se das ideias ou pensamentos que ocorrem, que vêm à tona ou à mente do sujeito que se entrega à associação livre. Ainda que tenhamos adotado a tendência a traduzir *Einfall* por "ocorrência", em alguns casos utilizamos locuções semelhantes a fim de esclarecer. (N.R.)

SOBRE O INÍCIO DO TRATAMENTO (1913)

Quem quiser aprender o nobre jogo de xadrez a partir de livros logo irá se dar conta de que apenas as jogadas de abertura e as jogadas finais permitem uma representação exaustiva, enquanto a enorme variedade das jogadas que começam a partir da abertura acaba frustrando tal representação. Apenas um estudo aplicado de partidas em que mestres se enfrentaram pode preencher essa lacuna das instruções. Limitações semelhantes a essas parecem ocorrer com as regras que podemos estabelecer para o exercício do tratamento psicanalítico.

Daqui em diante, tentarei reunir algumas dessas regras para o início do tratamento, no intuito de serem utilizadas pelo analista praticante. Entre elas, há determinações que podem parecer diminutas e que provavelmente o são mesmo. Que sirva como desculpa para isso o fato de que são regras do jogo, que precisam extrair a sua importância a partir do contexto da estratégia do jogo. Mas faço bem em apresentar essas regras como "recomendações", não querendo advogar para elas uma obrigatoriedade absoluta. A diversidade extraordinária das constelações psíquicas em questão, a plasticidade de todos os processos anímicos e a riqueza de fatores determinantes também se opõem a uma mecanização da técnica e permitem que um procedimento usualmente justificado por vezes se torne sem efeito, assim como um procedimento costumeiramente errôneo algumas vezes possa levar ao objetivo esperado. No entanto, essas condições não impedem que se estabeleça uma postura razoavelmente adequada do médico.

Há anos, já apontei em outro local as indicações mais importantes para a seleção dos pacientes.[i] Por isso, não as repetirei aqui; nesse meio-tempo, elas tiveram a aprovação de outros psicanalistas. Mas acrescento aqui que desde então me acostumei a aceitar, de início apenas provisoriamente, por uma a duas semanas, pacientes dos quais pouco sei. Se durante esse período ocorrer uma interrupção, poupamos ao doente a impressão desagradável de uma tentativa fracassada de cura. O que se fez foi apenas uma sondagem para conhecer o caso e para decidir se é adequado à Psicanálise. Não temos à disposição outro tipo de avaliação além desse ensaio; nem mesmo longas conversas e perguntas aos pacientes durante a sessão seriam um substituto para tanto. Mas esse ensaio prévio já é o início da Psicanálise e deverá seguir as suas regras. Podemos, por exemplo, mantê-la separada, na medida em que deixamos principalmente o paciente falar e não lhe prestamos esclarecimentos além daqueles imprescindíveis à continuidade de sua narração.

O início do tratamento com esse período probatório estipulado em algumas semanas, aliás, também tem uma motivação diagnóstica. Muitas vezes, quando estamos diante de uma neurose com sintomas histéricos ou obsessivos sem manifestação excessiva e de curta duração,

---

[i] Über Psychotherapie [Sobre Psicoterapia], 1905. *Gesammelte Werke*, v. V [neste volume, p. 71-73, (N.E.)]

ou seja, justamente aquelas formas que seriam vistas como adequadas ao tratamento, precisamos dar espaço para nos questionarmos se o caso não corresponde a um estágio prévio de uma chamada *dementia praecox* (*esquizofrenia* segundo Bleuler, *parafrenia* segundo a minha proposta) e que depois de um período breve ou mais longo evidenciará um quadro mais claro dessa afecção. Eu contesto quando dizem que é sempre fácil estabelecer a diferença. Sei que há psiquiatras que oscilam mais raramente ao estabelecerem o diagnóstico diferencial, mas eu me convenci de que eles também se equivocam com a mesma frequência. Ocorre que o erro é mais carregado de consequências para o psicanalista do que para o chamado psiquiatra clínico. Pois este último nem em um caso nem no outro empreende algo frutífero; ele apenas corre o risco de cometer um erro teórico, e o seu diagnóstico tem apenas interesse acadêmico. Mas o psicanalista, em um caso desfavorável, terá cometido uma falha prática e causado um esforço inócuo, desacreditando o seu processo de cura. Ele não pode manter a sua promessa de cura se o doente não sofrer de histeria ou neurose obsessiva, mas sim de parafrenia, e, por isso, terá fortes razões para evitar o erro no diagnóstico. Em um tratamento probatório de algumas semanas, ele muitas vezes irá ter percepções e suspeitas que o levem a não continuar a experiência. Infelizmente, não posso afirmar que tal experiência regularmente possibilite uma decisão segura; é apenas uma boa precaução suplementar.[i]

---

[i] Em relação ao tema dessa incerteza no diagnóstico, quanto às chances da análise em formas leves de parafrenia e à justificativa da semelhança de ambas as afecções haveria muito a se dizer, mas que não posso pormenorizar neste contexto. Adoraria contrapor, segundo o processo de Jung, a histeria e a neurose obsessiva enquanto "neuroses de transferência" às afecções parafrênicas enquanto "neuroses de introversão", se com esse uso o conceito da "introversão" (da libido) não fosse apartado de seu único sentido justificado.

124 OBRAS INCOMPLETAS DE S. FREUD

Longas conversas prévias antes do início do tratamento analítico, uma terapia de outro tipo feita anteriormente, assim como um conhecimento anterior do futuro analisando por parte do médico tem certas consequências desvantajosas, para as quais precisamos estar preparados. É que elas fazem com que o paciente se coloque diante do médico com uma postura preconcebida em relação à transferência, que o médico precisará desvendar aos poucos, em vez de ter a oportunidade de observar desde o início o crescimento e o devir da transferência. Dessa forma, o paciente estará na dianteira durante um determinado período, vantagem que não gostamos de lhe conceder durante o tratamento.

Desconfiemos de todos aqueles que querem começar o tratamento com um adiamento. A experiência nos mostra que após decorrido o prazo acordado eles não aparecem, mesmo quando a motivação desse adiamento, ou seja, a racionalização do propósito, pareça impecável ao não iniciado.

Dificuldades específicas surgem quando entre o médico e o paciente que começa a análise ou entre as famílias de ambos em algum momento houve relações sociais ou de amizade. O psicanalista do qual se exige que trate da esposa ou do filho de um amigo deve se preparar para o fato de que esse empreendimento, não importando o resultado final, custar-lhe-á a amizade. É ele quem terá de fazer o sacrifício, no caso de não conseguir ser um substituto confiável.

Tanto leigos quanto médicos que ainda gostam de confundir a Psicanálise com um tratamento baseado em sugestão costumam dar grande valor à expectativa que o paciente tem em relação ao novo tratamento. Eles acreditam, muitas vezes, que não iremos ter muito trabalho com um paciente caso ele tenha grande confiança na Psicanálise, estando convencido de sua verdade e de sua capacidade efetiva. Outro paciente possivelmente dará mais trabalho, pois tem uma postura cética e não acredita em nada antes de perceber o sucesso em si próprio. Mas na verdade, essa postura dos pacientes tem muito pouca importância; sua confiança ou desconfiança provisórias são pouco relevantes diante das resistências internas que ancoram a neurose. A boa-fé do paciente certamente torna o trânsito com ele bastante agradável; agradecemos a ele por isso, mas o preparamos para o fato de que sua posição inicial favorável será destroçada ao encontrar a primeira dificuldade no tratamento. Ao cético, dizemos que a análise não precisa de confiança, que ele pode ser crítico e desconfiado à vontade, que não colocaremos a sua posição na conta de seu juízo, pois ele não está em condições de formar um juízo confiável acerca desses pontos; sua desconfiança é justamente um sintoma, assim como os seus outros sintomas, e não será incômodo se ele apenas seguir de modo consciencioso aquilo que a regra do tratamento exigir dele.

Quem estiver familiarizado com a natureza da neurose não ficará espantado ao ouvir que mesmo aquele que tem total capacidade de psicanalisar os outros pode se comportar como outro mortal qualquer, podendo produzir as mais intensas resistências assim que ele mesmo for transformado em objeto da Psicanálise. Então, mais uma vez, experienciamos a dimensão psíquica profunda, e não acharemos espantoso que a neurose tenha suas raízes em camadas psíquicas nas quais a formação analítica ainda não adentrou.

Pontos importantes no início do tratamento analítico são as determinações referentes a *tempo* e *dinheiro*.

Quanto ao tempo, sigo exclusivamente o princípio da remuneração por uma determinada hora. A cada paciente é atribuída uma determinada hora disponível do meu dia de trabalho; essa hora será a sua e ele será responsável por ela, mesmo se não vier a usá-la. Essa determinação, que parece óbvia em nossa boa sociedade para o professor de música ou de idiomas, no caso do médico pode parecer dura ou mesmo indigna de sua função. Estaremos inclinados a apontar os diversos acasos que poderão impedir o paciente de comparecer sempre à mesma hora no consultório médico e exigiremos que devam ser levadas em consideração as inúmeras doenças intercorrentes que podem acontecer ao longo de um tratamento analítico mais extenso. No entanto, a minha resposta é: não há outro jeito. No caso de uma prática mais complacente, os cancelamentos "eventuais" acabam se acumulando tanto que o médico verá a sua existência material ameaçada. Se nos ativermos estritamente àquela determinação, no entanto, verificamos que acasos que impedem a presença são inexistentes, e as doenças intercorrentes, muito raras. Dificilmente teremos a situação em que fruiremos do ócio, do qual teríamos de nos envergonhar pela respectiva remuneração; podemos continuar o trabalho sem sermos incomodados e evitamos a experiência desagradável e confusa de que justamente quando o trabalho prometia ser muito importante e rico em conteúdo entra uma pausa involuntária. Só nos convencemos plenamente da importância do fator psicogênico no cotidiano das pessoas, da frequência das "doenças escolares" e da nulidade do acaso quando praticamos a Psicanálise durante anos, seguindo estritamente o princípio da remuneração por hora. No caso de afecções claramente orgânicas, que não podem ser excluídas mesmo pelo interesse psíquico, interrompo o tratamento e me julgo no direito de ocupar a hora que ficou livre de outra forma, retomando o paciente assim que ele estiver restabelecido e eu conseguir outro horário livre.

Trabalho com os meus pacientes diariamente, à exceção dos domingos e dos feriados, ou seja, normalmente seis vezes por semana. Para casos leves ou continuações de tratamentos já bastante avançados, são suficientes três horas por semana. Do contrário, limitações de tempo não trarão vantagens nem para o médico nem para o paciente; no início, elas deverão ser totalmente descartadas. Já com breves interrupções o trabalho sempre fica um pouco prejudicado; costumávamos brincar, falando de uma "crosta de segunda-feira", quando após o descanso do domingo começamos do início; no caso de um trabalho mais espaçado, corre-se o risco de não acompanhar a vivência real do paciente e de que o tratamento perca o contato com a realidade, sendo conduzido para desvios. Ocasionalmente, também encontramos doentes aos quais precisamos dedicar mais tempo do que a média de uma hora, porque eles gastam a maior parte dessa hora para se extroverter e tornar-se comunicativos.

Uma questão incômoda para o médico e que o paciente logo no início lhe coloca é a seguinte: "Quanto tempo irá durar o tratamento? Quanto tempo o senhor precisa para me libertar do meu sofrimento?". Se tiver sido sugerido um tratamento probatório de algumas semanas, o médico exime-se de uma resposta direta a essa pergunta, na medida em que promete dar uma declaração mais confiável depois de decorrido o período probatório. Responde-se como o Esopo na fábula respondeu ao andarilho, que pergunta pelo comprimento do caminho, com a seguinte conclamação: "Anda!", e explica a informação com a justificativa de que primeiro se precisa conhecer o passo do andarilho, para depois poder calcular a duração de sua caminhada. Com essa informação, superamos as primeiras dificuldades, mas a comparação não é boa, pois o neurótico facilmente pode mudar a sua velocidade e em determinadas épocas fazer apenas progressos muito pequenos. A questão em torno da provável duração do tratamento, na verdade, praticamente não pode ser respondida.

A falta de compreensão [*Einsichtlosigkeit*] dos pacientes e a insinceridade dos médicos reúnem-se resultando em expectativas exageradas em relação à análise, concedendo--lhe, para tal, um tempo diminuto. Informo, por exemplo, os seguintes dados da carta de uma senhora na Rússia, que recebi há poucos dias: ela tem 53 anos de idade, sofre há 23 e há 10 anos não é mais capaz de encontrar um trabalho fixo. "Tratamentos em diversas instituições para doenças dos nervos" não conseguiram possibilitar a ela uma "vida ativa". Ela espera que com a Psicanálise, sobre a qual leu alguma coisa, possa ser completamente curada. Mas os tratamentos já custaram tanto à sua família que ela não poderá permanecer em Viena mais do que seis semanas ou dois meses. Some-se a isso a dificuldade de que desde o início ela só quer "tornar claras" as coisas por escrito, pois tocar em seus complexos provocaria uma explosão dentro dela ou fazer com que "emudecesse temporariamente". – Ninguém esperaria levantar uma mesa pesada com dois dedos, como se fosse um banquinho, ou que se construa uma casa grande no mesmo tempo que uma cabaninha de madeira, mas assim que se trata das neuroses, que atualmente parecem ainda não ter sido inseridas no contexto do pensamento humano, até mesmo pessoas inteligentes se esquecem da proporcionalidade necessária entre tempo, trabalho e sucesso. Aliás, essa é uma consequência compreensível do profundo desconhecimento da etiologia das neuroses. Dada essa ignorância, para essas pessoas a neurose é uma espécie de "menina do exterior".[1] Não se sabe de onde veio, e por isso se espera que um dia terá desaparecido.

Os médicos apoiam essa boa-fé; mesmo os doutos entre eles não avaliam devidamente a gravidade das doenças neuróticas. Um colega amigo meu, de quem admiro profundamente o fato de ele, após várias décadas de trabalho científico com pressupostos diferentes, ter se inclinado para a Psicanálise, certa vez me escreveu: "precisamos é de um tratamento breve, confortável e ambulatorial das neuroses obsessivas". Não podia oferecer isso, envergonhei-me e procurava me desculpar com a observação de que provavelmente também os especialistas em Medicina Interna ficariam muito felizes com uma terapia da tuberculose ou do carcinoma que reunisse essas vantagens.

Dizendo de uma forma mais direta: na Psicanálise, trata-se sempre de longos períodos de tempo, semestres ou anos inteiros, sempre períodos mais longos do que aqueles esperados pelo paciente. Por isso, temos a obrigação de esclarecer a situação ao paciente, antes que ele decida definitivamente iniciar o tratamento. De resto, sempre acho mais digno e também mais adequado quando desde o início o alertamos – sem querer assustá-lo – para as dificuldades e os sacrifícios da terapia analítica, tirando-lhe, assim, toda pretensa razão se ele porventura no futuro vier a alegar que fora atraído para o tratamento, cuja amplitude e importância desconhecia. Quem perder tempo com essas alegações de qualquer modo mais adiante teria se revelado como inapto ao tratamento. É bom fazer uma seleção assim antes do início do tratamento. Com o progresso do esclarecimento dos pacientes, cresce o número daqueles que são aprovados nessa primeira prova.

Recuso-me a obrigar os pacientes a perseverarem no tratamento durante um determinado período e faculto a todos interromperem o tratamento quando lhes aprouver, mas não escondo deles que uma interrupção depois de um curto período de tempo não terá sucesso algum, e que isso facilmente poderá colocá-los numa situação insatisfatória, tal como de uma cirurgia não concluída. Nos primeiros anos de minha atividade psicanalítica, tive a maior dificuldade em motivar os meus doentes a ficar; essa dificuldade há muito tempo se transladou: agora, preciso me esforçar, angustiado, para encorajá-los a parar.

O encurtamento do tratamento analítico é um desejo justificado, cuja realização – como ouviremos adiante – é buscada por meio de diversos caminhos. Infelizmente, há um impedimento, um fator muito importante, que é o vagar com que as transformações psíquicas profundas transcorrem, em última análise, provavelmente a "atemporalidade" de nossos processos inconscientes. Quando os pacientes são colocados diante da dificuldade do grande empenho de tempo para a análise, não raro eles sugerem um certo expediente de informação. Eles subdividem os seus problemas naqueles que lhes parecem insuportáveis e os que descrevem como secundários, dizendo: se o senhor me livrar apenas de um (por exemplo, da dor de cabeça, de determinada angústia [*Angst*]), eu mesmo me viro com o outro em minha vida. No entanto, com isso eles supervalorizam o poder eletivo da análise. Certamente, o médico analista consegue muito, mas ele não consegue determinar ao certo o que ele trará à tona. Ele introduz um processo, que é o da dissolução dos recalques existentes, ele pode supervisioná-lo, estimulá-lo, tirar obstáculos do caminho, e certamente pode também estragá-lo em larga medida. Mas em geral o processo, uma vez iniciado, acaba seguindo o seu próprio caminho e não permite que lhe sejam impostas nem a direção nem a sequência dos pontos que ele irá atacar. Portanto, o poder do analista sobre as manifestações da doença coloca-se mais ou menos na mesma situação da potência masculina. O mais forte dos homens pode, é verdade, gerar uma criança inteira, mas não pode fazer com que no ventre feminino surja uma cabeça apenas, um braço ou uma perna; ele nem mesmo tem o poder de definir o sexo da criança. Ele justamente apenas inicia um processo altamente intricado e determinado por acontecimentos antigos, que termina com a separação entre a mãe e a criança. Também a neurose de uma pessoa possui as características de um organismo, suas manifestações parciais não são independentes umas das outras, elas se condicionam mutuamente, costumam apoiar-se; sempre se sofre de apenas uma neurose, não de várias que por acaso se encontraram em um indivíduo. O doente a quem libertamos, conforme seu pedido, de um sintoma insuportável facilmente poderia fazer a experiência de que um sintoma até então leve se potencializa até atingir o insuportável. Aliás, quem quiser dissociar ao máximo o sucesso de suas condições sugestivas (isto é, condições de transferência) fará bem em renunciar também aos resquícios de influência seletiva sobre o resultado terapêutico, que são direito do médico. Para o psicanalista, os melhores pacientes são aqueles que exigem dele a saúde plena, desde que ela seja possível, colocando à sua disposição o tempo necessário ao processo de restabelecimento. Evidentemente, são poucos os casos que oferecem condições tão favoráveis.

O próximo ponto que deve ser decidido no início de um tratamento é o dinheiro, os honorários do médico. O analista não contesta que o dinheiro, em primeira linha, deva ser visto como meio de sustento de si próprio e de aquisição de poder, mas ele afirma que há poderosos fatores sexuais que participam da apreciação do dinheiro. Então, ele poderá se apoiar no fato de que assuntos que envolvem dinheiro são tratados na cultura pelos homens de forma muito semelhante a como tratam coisas sexuais: com as mesmas dubiedade, pudicidade e hipocrisia. Ou seja, desde o início ele está decidido a não participar disso, mas a tratar de questões financeiras diante do paciente com a mesma e óbvia honestidade para a qual ele quer educá-lo em relação à vida sexual. Prova-lhe que ele próprio abdicou de uma falsa vergonha, informando-lhe, sem ser perguntado, como ele avalia o seu tempo. A sabedoria humana impõe, então, que não se deixem acumular grandes quantias, mas que se estipule o pagamento em períodos de tempo mais curtos e regulares (por exemplo, mensalmente). (Como se sabe, não melhoramos a apreciação do tratamento por parte do paciente se cobrarmos muito pouco.) Essa não é, como sabemos, a práxis comum do neurologista ou do internista na nossa sociedade europeia. Mas o psicanalista pode se colocar na mesma situação do cirurgião, que é sincero e cobra caro, pois ele dispõe de tratamentos que podem ajudar. Creio ser mais digno e eticamente mais inquestionável professar suas verdadeiras metas e necessidades do que, como ainda hoje é usual entre médicos, mostrar-se um altruísta filantropo, cuja situação não lhe condiz, e intimamente se irritar com a falta de consideração e a necessidade de exploração por parte do paciente, ou ainda vociferar quanto a isso. Pelo seu direito a pagamento, o analista ainda saberá fazer valer o argumento de que, mesmo com trabalho pesado, ele nunca receberá tanto quanto outros médicos especialistas.

Pelos mesmos motivos, ele pode recusar o tratamento não remunerado, não fazendo exceções para colegas ou parentes. Essa última exigência parece contrariar o coleguismo médico; mas lembre-se de que um tratamento grátis significa muito mais para um psicanalista do que para qualquer outro, que é a subtração de uma significativa fração de seu tempo de trabalho remunerado (uma oitava, uma sétima parte e assemelhados) ao longo de vários meses. Um segundo tratamento grátis, concomitante, já lhe rouba um quarto ou um terço de sua capacidade de remuneração, o que seria equiparável ao efeito de um grave acidente traumático.

Perguntamos, então, se a vantagem para o paciente compensa de alguma forma o sacrifício do médico. Eu certamente tenho direito de emitir um juízo a respeito, pois durante cerca de 10 anos dediquei uma, às vezes duas horas diárias a tratamentos gratuitos, porque, para fins de orientação na neurose, eu queria trabalhar com o mínimo de resistência possível. Nesse contexto, não encontrei as vantagens que procurava. Algumas das resistências dos neuróticos aumentam enormemente no tratamento gratuito, assim como na mulher jovem aumenta a tentação contida na relação transferencial, e no homem jovem a resistência contra a obrigação à gratidão, oriunda do complexo paterno, que faz parte das mais resistentes dificuldades no auxílio médico. A ausência da regulação que se dá a partir do pagamento ao médico se faz presente de uma forma muito desconcertante; a relação distancia-se do mundo real; é tirado do paciente um bom motivo para se empenhar pelo fim do tratamento.

Pode-se estar bem distante da condenação ascética do dinheiro e, mesmo assim, lamentar que a terapia analítica fique quase inacessível aos pobres, por motivos tanto externos quanto internos. Há pouco a se fazer contra essa situação. Talvez esteja certa a afirmação, muito disseminada, de que sucumbe menos à neurose aquele que é forçado ao trabalho árduo dadas as necessidades da vida. Mas indiscutivelmente há também a outra experiência de que se o pobre chega a desenvolver uma neurose, só deixa que a tirem dele com muita dificuldade. Ela lhe presta serviços bons demais na luta pela autoafirmação;

o lucro secundário da doença que ela lhe traz é muitíssimo significativo. A piedade que as pessoas não mostraram em relação à sua necessidade material ele agora reivindica sob o título de sua neurose e pode, assim, libertar-se ele mesmo da exigência de combater sua pobreza com trabalho. Aquele que combate a neurose de um pobre com os meios da psicoterapia, portanto, geralmente fará a experiência de que nesse caso, na verdade, exige-se dele uma terapia prática de um tipo completamente diferente, tal como a utilizada pelo imperador José II, segundo a lenda que corre entre nós. É claro que ocasionalmente encontramos pessoas de valor e desamparadas, sem terem sido elas as culpadas por isso, nas quais o tratamento gratuito não encontra os obstáculos mencionados acima, atingindo bons resultados.

Para a classe média, o investimento financeiro necessário à Psicanálise é excessivo apenas na aparência. Isso sem falar que a saúde e a capacidade produtiva, por um lado, e um investimento moderado, por outro, são, de resto, incomensuráveis: se somarmos os gastos intermináveis em sanatórios e no tratamento médico, contrapondo-os ao aumento da capacidade produtiva e de trabalho após um tratamento encerrado com sucesso, podemos dizer que os doentes fizeram um bom negócio. Não há nada mais caro na vida do que a doença e – a estupidez.

Antes de encerrar estas observações sobre o início do tratamento analítico, cabe ainda uma palavra acerca de um certo cerimonial da situação na qual é conduzido o tratamento. Mantenho o conselho de deixar que o paciente se deite em um divã [*Ruhebett*[i]], enquanto nós

---

[i] Literalmente, "leito/cama de descanso". (N.R.)

nos acomodamos atrás dele, sem que ele nos veja. Esse dispositivo tem um sentido histórico, ele é um resquício do tratamento hipnótico, a partir do qual se desenvolveu a Psicanálise. Mas, por vários motivos, merece ser mantido. Em primeiro lugar, por um motivo pessoal, mas que outros possivelmente compartilharão comigo. Não suporto ser observado fixamente por outras pessoas durante oito (ou mais) horas por dia. Já que, enquanto escuto, entrego-me ao decurso de meus pensamentos inconscientes, não quero que as minhas feições forneçam aos pacientes material para interpretações, ou que os influenciem em suas comunicações. O paciente geralmente entende a situação que lhe é imposta como privação, resistindo a ela, especialmente quando a pulsão de olhar [*Schautrieb*] (o voyeurismo) tiver um papel importante na sua neurose. Mas me mantenho irredutível quanto a essa medida, que tem a intenção e o efeito de prevenir a mistura imperceptível da transferência com aquilo que ocorre ao paciente, de isolar a transferência e, no tempo certo, deixá-la aflorar como resistência, descrita de forma clara e precisa. Sei que muitos analistas agem de outro modo, mas não sei se é a ânsia de fazer diferente ou se é uma vantagem que encontraram ao agirem assim que tem maior participação nesse desvio.

Tendo, então, estabelecido as condições do tratamento dessa forma, surge a questão: em que ponto e com que material deve-se iniciar o tratamento?[2]

Em geral, o material com que começamos o tratamento é indiferente, seja ele a história de vida, seja a história da doença ou lembranças da infância do paciente. Mas, em todo caso, deixamos que o paciente conte e deixamos a cargo dele a escolha do ponto inicial. Dizemos a ele, portanto: "antes que eu possa lhe dizer algo, preciso ter muitas informações a seu respeito; por favor, me informe o que sabe sobre si próprio".

Fazemos uma exceção apenas para a regra fundamental da técnica psicanalítica a ser observada pelo paciente. Apresentamos a ele esta regra desde o início: "Mais um detalhe, antes de começar. A sua narrativa deve diferenciar-se em um ponto de uma conversa comum. Enquanto normalmente e com razão procuraria achar o fio da meada no contexto geral da sua narrativa, rechaçando todas as ocorrências e pensamentos adjacentes para não se perder em digressões, proceda de outro modo aqui. Você observará que lhe ocorrerão vários pensamentos que você quer rechaçar com certas restrições críticas. Você ficará tentado a dizer a si próprio: isto ou aquilo não vem ao caso, ou é absolutamente sem importância, ou não faz sentido e por isso não precisa ser dito. Nunca ceda a essa crítica, diga-o mesmo assim, justamente porque você sente uma rejeição diante disso. A razão dessa prescrição – na verdade, a única que você deverá seguir – você conhecerá mais tarde e aprenderá a entendê-la. Portanto, diga tudo o que lhe passa pela mente. Comporte-se, por exemplo, como um viajante sentado à janela do trem que descreve para quem está dela mais afastado, do lado de dentro, como a paisagem vai mudando diante de seus olhos. E, por fim, nunca se esqueça de que você prometeu sinceridade plena, e nunca passe por cima de algum fato só porque por algum motivo essa informação lhe é desagradável".[i]

---

[i] Sobre as experiências com a regra fundamental da Ψα [abreviatura usada para designar a Psicanálise] haveria muito a dizer. Ocasionalmente, encontramos pessoas que se comportam como se elas próprias tivessem se autoimposto tal regra. Outras pecam contra ela desde o início. Sua comunicação é imprescindível nos primeiros estágios do tratamento e

Pacientes que consideram que seu estado de doença iniciou num determinado momento geralmente se concentram na causa da doença; outros, que não ignoram a relação de sua neurose com a própria infância, frequentemente começam com a apresentação de toda a sua história de vida. Não espere em hipótese alguma

---

também é útil; mais tarde, quando sob o domínio das resistências, a obediência a ela fracassa, e para todos em algum momento chega a hora de superá-la. Precisamos nos lembrar, a partir de nossa autoanálise, de como é irresistível a tentação de cedermos àquelas intervenções críticas para refrear as ocorrências. Podemos nos convencer regularmente da baixa eficácia desses contratos, tais como os fechamos com o paciente através do estabelecimento da regra básica Ψα, quando pela primeira vez algo íntimo sobre terceiros aflora na comunicação. O paciente sabe que deve dizer tudo, mas ele transforma a discrição diante de outros em uma nova resistência. "Devo mesmo dizer tudo? Eu achava que isso valia apenas para coisas que só dizem respeito a mim mesmo." Evidentemente, é impossível proceder a um tratamento analítico em que as relações do paciente com outras pessoas e seus pensamentos sobre elas são excluídos da comunicação. *Pour faire une omelette il faut casser des œufs* [Para fazer uma omelete, é preciso quebrar os ovos]. Uma pessoa decente esquece de bom grado o que não lhe parece digno de conhecimento sobre tais segredos envolvendo outras pessoas. Também não podemos prescindir da comunicação de nomes; do contrário, as narrativas do paciente terão um quê de obscuridade, como nas cenas de *A filha natural*, de Goethe, e não se fixam na memória do médico; a supressão dos nomes também impede o acesso a uma série de relações importantes. Pode-se, no entanto, deixar os nomes reservados para mais tarde, quando o analisando estiver mais familiarizado com o médico e o procedimento. É muito curioso que a tarefa toda se torne insolúvel assim que se tenha permitido a postura reservada em um único momento. Mas pense no seguinte: se existisse aqui um direito de asilo em um único lugar da cidade, por exemplo, quanto tempo levaria até que toda a gentalha [*Gesindel*] da cidade se reunisse nesse único lugar? Certa vez, tratei de um funcionário que, devido ao seu juramento profissional, era obrigado a omitir certas coisas tratadas como segredos de Estado, não podendo informá-las, de modo que fracassei no tratamento devido a essa limitação. O tratamento psicanalítico precisa estar acima de todas as restrições, porque a neurose e suas resistências não levam nada disso em consideração.

uma narrativa sistemática e nada faça para estimulá-la. Cada pedacinho da história depois terá de ser contado de novo, e só nessas repetições surgirão os acréscimos que revelarão os contextos relevantes, desconhecidos do paciente.

Há pacientes que desde as primeiras sessões se preparam com esmero para a narrativa, aparentemente para garantir o melhor aproveitamento do tempo de tratamento. Aquilo que vem travestido de empenho na verdade é resistência. Desaconselhe tais preparações, que servem apenas de proteção contra o surgimento de ocorrências indesejadas.[i] Por maior que seja a sinceridade com que o paciente acredite em sua intenção louvável, não há escapatória: a resistência cobrará o seu quinhão no tipo de preparação intencional e mostrará o seu poder, fazendo com que o material mais precioso escape de ser comunicado. Logo se perceberá que o paciente ainda irá inventar outros métodos para omitir do tratamento aquilo que dele se exige. Por exemplo, irá conversar diariamente com um amigo íntimo sobre o tratamento, inserindo nessa conversa todos os pensamentos que deveriam aflorar na presença do médico. O tratamento, então, terá sofrido um vazamento pelo qual escoa justamente o melhor de tudo. Sendo assim, logo chegará o momento de aconselhar ao paciente que encare o seu tratamento analítico como um assunto que diz respeito apenas ao seu médico e a ele próprio, excluindo todas as outras pessoas, por mais próximas ou curiosas que sejam sobre o assunto. Em estágios posteriores do tratamento, geralmente o paciente acaba não sucumbindo mais a essas tentações.

---

[i] Exceções só são toleradas para dados como: relações de parentesco [*Familientafel*], estadias em determinados locais, cirurgias e assemelhados.

FUNDAMENTOS DA CLÍNICA PSICANALÍTICA 139

Doentes que queiram manter em sigilo o tratamento, muitas vezes porque também mantiveram em segredo a sua neurose, não terão nenhum obstáculo de minha parte a esse respeito. Evidentemente, é inadmissível que devido a essa reserva alguns dos melhores resultados na cura tornem-se sem efeito no convívio com os outros. A opção dos pacientes pelo sigilo obviamente já evidencia um traço de sua história secreta.

Se desde o início incutirmos no paciente a orientação de que ao longo do tratamento ele informe o menor número de pessoas possível a respeito, nós o protegeremos até certo ponto de muitas influências hostis, que tentarão afastá-lo da análise. Tais influências podem se tornar prejudiciais no início do tratamento. Mais adiante, elas geralmente são inócuas ou até mesmo úteis, para trazer à tona resistências que querem permanecer ocultas.

Se durante o tratamento analítico o paciente transitoriamente precisar de outra terapia, de ordem clínica geral ou especializada, será muito mais adequado recorrer a um colega não analista do que prestar esse tipo de ajuda por conta própria. Tratamentos combinados, originados por males neuróticos com forte característica orgânica, geralmente são inexequíveis. Os pacientes têm sua atenção desviada do tratamento assim que lhes mostramos mais de um caminho em direção à cura. É preferível transferir o tratamento orgânico para depois do fim do tratamento psíquico; se começássemos pelo último, na maioria das vezes este não teria sucesso.

Voltemos ao início do tratamento. Ocasionalmente, iremos nos deparar com pacientes que começam o tratamento garantindo, em postura de rejeição, que não lhe vem à cabeça nada que possam contar, apesar de estar diante deles toda a área da história de vida e da doença, intocadas. Não ceda ao pedido deles de indicar sobre o que devem falar, nem nessa primeira vez nem nas outras vezes. Tenha em mente o problema a ser enfrentado nesses casos. Há uma forte resistência no primeiro plano, buscando defender a neurose; aceite imediatamente esse desafio e enfrente-o. A garantia, repetida de forma enérgica, de que não há essa ausência de ocorrências no início e que se trata de uma resistência ao tratamento logo levará o paciente a fazer as confissões de que suspeitávamos ou revelará uma primeira parte de seus complexos. É grave ele ter de confessar que, ao ouvir a regra básica, decidiu se reservar o direito de manter para si isto ou aquilo. Menos mal se ele precisar comunicar apenas qual a desconfiança que ele tem diante da análise, ou que tipo de coisas assustadoras ouviu a respeito. Se ele negar essa e outras alternativas que lhe apresentamos, por meio da insistência poderemos forçá-lo à confissão de que deixou de lado certos pensamentos que o intrigam. Ele pensou no próprio tratamento, ou então não pensou em nada específico, ou ainda se deteve na imagem da sala em que se encontra, ou se vê instado a pensar nos objetos presentes na sala em que está, ou pensa no fato de estar no divã, sendo que isso tudo foi substituído pela palavra "nada". Essas alusões são compreensíveis, claro; tudo o que se associa à situação presente corresponde a uma transferência para o médico, que se revela apropriada para uma resistência. Dessa forma, vemo-nos obrigados a começar com o desvendamento dessa transferência; a partir dela, será rápido encontrarmos o caminho até a entrada do material patogênico do doente. Mulheres que, de acordo com a sua história de vida, estão em alerta para uma agressão sexual e homens com intenso recalcamento de sua homossexualidade são os mais propensos a apresentar, no início da análise, uma tal recusa daquilo que lhes ocorre.

Assim como a primeira resistência, também os primeiros sintomas ou os primeiros atos casuais dos pacientes podem demandar um interesse especial, denunciando um complexo que domina a sua neurose. Um jovem filósofo espirituoso, com posições estéticas refinadas, irá se apressar em acertar a dobra da calça antes de se deitar no divã na primeira sessão; ele revela ser um antigo coprófilo de alto requinte, como era de se esperar para o futuro esteta. Na mesma situação, uma jovem apressadamente puxa a bainha de sua saia para encobrir o tornozelo à mostra; com isso, revelou o melhor daquilo que mais tarde a análise posterior demonstrará, ou seja, o seu orgulho narcísico da beleza de seu corpo e suas tendências ao exibicionismo.

Um grande número de pacientes é reticente em relação à posição que lhes é sugerida, enquanto o médico está sentado atrás deles, sem ser visto, e pedem permissão para fazer o tratamento em outra posição, em geral porque não querem prescindir de olhar para o médico. Em geral, essa permissão não lhes é dada; mas não podemos impedi-los de lograr dizer algumas frases antes do início da "sessão" ou após o anúncio do seu término, quando se levantam. Assim, eles dividem o tratamento em um segmento oficial, durante o qual geralmente se comportam de modo muito acanhado, e em um segmento "aconchegante", em que podem realmente falar livremente e em que comunicam muitas coisas que eles próprios não consideram parte do tratamento. O médico não tolera essa divisão por muito tempo, ele aponta o que foi dito antes ou após a sessão e, a partir da utilização desse material na próxima oportunidade, ele acaba por derrubar o muro de separação que o paciente pretendia erguer. O mesmo muro, por sua vez, é feito do material de uma resistência transferencial.

Enquanto as informações e o que ocorre ao paciente se derem sem interrupções, deixe o tema da transferência intocado. Deve-se esperar com esse procedimento, que é dos mais sensíveis, até que a transferência tenha se transformado em resistência.

A questão seguinte que se nos apresenta é uma questão de princípios. É a seguinte: quando devemos começar com as comunicações ao analisando? Quando é chegado o momento de desvendar para ele o significado secreto de suas ideias espontâneas [*Einfälle*], de introduzi-lo nos pressupostos e nos procedimentos técnicos da análise?

A resposta a essa pergunta só pode ser uma: não antes de ter se instalado no paciente uma transferência produtiva, um *rapport* razoável. O primeiro objetivo do tratamento permanece o de atrelá-lo à terapia e à pessoa do médico. Nada mais precisa ser feito além de lhe dar tempo. Se demonstrarmos interesse genuíno, afastarmos cuidadosamente resistências que surgiram inicialmente e evitarmos certos erros de conduta, o próprio paciente irá estabelecer esses laços, associando o médico a uma das imagos daquelas pessoas, das quais estava acostumado a receber carinho. No entanto, podemos desperdiçar esse primeiro sucesso se desde o início adotarmos um ponto de vista diferente da empatia, por exemplo, uma postura moralizante, ou se nos portarmos como representantes ou mandatários de uma parte interessada, do cônjuge, etc.

Evidentemente, essa resposta inclui a condenação de um procedimento que pretendia informar ao paciente as traduções de seus sintomas, assim que nós próprios os tenhamos inferido, ou mesmo vislumbrado ali um triunfo especial em jogar na cara dele essas "soluções" na primeira sessão. Para um analista com alguma prática, não será difícil detectar claramente os desejos retidos de um paciente já a partir de suas queixas do relato de sua doença; mas qual não será o grau de autossatisfação e de falta de reflexão para revelar a um estranho, totalmente alheio aos pressupostos analíticos, e após um breve contato inicial, que ele tem uma forma incestuosa de dependência da mãe, que tem desejos de morte em relação à sua esposa, supostamente amada por ele, e que tem a intenção de trair o seu chefe ou coisas parecidas!? Ouvi dizer que há analistas que se arvoram em fazer tais diagnósticos imediatos e tratamentos rápidos, mas eu só posso alertar a todos, dizendo que não sigam tais exemplos. Com isso, você e o seu ofício cairão em descrédito e suscitarão as mais fortes resistências, quer você tenha acertado ou errado o diagnóstico; na verdade, a resistência será tão mais forte quanto mais correto tiver sido o diagnóstico. O efeito terapêutico geralmente, então, será próximo a zero, num primeiro momento, mas a repulsa diante da análise será definitiva. Mesmo em estágios mais avançados do tratamento, devemos ter o cuidado de não comunicarmos uma solução de sintomas e uma tradução de desejos antes que o paciente esteja quase lá, de modo que ele precisará apenas dar um pequeno passo para se apoderar, ele mesmo, dessa solução. Nos meus primeiros anos de trabalho, muitas vezes tive a oportunidade de perceber que a informação precoce de uma solução de tratamento provocava o seu fim precoce, tanto devido às resistências tão repentinamente avivadas quanto devido ao alívio proporcionado pela solução.

Aqui, pode-se fazer a seguinte interpelação: mas será tarefa nossa prolongar o tratamento? Não seria ela a de terminá-lo o mais rápido possível? Será que o paciente não sofrerá devido ao seu não conhecimento e à sua não compreensão, e não seria nosso dever torná-lo ciente assim que possível, ou seja, assim que o médico estiver ciente?

A resposta a essa pergunta demanda um breve excurso sobre a importância do saber e sobre o mecanismo da cura na Psicanálise.

Nos primórdios da técnica analítica, de fato, numa postura intelectualista de pensamento, tínhamos em alta conta o saber do doente acerca daquilo que ele esquecera, mal distinguindo entre o nosso saber e o dele. Considerávamos um caso de grande sorte quando conseguíamos obter de outra fonte informações sobre um trauma de infância esquecido, por exemplo, informações obtidas a partir dos pais, dos cuidadores ou do próprio sedutor, como era possível em alguns casos, e nos apressávamos em levar ao doente o conhecimento e as comprovações de sua veracidade, na expectativa segura de estarmos levando a neurose e o tratamento a uma rápida conclusão. Foi uma grande decepção quando o sucesso esperado não se deu. Como era possível o doente, que agora sabia de sua vivência traumática, comportar-se como se soubesse a mesma coisa que antes? Nem mesmo a lembrança do trauma recalcado aparecia em decorrência da sua comunicação e da descrição.

Em um determinado caso, a mãe de uma menina histérica me contou em segredo a vivência homossexual, que tinha forte influência sobre a fixação das crises da menina. A própria mãe havia flagrado a cena, mas a paciente a havia esquecido completamente, apesar de já estar na pré-puberdade havia alguns anos. Então, tive a oportunidade de fazer uma experiência muito profícua em termos de ensinamento. Toda vez que eu repetia a narrativa da mãe diante da menina, ela reagia com um ataque histérico, e depois disso a comunicação era esquecida. Não havia dúvida de que a doente apresentava uma resistência violenta contra um saber que lhe era impingido; por fim, ela simulava imbecilidade [*Schwachsinn*] e perda total de memória, para se proteger de minhas informações. Então, tivemos de decidir que iríamos retirar do saber em si a importância a ele atribuída, enfatizando as resistências, que naquele momento tinham causado o desconhecimento e agora ainda estavam dispostas a defendê-lo. O saber consciente, porém, era impotente diante dessas resistências, mesmo quando não era novamente rechaçado.

O comportamento estranho dos doentes, que conseguem juntar um saber consciente com o desconhecimento, permanece inexplicável pela chamada Psicologia Normal [*Normalpsychologie*]. Para a Psicanálise, ele não oferece dificuldades, devido ao seu reconhecimento do inconsciente; o fenômeno descrito, porém, é um dos melhores subsídios para uma concepção que se aproxima dos processos psíquicos topicamente diferenciados. Os pacientes, então, sabem da sua vivência recalcada em seus pensamentos, mas falta a estes a ligação com aquele ponto em que a lembrança recalcada está contida de alguma forma. Uma mudança só poderá ocorrer quando o processo do pensamento consciente [*Denkprozess*] avançou até esse ponto e lá superou as resistências de recalque [*Verdrängungswiderstände*]. É como se no Ministério da Justiça tivesse sido anunciada uma portaria pela qual crimes cometidos por jovens devessem ser julgados de forma mais branda. Enquanto essa portaria não chegasse ao conhecimento das varas regionais, ou no caso de os juízes regionais não terem a intenção de acatar essa portaria, praticando a jurisprudência de mão própria, nada poderá ser mudado no tratamento de cada um dos delinquentes juvenis. À guisa de correção ainda acrescentamos que a comunicação [*Mitteilung*] consciente do material recalcado ao paciente não ficará sem efeito. Ela não expressará o efeito desejado de colocar um fim nos sintomas, mas terá outras consequências. Num primeiro momento, irá suscitar resistências e depois, quando estas tiverem sido superadas, motivará um processo de pensamento, em cujo percurso finalmente se estabelece o influenciamento esperado da lembrança inconsciente.

Agora é chegado o momento de traçarmos um panorama do jogo de forças que colocamos em movimento a partir do tratamento. O motor mais direto da terapia é o sofrimento do paciente e seu desejo de cura daí decorrente. Do tamanho dessa força motriz será descontada muita coisa que virá a ser revelada apenas ao longo da análise, principalmente o benefício secundário da doença, mas a própria força motriz precisa ser mantida até o fim do tratamento; cada melhora provoca uma diminuição deste. Mas por si só é incapaz de eliminar a doença, faltando--lhe duas coisas para isso: ela não conhece os caminhos que precisam ser trilhados para esse fim e ela não consegue produzir as quantias necessárias de energia contra as resistências. Contra as duas falhas há solução através do tratamento analítico. Ele fornece as grandezas de afeto [*Affektgrößen*] necessárias para superar as resistências, através da mobilização das energias que estão a postos para a transferência; por meio das informações no tempo certo, ele mostra ao doente os caminhos para os quais ele deve direcionar essas energias. Só a transferência muitas vezes pode eliminar os sintomas do sofrimento, mas de forma provisória, enquanto ela própria subsistir. Isso então será um tratamento por meio de sugestão [*Suggestivbehandlung*], e não Psicanálise. O tratamento só merecerá esse último nome se a transferência tiver utilizado a sua intensidade para superar as resistências. Só nesse caso o estar doente torna-se impossível, mesmo se a transferência foi dissolvida, tal como a sua determinação o exige.

Ao longo do tratamento ainda será avivado outro momento, que é o interesse intelectual e a compreensão do doente. Mas isso é praticamente irrelevante diante das outras forças que se digladiam; o interesse e a compreensão são constantemente ameaçados pela desvalorização em decorrência do turvamento do juízo oriundo das resistências. Dessa forma, a transferência e a instrução (através da comunicação) são entendidas como as novas fontes de força que o doente deve ao analista. Mas ele só utiliza a instrução na medida em que é levado a ela pela transferência; por isso, a primeira comunicação deverá esperar até que se tenha produzido uma transferência forte, acrescentando que também se espere toda aquela posterior, até que se tenha eliminado o incômodo da transferência por meio das resistências transferenciais, que vão surgindo uma após a outra.

148 OBRAS INCOMPLETAS DE S. FREUD

Zur Einleitung der Behandlung (1913)
(Weitere Ratschläge zur Technik der Psychoanalyse I)

1913 Primeira publicação: *Internationale Zeitschrift für Psychoanalyse*, t. 1, n. 1, p. 1-10 e n. 2, p. 139-146
1918 *Sammlung kleiner Schriften zur Neurosenlehre*, t. 4, p. 412-440
1924 *Gesammelte Schriften*, t.VI, p. 84-108
1943 *Gesammelte Werke*, t. VIII, p. 454-478

O presente trabalho foi publicado em dois artigos separados, nos dois primeiros números da recém-criada *Internationale Zeitschrift für Psychoanalyse*, em 1913. O segundo artigo acrescentava ao presente título o seguinte complemento: "Die Frage der ersten Mitteilungen: Die Dynamik der Heilung (A questão das primeiras comunicações: a dinâmica da cura)". Esse acréscimo pode ser visto como uma descrição das duas seções que, por sua vez, compõem o segundo artigo. As edições alemãs adotaram, desde 1924, o título curto também empregado aqui e unificaram as duas partes em um texto sem subdivisões aparentes.

A situação deste artigo no conjunto da obra de Freud é complexa. Por um lado, conforme nota de rodapé da primeira edição, ele prolonga e encerra uma série de artigos publicados no periódico *Zentralblatt für Psychoanalyse*, intitulados: "Manejo da interpretação do sonho", "Recomendações ao médico para o tratamento psicanalítico" e "Sobre a dinâmica da transferência". Por outro lado, inaugura uma nova série chamada "Novas recomendações sobre a técnica da psicanálise", composta ainda por "Lembrar, repetir e perlaborar" e "Observações sobre o amor transferencial". Nesse sentido, funciona como uma báscula: ao mesmo tempo que finaliza uma série, inaugura outra.

Vale a pena lembrar que a palavra central do título (*Einleitung*) tem o sentido de "início", mas que o verbo *einleiten* tem também o sentido de "colocar em movimento numa determinada direção", o que é precisamente uma das principais questões de Freud no texto.

O presente artigo permanece sendo a principal referência acerca do início do tratamento. Sua repercussão na história da Psicanálise é onipresente. A referência à empatia [*Einfühlung*] foi aprofundada anos depois por Ferenczi em sua proposição de uma necessária "elasticidade da técnica psicanalítica", sobretudo na condução das análises de casos mais difíceis.

A leitura lacaniana costuma frisar a importância da "entrada em análise" e a relevância das "entrevistas preliminares".

FERENCZI, S. Elasticidade da técnica. In: *Psicanálise IV*. São Paulo: Martins Fontes, 1992 [1928], p. 25-36.

NOTAS

[1] Expressão advinda do título de um poema de Schiller: "Das Mädchen aus der Fremde". (N.R.)

[2] Originalmente, este artigo foi publicado em dois números subsequentes da revista *Internationale Zeitschrift für Psychoanalyse*. A primeira e a segunda parte se separavam neste ponto preciso. (N.E.)

LEMBRAR, REPETIR E PERLABORAR (1914)[1]

Não me parece supérfluo advertir constantemente os aprendizes das transformações profundas que a técnica psicanalítica sofreu desde os seus primórdios. Primeiro, na fase da catarse de Breuer, o foco se dava sobre o momento da formação dos sintomas, e havia o esforço consequente em deixar reproduzir os processos psíquicos daquela situação, para depois conduzi-los a um decurso[2] [*Ablauf*] através da atividade consciente. Naquela época, lembrar e ab-reagir eram os objetivos a serem atingidos por meio do estado hipnótico. Depois, após a renúncia à hipnose, tornava-se premente a tarefa de inferir, a partir das ocorrências [*Einfälle*][3] livres do analisando, aquilo que ele não conseguia lembrar. Através do trabalho de interpretação e da comunicação de seus resultados ao paciente, objetivava-se contornar a resistência; manteve-se o foco sobre a preparação para as situações da formação de sintomas e daqueles outros que surgiram por trás do momento do adoecimento, a ab-reação ficou em segundo plano e parecia substituída pelo dispêndio de trabalho que o analisando tinha de fazer para a superação da crítica contra as suas ocorrências (seguindo a regra fundamental da $\psi\alpha$[4]), superação esta que lhe era imputada. Por fim, constituiu-se a técnica atual, coerente, em que o médico abdica do estabelecimento de um determinado momento ou problema e se contenta em estudar a superfície psíquica do analisando, usando a arte da interpretação basicamente para reconhecer as resistências que surgem ali e para torná-las conscientes para o paciente. Instala-se, então, um novo tipo de divisão de trabalho: o médico revela as resistências que eram desconhecidas do paciente; sendo estas dominadas, muitas vezes o paciente narra sem qualquer esforço as situações esquecidas e os contextos esquecidos. O objetivo dessas técnicas, naturalmente, permaneceu inalterado. De forma descritiva: o preenchimento das lacunas da lembrança [*Erinnerung*], de forma dinâmica: a superação das resistências de recalque [*Verdrängungswiderstände*].

Precisamos continuar gratos à antiga técnica hipnótica, pois ela nos apresentou alguns processos psíquicos específicos da análise de forma isolada e esquemática. Só assim conseguimos ter coragem de criar nós mesmos situações complicadas no tratamento [*Kur*] analítico e mantê-las transparentes.

O lembrar, então, configurava-se de modo muito simples naqueles tratamentos hipnóticos. O paciente transportava-se para uma situação anterior, que ele parecia nunca confundir com a situação presente, informava os processos psíquicos delas, até onde haviam permanecido normais, e acrescentava o que poderia resultar da transformação dos processos então inconscientes para conscientes.

Acrescento aqui algumas observações para as quais todo analista encontrará confirmações a partir de sua experiência. O esquecimento de impressões, cenas e vivências geralmente se reduz a um "bloqueio" delas. Quando o paciente fala desse "esquecido", raramente ele deixa de acrescentar a seguinte afirmação: "Na verdade, eu sempre soube disso, mas não pensava nisso". Não raro ele expressa a sua decepção quanto ao fato de que não lhe ocorrem coisas suficientes que ele possa reconhecer como "esquecidas", nas quais ele nunca mais pensou desde que aconteceram. Mas também esse anseio é satisfeito, especificamente nas histerias de conversão. O "esquecer" sofre uma nova limitação através do reconhecimento das lembranças encobridoras [*Deckerinnerungen*], geralmente presentes. Em alguns casos, tive a impressão de que a conhecida amnésia da infância, tão importante para nós do ponto de vista teórico, é totalmente compensada pelas lembranças encobridoras. Nelas, não apenas se perpetuou muito do essencial da vida da infância, mas sim tudo o que é essencial. Precisamos apenas saber delas extraí-lo através da análise. Elas representam os anos de infância esquecidos tão bem quanto o conteúdo manifesto do sonho representa os pensamentos do sonho.

O outro grupo de processos psíquicos, que podem ser contrapostos às impressões e às vivências como atos exclusivamente interiores: fantasias, processos de relações, moções de sentimentos, conexões, precisa ser observado em separado, na sua relação com o esquecer e o lembrar. Aqui acontece com bastante frequência que se "lembre" algo que nunca poderia ter sido "esquecido", porque não foi percebido em nenhum momento, nunca esteve consciente e, além disso, parece ser totalmente indiferente para o percurso psíquico se tal "conexão" foi consciente e depois esquecida, ou se nunca chegou à consciência. A convicção que o paciente adquire ao longo da análise é totalmente independente de tal lembrança.

Especialmente nas variadas formas da neurose obsessiva, o esquecido geralmente se limita à dissolução de nexos, ao não reconhecimento de sequências e ao isolamento de lembranças.

Para um tipo especial de vivências extremamente importantes, que fazem parte dos primórdios da infância e que à sua época foram vividas sem compreensão, mas que *a posteriori* [*nachträglich*] encontraram compreensão e interpretação, geralmente não se consegue evocar uma lembrança. Chegamos ao seu conhecimento através de sonhos e pelos motivos mais prementes da engrenagem da neurose somos forçados a acreditar nela, e também podemos nos convencer de que o analisando, após a superação de suas resistências, não utilizará a ausência da sensação de lembrança (sensação de familiaridade) contra a sua aceitação. Enfim, esse objeto requer tanto cuidado crítico e traz tanta coisa nova e estranha que eu me reservo o direito de tratá-lo em separado a partir de material adequado.

Mas, ao colocar essa nova técnica em prática, sobra muito pouco, às vezes nada daquele decurso que felizmente não tem obstáculos. Também aqui há casos que se comportam em parte como na técnica hipnótica e que só mais tarde fracassam; mas outros casos se comportam de forma diferente desde o início. Mas se tivermos em mente o último tipo, no intuito de marcarmos a diferença, podemos dizer que o analisando não se *lembra* de mais nada do que foi esquecido e recalcado, mas ele *atua*[5] com aquilo. Ele não o reproduz como lembrança, mas como ato, ele *repete* sem, obviamente, saber que o repete.

Por exemplo: o analisando não conta que lembra ter sido rebelde e incrédulo diante da autoridade dos pais, mas se comporta dessa forma diante do médico. Ele não lembra que em sua pesquisa sexual infantil ficou perplexo, atônito e desamparado, mas apresenta uma série de sonhos e ocorrências confusos, reclama de que nada dá certo para ele e mostra como sendo o seu destino nunca terminar uma empreitada. Ele não lembra que se envergonhou intensamente por certas atividades sexuais e que temia ser descoberto, mas mostra que tem vergonha do tratamento ao qual se submeteu agora, buscando ocultá-lo de todos.

Principalmente, ele começa o tratamento com tal repetição. Frequentemente, quando se informa a regra psicanalítica fundamental a um paciente com uma história de vida repleta de alternâncias e um longo histórico da doença, e se convida o paciente a dizer o que lhe ocorre esperando que suas informações brotem em torrente, temos a experiência inicial de que ele não tem nada a dizer. Ele se cala e afirma que nada lhe vem à mente. É evidente que isso nada mais é que a repetição de uma postura homossexual, que se impõe como uma resistência contra todo tipo de lembrança. Enquanto ele permanecer em tratamento, ele não se libertará mais dessa obsessão da repetição; enfim, entendemos que esse é o seu modo de lembrar.

É claro que nos interessa em primeira linha a relação dessa obsessão da repetição com a transferência e com a resistência. Logo percebemos que a transferência, ela própria, é apenas uma parcela de repetição, e que a repetição é a transferência do passado esquecido não apenas para o médico, mas também para todos os outros aspectos da situação presente. Portanto, precisamos estar preparados para o fato de que o analisando se entrega à obsessão da repetição, que agora substitui o impulso para a lembrança, não apenas na relação pessoal com o médico, mas também em todas as outras atividades e relações simultâneas da sua vida, por exemplo, quando durante um tratamento [*Kur*] ele escolhe um objeto de amor, assume uma tarefa, inicia uma empreitada. Também a parte da resistência é fácil de reconhecer. Quanto maior for a resistência, de forma mais frequente o lembrar será substituído pelo atuar [*agieren*] (repetir). Isso pois o lembrar ideal do esquecido durante a hipnose corresponde a um estado em que a resistência é totalmente posta de lado. Se o tratamento começar sob os auspícios de uma transferência suave e positiva, sem que o seja de forma expressa, ele inicialmente permite um aprofundamento na lembrança, como na hipnose, enquanto até mesmo os sintomas da doença se calam; mas se no decorrer do tratamento essa transferência se tornar hostil ou excessivamente forte e, por isso, passível de recalque, imediatamente o lembrar dá lugar ao atuar. A partir daí, então, são as resistências que irão definir a sequência daquilo a ser repetido. É no arsenal do passado que o doente busca as armas com as quais se defende da continuidade do tratamento e que precisamos tirar dele peça por peça.

Ouvimos, então, que o analisando repete em vez de lembrar, ele repete sob as condições da resistência; agora podemos perguntar o que, de fato, ele repete ou atua. A resposta diz que ele repete tudo que já se impôs a partir das fontes do seu recalcado em sua essência evidente, suas inibições e posições inviáveis, seus traços de caráter patológicos. Pois ele também repete todos os seus sintomas durante o tratamento. E agora podemos perceber que com o destaque da compulsão para a repetição [*Zwang zur Wiederholung*[6]] não ganhamos um fato novo, mas apenas uma concepção mais coesa. Então chegamos à conclusão de que o estar doente do analisando não pode terminar com o início da sua análise, de que devemos tratar a sua doença não como um assunto histórico, mas como uma potência atual. Peça por peça desse estar doente será colocada agora no horizonte e no raio de influência do tratamento, e enquanto o paciente vivenciar isso como algo real e atual, entramos com o trabalho terapêutico, que em boa parte consiste na recondução ao passado.

O fazer lembrar na hipnose deve ter causado a impressão de um experimento de laboratório. O fazer repetir durante o tratamento analítico segundo a técnica mais recente significa invocar uma parcela de vida real e, por isso, não é inofensivo e sem problemas em todos os casos. Entra aqui toda a questão da "piora durante o tratamento", muitas vezes incontornável.

Antes de tudo, o início do tratamento leva o paciente a mudar a sua opinião consciente em relação à doença. Usualmente, ele se contentava em se queixar dela, desprezá-la como bobagem, subestimá-la em sua importância, mas de resto continuava com o comportamento recalcante em relação às suas manifestações, adotando a política de avestruz contra as origens da doença. Pode ser, então, que ele não conheça devidamente as condições da sua fobia, que não ouça o enunciado correto de suas ideias obsessivas ou que não entenda a verdadeira intenção do seu impulso obsessivo. Isso certamente não ajuda no tratamento. Ele precisa criar coragem para ocupar a sua atenção com as manifestações de sua doença. A doença em si não pode mais ser algo desprezível para ele, deve ser antes um adversário digno, uma parte de sua essência que se apoia em bons motivos, de onde se trata de buscar algo valioso para a sua vida futura. Fazer as pazes com o recalcado, que se expressa nos sintomas, dessa forma será algo preparado desde o início, mas também se calcula uma certa tolerância para com o estar-doente. Se, porém, agora, através dessa nova relação com a doença, os conflitos ficarem mais acirrados e sintomas que antes ainda não eram nítidos aflorarem, podemos consolar o paciente com facilidade se dissermos que se trata de pioras necessárias, mas que são passageiras, e que não se pode matar um inimigo que está ausente ou que não está perto o suficiente. Mas a resistência pode explorar a situação de acordo com as suas intenções, podendo querer fazer mau uso da permissão de estar doente. Então, ela parecerá demonstrar o seguinte: olhe aqui e veja o que acontece quando eu realmente me deixar levar por essas coisas. Eu não fiz bem em deixá-las para o recalque? Especialmente jovens e crianças costumam usar a condução para o estar-doente, necessária no tratamento, para uma permanência prazerosa nos sintomas da doença.

Outros perigos surgem pelo fato de que, no decurso do tratamento, moções pulsionais novas, mais profundas, que ainda não tinham se imposto, podem chegar à repetição. Por fim, as ações do paciente podem trazer consigo danos passageiros à sua vida fora da transferência, ou podem até ser escolhidas de tal modo que desvalorizem constantemente a saúde a ser alcançada.

A tática a ser adotada pelo médico nessa situação é facilmente justificável. Para ele, o objetivo continua sendo o lembrar à moda antiga, o reproduzir em âmbito psíquico, objetivo ao qual ele se atém, mesmo sabendo que com a nova técnica ele não poderá ser alcançado. Ele se prepara para uma luta constante com o paciente, para represar todos os impulsos no âmbito psíquico que ele quer levar ao âmbito motor, comemorando como um triunfo do tratamento a resolução de algo através do trabalho de lembrar, que o paciente quer descarregar através de uma ação. Quando o vínculo se tornou útil de alguma forma através da transferência, o tratamento conseguirá impedir o paciente de realizar todas as ações de repetição significativas, utilizando essa intenção *in statu nascendi* como material para o trabalho terapêutico. A melhor forma de proteger o paciente dos danos que decorreriam da execução de seus impulsos é quando acertamos com ele o compromisso de não tomar nenhuma decisão importante na vida enquanto durar o tratamento, por exemplo, que ele não escolha nenhuma profissão, nenhum objeto definitivo de amor, mas que para todos esses propósitos ele espere o momento da cura [*Genesung*].

Nesse contexto, muitas vezes gostamos de preservar aquela porção da liberdade pessoal do analisando que é compatível com esses cuidados, nós não o impedimos de colocar em prática certas intenções sem importância, mesmo que estas sejam tolas, e não esquecemos que o ser humano na verdade só aprende com os erros que comete e através da experiência própria. Deve haver casos em que não conseguimos impedir a pessoa de se envolver em algum empreendimento completamente inadequado durante o tratamento, casos que só depois serão acessíveis ao trabalho analítico, e isso com muita dificuldade. Ocasionalmente deve acontecer também de não se ter tempo de colocar as rédeas da transferência nas pulsões selvagens, ou que o paciente, em uma ação de repetição, rompa o laço que o atrela ao tratamento. Como exemplo extremo, posso citar o caso de uma senhora de idade mais avançada que repetidas vezes abandonava a casa e o marido, em estados confusionais, fugindo para um lugar qualquer, sem ter consciência do motivo de tal "escapada". Ela veio ao meu tratamento com uma transferência carinhosa bem formada, aumentando-a de forma espantosamente rápida nos primeiros dias, e ao fim de uma semana também "escapou" de mim, antes que eu tivesse tempo de lhe dizer algo que pudesse impedi-la de incorrer nessa repetição.

Mas o principal recurso para conter a compulsão à repetição no paciente e reconfigurá-la num motivo para a lembrança encontra-se no manejo da transferência. Tornamos a compulsão inócua, até mesmo útil, na medida em que lhe damos o direito de se esbaldar em uma determinada área. Abrimos a transferência para ela como sendo um parque de diversões, onde ela tem autorização para se desenvolver com liberdade quase total e é instada a nos mostrar tudo que ficou escondido em termos de pulsões patológicas na vida anímica do paciente. Se o paciente pelo menos tiver uma postura colaborativa, na medida em que respeita as condições de existência do tratamento, geralmente conseguiremos dar a todos os sintomas da doença um novo significado de transferência, substituindo a sua neurose comum por uma neurose de transferência, da qual ele pode ser curado pelo trabalho terapêutico. A transferência cria, assim, uma zona intermediária entre a doença e a vida, onde se dá a transição da primeira para a segunda. O novo estado assumiu todas as características da doença, mas representa uma doença artificial, na qual podemos intervir em todo lugar. Ao mesmo tempo, é um pedaço da vivência real, mas que é tornada possível através de condições especialmente favoráveis e que tem a natureza de algo provisório. Partindo das reações de repetição que se mostram na transferência, os caminhos já conhecidos levam ao despertar das lembranças que se instalam quase que sem esforço após a superação das resistências.

Eu poderia encerrar aqui, se o título deste artigo não me obrigasse a incluir nesta apresentação mais uma parte da técnica analítica. A superação das resistências, como se sabe, é introduzida com o médico descobrindo a resistência, até então desconhecida do analisando, informando o paciente a respeito. Ao que parece, iniciantes na análise tendem a tomar essa introdução como já sendo todo o trabalho. Muitas vezes, fui chamado como consultor em casos nos quais o médico se queixava, dizendo que apresentara ao doente a sua resistência, mas nada tinha mudado; a resistência a partir dali até aumentara, e a situação toda tinha ficado ainda mais opaca. Parecia que o tratamento empacara. Essa expectativa sombria mais tarde sempre se revelou enganosa. Em geral, o tratamento estava no bom caminho; o médico apenas tinha esquecido que a nomeação da resistência não pode ter como consequência o seu fim imediato. Precisamos dar tempo ao paciente, para que ele se aprofunde na resistência que até então lhe era desconhecida, para *perlaborá-la*, superá-la, na medida em que ele, a ela resistindo, continua o trabalho de acordo com a regra analítica fundamental. Só no ponto mais alto desse trabalho é que, em conjunto com o analisando, iremos descobrir as moções pulsionais recalcadas, que alimentam as resistências e de cuja existência e poder o paciente se convencerá através dessa vivência. O médico não tem mais nada a fazer aí senão esperar e aceitar um percurso que não pode ser evitado e que também nem sempre pode ser acelerado. Se ele se ativer a essa percepção, ele muitas vezes poupará a ilusão de ter fracassado, apesar de ter seguido o tratamento na linha correta.

Essa perlaboração das resistências na prática pode se tornar uma tarefa difícil para o analisando e uma prova de paciência para o médico. Mas é aquela parte do trabalho que terá a influência mais transformadora no paciente e que diferencia o tratamento analítico de todo influenciamento por sugestão [*Suggestionsbeeinflussung*]. Do ponto de vista teórico, pode ser comparado à "ab-reação" dos montantes de afeto [*Affektbeträge*] retidos pelo recalque, sem o que o tratamento hipnótico não teria influência alguma.

162 OBRAS INCOMPLETAS DE S. FREUD

Erinnern, Wiederholen und Durcharbeiten (Weitere Ratschläge zur Technik der Psychoanalyse II) (1914)

1914 Primeira publicação: *Internationale Zeitschrift für Psychoanalyse*, t. 2, n. 6, p. 485-491

1918 *Sammlung kleinen Schriften zur Neurosenlehre*, t. 4, p. 441-452

1925 *Gesammelte Schriften*, t. VI, p. 109-119

1946 *Gesammelte Werke*, t. X, p. 126-136

Este título tripartite, fórmula tão cara às elaborações freudianas, merece alguns esclarecimentos. Dos três verbos que compõem o título, o único que não coloca maiores dificuldades de tradução é o segundo: "repetir" [*Wiederholen*]. Quanto ao primeiro, Freud emprega o verbo *erinnern*, que significa "lembrar", "recordar". Apesar da relativa difusão de "recordar", o verbo mais usual, que descreve melhor nossa experiência cotidiana e que é mais recorrente na prática clínica parece ser "lembrar". Ouvimos de nossos pacientes: "lembrei de uma coisa", "tenho uma lembrança vaga", etc. Além disso, outro conceito igualmente consagrado pelo uso, e central no presente artigo, é formado a partir da mesma palavra: *Deckerinnerung*, ou "lembrança encobridora".

Quanto ao terceiro termo, trata-se do que talvez ofereça maior dificuldade. De fato, o léxico relativo a *arbeiten* (trabalhar, laborar) é particularmente rico. Isso ocorre pela vasta gama de significados que um verbo alemão pode assumir conforme o prefixo anteposto. Acrescido de prefixos como *auf-*, *be-*, *durch-*, *mit-*, *um-*, *ver-*, o verbo *arbeiten* descreve diferentes atividades psíquicas. Freud empregou com valor conceitual pelo menos algumas delas, em especial *bearbeiten*, *durcharbeiten* e *verarbeiten*. De fato, como ressalta Luiz Hanns, traduzir todos esses termos por "elaborar" implica uma perda de sentido irremediável, que relega conotações e nuances importantes a segundo plano.

Embora esta coleção evite sempre que possível o uso de neologismos, é bastante difícil encontrar na língua portuguesa um verbo que traduza especificamente o mecanismo ilustrado por Freud. *Durcharbeiten* deriva do verbo *arbeiten*, ou seja, "trabalhar", "laborar". Quando esse verbo tem uma conotação transitiva direta, ou seja, quando o trabalho é realizado em algo ou em alguém, há no alemão a possibilidade de matizá-lo com o prefixo *be-*. Nesse caso, *bearbeiten* significaria algo próximo de "elaborar". Entretanto, Freud usa aqui o prefixo *durch-*, muito próximo do *through* na língua inglesa. Quer dizer, há aqui a noção de um atravessamento que perfaz uma ação. Além disso, *durcharbeiten* designa uma ação que vai do início até o fim.

Logo, assim como no português temos a relação entre "fazer" e "perfazer", "correr" e "percorrer", preferimos utilizar o prefixo *per*-compondo o verbo "perlaborar", em consonância com a terminologia brasileira consagrada pela comunidade psicanalítica, pelo menos desde a publicação entre nós do *Vocabulário de psicanálise* de Jean Laplanche e Jean-Bertrand Pontalis.

Conforme carta a Abraham de 29 de julho de 1914, datada, portanto, de um dia depois da eclosão da Primeira Grande Guerra, Freud relata ter concluído a redação deste artigo. Àquela altura, ocorriam também algumas importantes guerras intestinas no movimento psicanalítico, com as dissensões de Adler e de Jung, o que levaria Freud ao esforço de sistematizar não apenas as diretrizes técnicas da Psicanálise, mas também a especificidade dos conceitos fundamentais da metapsicologia, tarefa a que se dedicaria em seguida. Ainda no verão, Freud acabara de publicar o texto sobre a "História do movimento psicanalítico", ao qual se referiria como "a bomba" (carta a Abraham, de 25 de junho de 1914). Pouco antes, na primavera, Jung havia renunciado, para alívio dos discípulos mais fiéis, à presidência da Associação Psicanalítica Internacional.

Pode-se ainda conjecturar que outra motivação para a construção do argumento deste importante ensaio adveio de dificuldades encontradas na condução do tratamento do caso conhecido como "Homem dos Lobos", que despertara inquietações teóricas e esforços clínicos inéditos, e que fora interrompido justamente por ocasião da deflagração da Primeira Grande Guerra, ou seja, simultaneamente à escrita do presente artigo.

O presente artigo foi publicado pela primeira vez no final daquele ano. Nas versões publicadas posteriormente, o subtítulo foi suprimido, assim como ocorreu com os demais artigos que compõem essa série. Ao que tudo indica, trata-se da primeira vez que Freud emprega o termo "neurose de transferência" [*Übertragungsneurose*]. Outra ideia que se destaca nesse escrito é a de "compulsão para a repetição" [*Zwang zur Wiederholung*], que mais tarde encontrará sua expressão conceitual definitiva como "compulsão à repetição" [*Wiederholungszwang*]. Uma variante dessa expressão havia sido formulada alguns anos antes, na última página dos *Três ensaios sobre a teoria sexual*, no tópico sobre a "aderência/adesividade" [*Haftbarkeit*] das impressões sexuais, que nos neuróticos produziriam uma repetição compulsiva [*zwangartig auf Wiederholung*].

Nesse sentido, "Lembrar, repetir e perlaborar" pode ser visto como um precursor de ideias desenvolvidas em "Além do princípio de prazer" [*Jenseits des Lustprinzips*].

NOTAS

[1] Sobre o título, ver nota editorial, não numerada, acima. (N.E.)

[2] Termo comumente traduzido por descarga, não possui a conotação de algo abrupto e violento, mas sim de um fluxo de escoamento. (N.R.)

[3] Novamente aqui se traduziu *Einfall*, ou seja, "aquilo que ocorre espontaneamente, que vem à mente do sujeito", como "ocorrência". (N.R.)

[4] Freud costumava usar as letras gregas *psi* e *alfa* como forma abreviada de se referir à Psicanálise. (N.R.)

[5] Trata-se aqui do verbo de origem latina *agieren*, passível de ser traduzido por "agir" ou "atuar". (N.R.)

[6] Cabe esclarecer que aqui, ainda que possa ter sido utilizada em um sentido de sinonímia, Freud não usa a célebre palavra composta *Wiederholungszwang* [compulsão à repetição]. (N.R.)

OBSERVAÇÕES SOBRE O AMOR TRANSFERENCIAL (1915 [1914])

Cada iniciante na Psicanálise por certo teme, de início, as dificuldades que lhe apresentarão a interpretação daquilo que ocorre [*Einfälle*] ao paciente e a tarefa da reprodução do recalcado. Mas logo ele dará importância menor a essas dificuldades, trocando-as pela convicção de que as únicas dificuldades realmente sérias são encontradas no manejo da transferência.

Das situações que se criaram nesse contexto, destacarei uma única, claramente descrita, tanto pela sua frequência e importância real quanto pelo seu interesse teórico. Refiro-me ao caso em que uma paciente, mulher, permite inferirmos a partir de suas sugestões pouco dúbias ou então o diz diretamente que, assim como qualquer outra mulher mortal, apaixonou-se pelo médico que a analisa. A situação tem seus aspectos desconcertantes e divertidos, assim como os sérios; ela também é tão intrincada e condicionada de múltiplas formas, tão inevitável e de tão difícil solução, que a sua discussão há muito teria preenchido uma necessidade vital da técnica analítica. Mas como nós mesmos nem sempre estamos livres de incorrer nos erros que caçoamos nos outros, não fizemos nenhum esforço para a realização dessa tarefa. Sempre nos deparamos aqui com o dever da discrição médica, que na vida é indispensável, mas que na nossa Ciência não nos serve. Na medida em que a literatura da Psicanálise também fizer parte da vida real, disso resultará uma contradição insolúvel. Há pouco tempo, em determinado local, suplantei a discrição e sugeri que a mesma situação transferencial atrasou o desenvolvimento da terapia psicanalítica pelo período de sua primeira década.[i]

Para o leigo bem formado – ele é provavelmente o ser humano cultivado ideal para a Psicanálise –, os eventos do amor, assim como todos os outros, são incomensuráveis; eles estão numa folha especial, que não suporta nenhuma outra descrição. Portanto, quando a paciente se apaixona pelo médico, ele pensará que há apenas duas saídas; a mais rara delas, quando todas as circunstâncias autorizam a união duradoura e legítima dos dois; e a mais frequente, que médico e paciente se separem, desistindo do trabalho iniciado, que na verdade deveria servir à cura, mas que foi perturbado por um evento elementar. Certamente, também podemos pensar em uma terceira saída, que até mesmo parece se coadunar com a continuidade do tratamento, a saber: o início de relações amorosas ilegítimas e não destinadas à eternidade; mas esta se torna impossível certamente devido à moral burguesa e à dignidade médica. Pelo menos o leigo pediria que ele fosse tranquilizado quanto à exclusão desse terceiro caso, através de uma afirmação inequívoca do analista.

---

[i] "Zur Geschichte der psychoanalytischen Bewegung" [Sobre a história do movimento psicanalítico] (1914).

É evidente que o ponto de vista do psicanalista necessariamente deve ser outro.

Vejamos o caso da segunda saída da situação que discutimos acima, em que médico e paciente se separam, depois que a paciente se apaixonou pelo médico; o tratamento é suspenso. Mas o estado da paciente logo tornará necessária uma segunda tentativa analítica com outro médico; aí acontece que a paciente também se sente apaixonada por esse segundo médico, da mesma forma que, após nova interrupção, quando recomeça com um terceiro, etc. Esse evento que certamente ocorre, que sabidamente é um dos fundamentos da teoria psicanalítica, permite duas utilizações, uma para o médico analista, outra para a paciente que necessita da análise.

Para o médico, ela significa um esclarecimento precioso e um bom alerta para uma contratransferência que possivelmente esteja nele latente. Ele precisa reconhecer que o enamoramento da paciente é forçado pela situação analítica e não deve ser atribuído às vantagens da sua pessoa, portanto, ele não tem motivo algum de se orgulhar de uma tal "conquista", como a chamaríamos fora da análise. E é sempre bom ter esse alerta em mente. Mas para a paciente, há uma alternativa: ou ela abdica de um tratamento psicanalítico, ou ela se acostuma a essa paixão pelo médico como sendo um destino inescapável.[i]

Não duvido que os parentes da paciente irão se declarar favoráveis à primeira das possibilidades com a mesma veemência que terá o médico analista em relação à segunda. Mas acredito que esse seja um caso em que os cuidados zelosos – ou, melhor dizendo, egoístas e ciumentos – dos

---

[i] Sabemos que a transferência pode se externar em outros sentimentos, também menos ternos, mas isso não será assunto deste artigo.

parentes não podem ser aqueles a decidir. Apenas o interesse da doente deveria prevalecer. O amor dos parentes não consegue curar uma neurose. O psicanalista não precisa se impor, mas ele pode se apresentar como imprescindível para determinados resultados [*Leistungen*]. Aquele que, enquanto parente, adotar como sua a posição de Tolstói em relação a esse problema poderá permanecer na posse impoluta de sua esposa ou filha, e precisará tentar aguentar o fato de que esta também manterá a sua neurose e o distúrbio da capacidade de amar a ela associado. Por fim, é um caso semelhante ao do tratamento ginecológico. O pai ou marido ciumento, aliás, comete um grande engano quando acha que a paciente escapará de se apaixonar pelo médico quando este, para combater a sua neurose, faz com que ela enverede por outro tratamento que não o analítico. A diferença será apenas que uma paixão determinada a permanecer impronunciada e não analisada nunca poderá contribuir para a recuperação da paciente do modo como a análise forçosamente o faria.

Soube que alguns médicos que praticam a análise muitas vezes preparam os pacientes para o surgimento da transferência amorosa[1] [*Liebesübertragung*] ou até mesmo os estimulam a se "apaixonar apenas pelo médico, para que a análise progrida". Não consigo imaginar uma técnica mais sem sentido do que essa. Com ela, extirpa-se do fenômeno o caráter convincente da espontaneidade e criam-se obstáculos para si próprio, que serão difíceis de remover depois.

Inicialmente, não parece que a paixão na transferência fará surgir algo produtivo para o tratamento. A paciente, até mesmo a mais cordata, de repente perde a compreensão e o interesse em relação ao tratamento, não quer falar nem ouvir mais nada além do seu amor, que ela exige que seja correspondido. Ela abdica dos seus sintomas ou os negligencia, ela até mesmo declara-se curada. Há uma mudança total da cena, como se um jogo fosse interrompido por uma realidade repentinamente presente, como se durante uma apresentação de teatro soasse o alarme de incêndio. O médico que vivencia isso pela primeira vez terá dificuldade em manter a situação analítica e fugir da ilusão de que o tratamento realmente terminou.

Com alguma reflexão, pode-se reencontrar o caminho. Lembremos aqui, principalmente, da suspeita de que tudo aquilo que atrapalha a continuidade do tratamento pode ser uma expressão de resistência. No aparecimento daquela exigência tempestuosa de amor, a resistência indubitavelmente tem grande participação. Já se tinha percebido na paciente, há muito tempo, os sinais de uma transferência afetuosa, podendo-se creditar certamente essa postura em relação ao médico a partir de sua postura cordata, da atenção positiva diante das explicações da análise, sua compreensão excelente e a alta inteligência ali manifestada. Agora, isso tudo é praticamente varrido do mapa, a paciente passa a perder a postura compreensiva, ela parece mergulhar completamente na sua paixão, e essa transformação ocorre, via de regra, num momento em que justamente precisamos instá-la a admitir ou recordar uma parte muito desconcertante ou muito recalcada de sua história de vida. Ou seja, a paixão já estava lá há muito tempo, mas agora a resistência começa a se servir dela para impedir a continuidade do tratamento, para desviar o interesse pelo trabalho e para levar o médico analista a uma situação de desconforto embaraçoso.

Se olharmos mais de perto, também poderemos detectar nessa situação a influência de motivos complicadores, em parte aqueles que se atrelam ao enamoramento, em parte expressões específicas da resistência. Do primeiro tipo é o anseio da paciente por se assegurar de sua irresistibilidade, em quebrar a autoridade do médico, rebaixando-o ao papel de amante e o que mais surgir de lucro adjacente na satisfação do amor. Em relação à resistência, podemos suspeitar que ocasionalmente ela use a declaração de amor como meio de colocar à prova o analista severo, que deveria ser repreendido se com ela transigir. Mas principalmente temos a impressão de que a resistência enquanto *agent provocateur* aumenta o enamoramento e exagera a disposição para a entrega sexual, para depois justificar mais enfaticamente o efeito do recalque, invocando os perigos de tal desmesura. Como sabemos, todo esse aparato adjacente, que em casos mais puros também pode estar ausente, foi visto por Alfred Adler como o essencial de todo o processo.

Mas como deve se comportar o analista para não sucumbir diante dessa situação, se estiver claro para ele que o tratamento deva ser continuado, apesar dessa transferência amorosa e através dele?

Seria fácil para mim postular – apoiando-me na moral vigente – que o analista nunca, jamais deva aceitar ou corresponder ao afeto que lhe é oferecido. Ou que ele deva aproveitar esse momento para representar a exigência moral e a necessidade da recusa diante da mulher apaixonada e consiga que ela desista de sua vontade e que continue o trabalho analítico com a superação da parcela animal do seu Eu.

Mas não satisfarei essas expectativas, nem a primeira nem a segunda parte delas. Não satisfarei a primeira pois não escrevo para a clientela, mas para médicos que se digladiam com sérias dificuldades e porque, além disso, aqui posso remeter a prescrição moral à sua origem, isto é, à adequação a um fim [*Zweckmäßigkeit*]. Desta vez, encontro-me na feliz posição de substituir a imposição moral – sem alteração do resultado – por considerações da técnica analítica.

Mas ainda abdicarei de forma mais enfática da segunda parte da expectativa mencionada. Convidar a paciente à repressão da pulsão [*Triebunterdrückung*[2]], à sua renúncia e à sublimação assim que ela confessar a sua transferência amorosa não é agir analiticamente, mas agir sem sentido algum. Seria como se quiséssemos habilmente invocar um espírito do submundo para que venha à superfície, para depois mandarmos ele de volta, sem ao menos lhe fazer uma pergunta. Nesse caso, teríamos apenas chamado o recalcado à consciência para que ele, amedrontado, fosse novamente mandado embora. E não nos enganemos sobre o sucesso desse procedimento. Como se sabe, fórmulas sublimes pouco podem contra as paixões. A paciente apenas sentirá a rejeição e não tardará a se vingar por isso.

Tampouco aconselho o caminho do meio, que para alguns pareceria especialmente sagaz e que consiste em afirmar que se corresponde aos sentimentos afetuosos da paciente, evitando todas as atividades corporais desse carinho, até que se consiga levar a relação para uma trilha mais calma, elevando-a a um patamar mais elevado. Contra esse meio de informação tenho a contrapor que o tratamento psicanalítico se constrói sobre veracidade. É isso que perfaz uma boa parte de seu efeito educacional e de seu valor ético. É perigoso abandonar esse fundamento. Quem se aclimatou na técnica analítica não atinge mais a mentira e a ilusão, normalmente indispensáveis ao médico, e costuma se trair quando tenta fazê-lo, com a melhor das intenções. Já que se exige a mais rigorosa veracidade do paciente, coloca-se em jogo toda a autoridade quando se é pego pelo paciente em um desvio da verdade. Além disso, a tentativa de se deixar levar por sentimentos afetuosos da paciente não deixa de ser perigosa. Não se tem um bom domínio de si próprio, podendo o analista ir repentinamente além do que se pretendia. Acho, portanto, que não se deve negar a indiferença[3] adquirida pelo domínio da contratransferência.

Já dei a entender que a técnica analítica estabelece uma lei para o médico que lhe impõe a recusa diante da satisfação exigida pela paciente carente de amor. O tratamento precisa ser executado em abstinência; não me refiro aqui apenas à renúncia física nem à renúncia de tudo o que se deseja, pois isso talvez nenhum doente suportasse. Quero, antes, estabelecer o princípio de que a necessidade [*Bedürfnis*] e o anseio [*Sehnsucht*] devem ser mantidos na paciente como forças motivadoras do trabalho e da mudança e devemos evitar o abrandamento desses sentimentos por substitutos. De resto, não poderíamos mesmo oferecer nada além de substitutos, já que a paciente não é capaz de uma satisfação real devido ao seu estado, enquanto os seus recalques não tiverem sido eliminados.

Confessemos que o princípio de que o tratamento analítico deva acontecer em abstinência abarca muito mais do que o caso específico aqui observado, necessitando de uma discussão mais detalhada, pela qual devem ser estabelecidos os limites de sua exequibilidade. Mas queremos evitar fazê-lo aqui e queremos nos ater ao máximo à situação da qual partimos. O que aconteceria se o médico procedesse de modo diferente e, digamos, aproveitasse a liberdade dada de ambos os lados para corresponder ao amor da paciente, satisfazendo a sua necessidade de afeição?

Se nesse contexto ele calculasse que essa correspondência garantiria a ele o domínio sobre a paciente e a motivaria a resolver as tarefas do tratamento, ou seja, adquirir a libertação perene da neurose, a experiência deveria mostrar que ele errou o cálculo. A paciente atingiria seu objetivo, mas ele nunca atingiria o dele. Entre médico e paciente apenas aconteceria mais uma vez o que acontece em uma história divertida do pastor e do corretor de seguros. A pedido dos parentes chama-se um homem de fé para ir falar com um corretor de seguros descrente e muito doente. A conversa dura tanto tempo que os que esperam têm alguma esperança. Enfim, a porta do quarto do doente se abre. O descrente não foi convertido, mas o pastor sai de lá segurado.

Seria um grande triunfo da paciente se a sua corte tivesse sido correspondida, e seria também uma total derrota para o tratamento. A doente teria conseguido o que todos os doentes em análise almejam: colocar algo em movimento, repetir na vida aquilo que apenas devem lembrar, reproduzir como material psíquico e manter no âmbito psíquico.[i] No decorrer da relação amorosa, ela traria à tona todas as inibições e reações patológicas de sua vida amorosa, sem que seja possível uma correção, e ela fecharia a dolorosa vivência com remorso e um grande fortalecimento de sua tendência ao recalque. A relação amorosa, justamente, coloca um ponto final na capacidade de ser influenciada [*Beeinflussbarkeit*] através do tratamento analítico; a junção das duas coisas está fora de cogitação.

Sendo assim, acatar as demandas de amor por parte da paciente é tão fatal para a análise quanto a repressão [*Unterdrückung*] delas. O caminho do analista é outro, é aquele para o qual a vida real não fornece um modelo.

---

[i] Confira o texto anterior sobre "Lembrar, repetir e perlaborar".

Evitamos desviar da transferência amorosa, afugentá-la ou estragá-la na paciente; também nos abstemos ferrenhamente de toda correspondência desse amor. Mantemos a transferência amorosa, a tratamos como algo irreal, como uma situação que deva ser enfrentada no tratamento e reconduzida às suas origens inconscientes e que deva ajudar a levar à consciência da paciente os elementos mais ocultos de sua vida amorosa e, com isso, a dominá-los. Quanto mais dermos a impressão de estarmos, nós mesmos, imunes a toda tentação, mais facilmente poderemos extrair da situação o seu teor analítico. A paciente cujo recalque sexual não tenha sido suspenso, mas apenas afastado para o segundo plano, sentir-se-á suficientemente segura para trazer à tona todas as suas condições para o amor, todas as fantasias do seu anseio sexual [*Sexualsehnsucht*], todas as características de seu enamoramento para, a partir delas, encontrar ela própria o caminho para as motivações infantis de seu amor.

Em uma determinada classe de mulheres, porém, essa tentativa de preservar a transferência amorosa para o trabalho analítico sem satisfazê-la não terá sucesso. Trata-se de mulheres dotadas de uma paixão elementar, que não suportam substitutos, são filhas da natureza, que não querem receber o psíquico em troca do material e que, nas palavras do poeta, só têm acesso "à lógica da sopa com argumentos de bolinhos".[4] No caso dessas pessoas, estamos diante de uma escolha: ou mostrar o amor correspondido ou ter a inimizade total da mulher desprezada. Em nenhum dos casos pode-se preservar os interesses do tratamento. Teremos de recuar sem obter sucesso e poderemos visualizar o problema de como a capacidade de neurose se une com tamanha necessidade inflexível de amor.

O modo como aos poucos instamos outras apaixonadas, menos agressivas, à concepção analítica deve ter acontecido igualmente com muitos analistas. Enfatizamos principalmente a porção indubitável de resistência nesse "amor". Um enamoramento verdadeiro tornaria a paciente maleável e aumentaria a sua disposição em resolver os problemas do seu caso, apenas porque o homem amado o exige. Uma mulher desse tipo escolheria o caminho que passa pela conclusão do tratamento, para tornar-se valiosa para o médico e preparar a realidade em que a tendência amorosa encontraria o seu lugar. Em vez disso, a paciente se mostra obstinada e desobediente, abdica de todo e qualquer interesse pelo tratamento e, ao que parece, também perde o respeito pelas convicções mais que justificadas do médico. Portanto, ela produz uma resistência sob forma evidente de enamoramento e, além disso, não tem crise de consciência por levá-lo a estar "entre a cruz e a espada". Pois se ele recusar aquilo a que o seu dever e a sua compreensão o impelem, ela poderá fazer o papel de rejeitada e se furtar a ser curada por ele por motivo de vingança e amargura, tal como agora como consequência do aparente enamoramento.

Como segundo argumento contra a autenticidade desse amor, introduzimos a afirmação de que ele não traz um único traço novo, oriundo da situação presente, mas é composto integralmente de repetições e retomadas de reações antigas, até mesmo as infantis. Comprometemo-nos a prová-lo através da análise detalhada do comportamento amoroso da paciente.

Se a esses argumentos ainda acrescentarmos a medida necessária de paciência, geralmente conseguiremos superar a situação difícil e continuar o trabalho ou com um enamoramento moderado ou com o enamoramento "transformado", trabalho cujo objetivo, então, será a descoberta da escolha do objeto infantil e das fantasias que o enredam. Mas gostaria de iluminar os argumentos mencionados de forma crítica, perguntando-nos se com eles dizemos a verdade à paciente ou se em nossa situação de emergência nos refugiamos em dissimulações e distorções. Em outras palavras: será que o enamoramento que se torna manifesto no tratamento analítico de fato não pode ser chamado de real?

Entendo que dissemos a verdade à paciente, mas não toda a verdade, sem consideração pelo resultado. Daqueles nossos argumentos, o primeiro é o mais forte. A parcela de resistência no amor transferencial [*Übertragungsliebe*] é irrefutável e considerável. Mas a resistência não criou esse amor, ela vai encontrá-lo, serve-se dele e exagera as suas manifestações. A autenticidade do fenômeno também não é enfraquecida pela resistência. Nosso segundo argumento é muito mais fraco; é verdade que esse enamoramento é composto de reedições de traços antigos e repete reações infantis. Mas esse é o caráter essencial de todo enamoramento. Não há nenhum que não repita modelos infantis. Justamente aquilo que perfaz o seu caráter compulsivo [*zwanghaft*], que lembra o patológico, remonta ao seu condicionamento infantil. O amor transferencial talvez tenha um grau de liberdade a menos que aquele da vida real, aquele que chamamos de normal, ele permite reconhecer mais nitidamente a dependência do modelo infantil, ele se mostra menos maleável e menos capaz de modificação, mas isso é tudo e nem é o essencial.

Como então reconhecemos a autenticidade de um amor? Pela sua capacidade produtiva, sua utilidade para pôr em prática o objetivo do amor? Nesse ponto, o amor transferencial parece não ficar atrás de nenhum outro; temos a impressão de que podemos obter tudo dele.

Então, resumindo: não temos o direito de negar ao enamoramento que surge no tratamento analítico o caráter de amor "autêntico". Se ele parece tão pouco normal, isso pode ser explicado satisfatoriamente a partir da circunstância de que também os demais enamoramentos fora do tratamento analítico lembram mais os fenômenos anímicos anormais do que os normais. Pelo menos ele se caracteriza por alguns traços que lhe garantem uma posição especial. Ele é: (1) provocado pela situação analítica; (2) potencializado pela resistência que domina a situação; e (3) carece em alto grau da consideração pela realidade, ele é menos sagaz, mais despreocupado com as consequências, mais cego na avaliação da pessoa amada do que gostaríamos de atribuir a um enamoramento normal. Mas não esqueçamos que justamente esses traços que desviam da norma perfazem o essencial de um enamoramento.

Para a atividade do médico, a primeira das três propriedades do amor transferencial é a relevante. Foi o médico quem trouxe à tona esse enamoramento através do início do tratamento analítico para curar a neurose; para ele, é o resultado inevitável de uma situação médica, semelhante ao desnudamento físico de um paciente ou à informação de um segredo vital. Assim, para ele está claro que não pode tirar proveito pessoal da situação. A disponibilidade da paciente nada muda no fato, apenas empurra a responsabilidade para a sua própria pessoa. Como ele deve saber, a paciente não estava preparada para nenhum outro mecanismo de cura. Após a superação bem-sucedida de todas as dificuldades, frequentemente ela confessa a fantasia de expectativa com que iniciou o tratamento: se ela se comportasse bem, no final ela seria recompensada com a afeição do médico.

Para o médico, então, juntam-se motivos éticos aos motivos técnicos, para afastá-lo da concessão do amor à paciente. Ele precisa manter o foco no objetivo, a saber: que a mulher impedida em sua capacidade de amar devido a fixações infantis chegará à livre disposição dessa função de inestimável importância para ela, porém que ela não a gaste no tratamento, mas a mantenha disponível para a vida real, quando ela lhe solicitar essa função após terminado o tratamento. Ele não pode encenar com ela a cena da corrida de cães, em que se expõe como prêmio uma guirlanda de salsichas e um estraga-prazeres desmancha tudo, jogando uma única salsicha na pista de corrida. Os cães se jogarão sobre ela e esquecerão a corrida e a guirlanda do vencedor, que acena ao longe. Não quero afirmar aqui que seja sempre fácil para o médico se manter dentro dos limites que a ética e a técnica lhe prescrevem. Especialmente o homem mais jovem e ainda sem vínculos fixos poderá sentir a renúncia como dura. Sem dúvida, o amor sexual é um dos principais conteúdos da vida, e a união de satisfação anímica e física na fruição do amor [*Liebesgenusse*] chega a ser um dos pontos altos da vida. À exceção de alguns poucos fanáticos esquisitos, todas as pessoas sabem disso e constroem a sua vida seguindo esse princípio; apenas na Ciência há recato em se confessar isso. Por outro lado, é desconcertante para o homem assumir o papel daquele que recusa e renuncia quando a mulher busca o amor, e uma nobre mulher que assume a sua paixão exerce uma magia incomparável, apesar da neurose e da resistência. Não é o desejo sensual primitivo da paciente que produz a tentação. Este tem o efeito de repulsa e requisita toda a tolerância para fazer valê-lo como fenômeno natural. São talvez as moções de desejo [*Wunschregungen*] mais sutis por parte da mulher, e mais inibidas em sua meta, que trazem consigo o perigo de esquecer a técnica e a tarefa médica diante de uma bela vivência.

Mesmo assim, para o analista é impensável ceder. Por mais que ele tenha o amor em alto juízo, ele precisa colocar em um juízo maior o fato de ter a oportunidade de levar a sua paciente a superar um estágio decisivo de sua vida. Ela deve aprender com ele a superação do princípio de prazer, a renúncia a uma satisfação próxima, mas socialmente não classificada, em benefício de uma mais distante, talvez até incerta, mas tanto psicológica quanto socialmente irrepreensível. Para essa superação, ela precisará atravessar os tempos primordiais de sua evolução anímica e, dessa forma, adquirir aquele bônus de liberdade anímica que diferencia a atividade anímica consciente – no sentido sistemático – da inconsciente.

O psicoterapeuta analítico tem, assim, uma luta tripla a enfrentar: em seu interior, contra as forças que querem tirá-lo do nível analítico; fora da análise, contra os adversários que questionam a importância das forças pulsionais sexuais e o impedem de utilizá-las em sua técnica científica; e na análise, contra os pacientes que no início se portam como adversários, mas depois anunciam a supervalorização da vida sexual que os dominava e depois querem aprisionar o médico com a sua paixão socialmente irrefreada.

Os leigos, de cuja postura em relação à Psicanálise falei inicialmente, certamente também tomarão como ensejo essas discussões sobre o amor transferencial para alertarem o mundo sobre o perigo desse método terapêutico. O psicanalista sabe que trabalha com as forças mais explosivas e que são necessárias cautela e meticulosidade, assim como no caso dos químicos. Mas quando é que a um químico foi interditado se ocupar com materiais explosivos, indispensáveis, por sua periculosidade, apesar de seu efeito? É curioso que a Psicanálise tenha de batalhar por todas as licenças desde o início, quando elas há muito foram concedidas a outras atividades médicas. Certamente não sou favorável a que se abdique dos métodos de tratamento inofensivos. Para alguns casos, eles são suficientes, e, de resto, a sociedade humana não precisa nem do *furor sanandi* nem de qualquer outro tipo de fanatismo. Mas significaria subestimar e muito as psiconeuroses segundo as suas origens e sua importância prática se acreditarmos que essas afecções possam ser derrotadas através de operações com meios diminutos e inofensivos. Não, na atividade médica sempre haverá um espaço ao lado da *medicina*[5] [*sic*] para o *ferrum* e para o *ignis*, e assim também será imprescindível a Psicanálise acurada, que não esmaece, que não se furta de manipular as mais perigosas moções anímicas, dominando-as para o bem do paciente.

FUNDAMENTOS DA CLÍNICA PSICANALÍTICA 181

Bemerkungen über die Übertragungsliebe
(Weitere Ratschläge zur Technik der Psychoanalyse III)
(1915 [1914])

1915 Primeira publicação: *Internationale Zeitschrift für Psychoanalyse*, t. 3, n. 1, p. 1-11

1918 *Sammlung kleinen Schriften zur Neurosenlehre*, t. 4, p. 453-469

1925 *Gesammelte Schriften*, t.VI, p. 120-135

1946 *Gesammelte Werke*, t. X, p. 305-322

Publicado originalmente no início de 1915, este artigo foi escrito no final do ano anterior. Embora tenha sido redigido já sob o impacto da notícia acerca da eclosão da guerra, Freud considerava este artigo como sendo o melhor e mais útil dessa série de artigos técnicos, conforme admitiu a Abraham em carta de 4 de março de 1915.

A partir de 1918, edições posteriores omitiram o subtítulo e adotaram apenas o título curto, como nos demais artigos da série.

A primeira menção ao fenômeno da contratransferência parece ter sido feita numa carta a Jung de 7 de junho de 1909, em que Freud o aconselhava a respeito do tratamento de Sabina Spielrein, referindo-se ao fenômeno como uma *"blessing in disguise"*.

Em termos de sua recepção, Paul-Laurent Assoun (2009, p. 1164) anota que duas vias se abrem na posteridade deste artigo. De um lado, os textos sobre a contratransferência, que marcaram época entre os pós-freudianos, especialmente entre os membros da escola kleiniana, com destaque para o pioneiro ensaio de Paula Heimann (1950); de outro lado, as elaborações de Lacan e sua escola acerca do desejo do analista.

HEIMANN, P. On Countertransference. In: *Int. J. Psycho-Anal.* n. 35, 1950, p. 81-84. • LACAN, J. Direção da cura e princípios de seu poder.

NOTAS

[1] Freud faz frequente uso de um recurso da língua alemã chamado *Kompositum*, ou seja, a justaposição de termos nos quais o último é qualificado pelos anteriores. No título deste texto aparece a composição *Übertragungsliebe* (amor transferencial), que não deve ser confundida

182 OBRAS INCOMPLETAS DE S. FREUD

com a que é expressa na ordem contrária, a *Liebesübertragung* (transferência amorosa). (N.R.)

[2] Esse é um dos casos em que fica clara a diferença entre *repressão* e *recalque*: a força de repulsão operante na *repressão* não seria de ordem inconsciente, ao contrário do que ocorre geralmente no caso do *recalque*. (N.R)

[3] Apesar de Freud utilizar aqui a palavra alemã *Indifferenz* (literalmente, "indiferença"), poderíamos depreender aqui o sentido de "neutralidade". (N.R.)

[4] Referência ao poema de Heinrich Heine "Die Wanderratten", em seu verso que menciona a tal "*Suppenlogik mit Knödelargumenten*". Na verdade, Heine usa a composição quase sinonímica *Knödelgrunden*. (N.R.)

[5] Aqui Freud usa palavras latinas para se referir aos medicamentos [*medicina*], ao ferro [*ferrum*] e ao fogo [*ignis*]. (N.R.)

SOBRE *FAUSSE RECONNAISSANCE* ("*DÉJÀ RACONTÉ*") DURANTE O TRABALHO ANALÍTICO (1914)[1]

Não é raro acontecer de, durante o trabalho da análise, o paciente acrescentar à comunicação de um fato lembrado por ele a seguinte observação: "mas eu já lhe contei isso", quando o próprio analista acredita estar certo de nunca ter ouvido dele esse relato. Se externamos essa contradição ao paciente, muitas vezes ele vai energicamente assegurar ter certeza disso, que pode até jurar, etc.; na mesma medida, no entanto, fortalece-se a própria convicção do analista sobre a novidade do que foi escutado. Seria muito contrapsicológico[2] querer decidir esse conflito elevando a voz ou sobrepujando-o com protestos. Sabemos que essa sensação de convicção sobre a fidelidade da própria memória não tem nenhum valor objetivo, e já que um dos dois necessariamente deve estar errado, a vítima da paramnésia tanto pode ser o médico como o analisando. Logo, damos razão ao paciente, interrompemos o conflito e adiamos sua solução para uma outra ocasião.

Em uma minoria de casos, o próprio analista se lembra de já ter ouvido a questionável comunicação e ao mesmo tempo encontra o motivo subjetivo e muitas vezes longínquo de seu desaparecimento temporário. Mas, na grande maioria das vezes, é o analisando que errou e pode ser convencido a reconhecê-lo. A explicação para esse acontecimento frequente parece ser a de que ele efetivamente teve a intenção de fazer essa [tal] comunicação, de que uma ou mais vezes ele realmente fez uma manifestação preparatória, mas depois foi impedido pela resistência de executar seu propósito, e agora confunde a lembrança da intenção com a da execução.

Deixo agora de lado todos esses casos, em que a situação pode deixar alguma dúvida, e destaco alguns outros que possuem um interesse teórico particular. Acontece a certas pessoas, na verdade, repetidamente, de defenderem – de maneira particularmente persistente na comunicação – a afirmação de já terem contado isto ou aquilo, ao passo que a natureza da situação mostra ser inteiramente impossível que elas possam ter razão. O que elas alegam já ter contado antes e que agora reconhecem como algo antigo, que o médico também deveria saber, são então lembranças da maior importância para a análise, confirmações esperadas há muito tempo, soluções que permitem finalizar uma parte do trabalho, e às quais o médico analista certamente teria acrescentado esclarecimentos profundos. Em vista dessas circunstâncias, o paciente também admite, em seguida, que sua lembrança o confundiu, embora não se consiga explicar a sua precisão.

O fenômeno que o analisando oferece nesses casos merece ser chamado de "*fausse reconnaissance*" [falso reconhecimento], e é inteiramente análogo a outros casos em que espontaneamente se tem essa sensação: "já estive nesta situação"; "isto eu já vivenciei alguma vez" (o "*déjà vu*" [já visto]), sem que sequer seja possível se confirmar essa convicção pela recuperação [*Wiederauffinden*] da situação anterior na memória. Como se sabe, esse fenômeno suscitou um grande número de tentativas de explicação que, de maneira geral, podem ser reunidas em dois grupos[i]: no primeiro é dado crédito à sensação contida no fenômeno, e se supõe que realmente se trata de algo que é lembrado; a questão é saber o quê. Em um grupo muitíssimo mais numeroso entram aquelas explicações que afirmam que, ao contrário, estamos aí diante de uma confusão da lembrança, e que agora a tarefa é rastrear como se pôde chegar a esse ato falho [*Fehlleistung*] paramnésico. Além disso, essas tentativas abarcam uma vasta gama de motivos, começando pela antiquíssima concepção, atribuída a Pitágoras, de que o fenômeno do *déjà vu* contém a prova de uma existência anterior do indivíduo, seguida da hipótese apoiada na anatomia de que um desencontro temporal na atividade dos dois hemisférios cerebrais causaria o fenômeno (WIGAN, 1860),[3] até às teorias puramente psicológicas da maioria dos autores recentes, que veem no *déjà vu* a indicação de uma fraqueza aperceptiva, cujos responsáveis seriam o cansaço, o esgotamento e a distração.

Grasset,[ii] em 1904, forneceu uma explicação do *déjà vu* que é preciso ser computada no grupo dos que "acreditam" [*gläubigen*]. Segundo o autor, o fenômeno indica que em algum momento anterior houve uma percepção inconsciente que, só agora, sob a influência de uma nova e semelhante impressão, alcançou a consciência. Muitos outros autores o seguiram e fizeram da lembrança de algo sonhado e esquecido a base do fenômeno. Em ambos os casos tratava-se da reanimação de uma impressão inconsciente.

Em 1907, na segunda edição de minha *Psicopatologia da vida cotidiana*, defendi uma explicação bastante semelhante para a aparente paramnésia, sem conhecer o trabalho de

---

[i] Cf. uma das mais recentes referências do assunto em questão em Havelock Ellis, *World of Dreams*, 1911.

[ii] "La sensation du 'déjà vu'". *Journal de Psychologie Norm.* et Pathol, v. I, 1904.

Grasset ou mencioná-lo. Deve servir para me desculpar o fato de que construí minha teoria como resultado de uma investigação psicanalítica que pude empreender em um caso muito nítido – no entanto, de 28 anos atrás – de *déjà vu* em uma paciente. Não irei repetir aqui essa breve análise. Ocorre que a situação na qual se deu o *déjà vu* era realmente apropriada para despertar a lembrança de uma vivência anterior da analisanda. Na família que a criança, com 12 anos na época, visitou, encontrava-se um menino gravemente doente, prestes a morrer, e alguns meses antes seu próprio irmão tinha corrido o mesmo perigo. A tudo isso em comum ligou-se, porém, no caso da primeira vivência, uma fantasia incapaz de se tornar consciente – o desejo de que o irmão morresse –, e, por isso, a analogia dos dois casos não pôde tornar-se consciente. A sensação dessa analogia foi substituída pelo fenômeno do "já-ter-vivido-isso-antes", no qual a identidade do que havia em comum deslocou-se para aquela localidade.

Sabemos que o nome "*déjà vu*" vale para toda uma gama de fenômenos análogos: para um "*déjà entendu*" [já escutado], um "*déjà éprouvé*" [já vivenciado], um "*déjà senti*" [já sentido]. Em vez de muitos outros semelhantes, o caso que irei relatar agora consiste em um "*déjà raconté*" [já contado], que também poderia ter origem em uma intenção inconsciente que permaneceu sem ser executada.

Um paciente[4] relata, no curso de suas associações: "Como eu, na época com a idade de 5 anos, estava brincando com um canivete no jardim e cortei o dedo mindinho – ah! eu só pensei que o tivesse cortado –, mas isso eu já lhe contei".

Eu lhe asseguro que não me lembro de nada parecido. Ele afirma, cada vez mais convencido, que não pode estar enganado sobre isso. Acabei por dar fim ao conflito, da maneira como indiquei no início, e lhe peço, assim mesmo, para repetir a história. Então veríamos se foi o caso.

"Quando eu tinha 5 anos, estava brincando no jardim perto da babá e fazia cortes com meu canivete na casca de uma das nogueiras que também têm um papel[i] em meu sonho.[ii] De repente percebi, com um terror indizível, que tinha cortado o dedo mindinho da mão (direita ou esquerda?) de tal maneira que ele só estava pendurado pela pele. Dor eu não sentia, mas um grande medo [*Angst*]. Eu não me atrevia a dizer nada à babá, que se encontrava a poucos passos de distância, desabei no banco mais próximo e fiquei lá sentado, incapaz de olhar mais uma vez para o dedo. Finalmente me acalmei, olhei para o dedo e vi que estava totalmente ileso."

Logo depois concordamos que ele não poderia ter me contado essa visão ou alucinação. Ele entendeu muito bem que eu não poderia ter deixado de valorizar uma prova como essa da existência, no seu quinto ano de vida, da *angústia de castração*[5] [*Kastrationsangst*]. Com isso havia se desfeito sua resistência contra a suposição do complexo de castração. No entanto, ele colocou a questão: "Por que eu acreditei com tanta certeza já ter contado essa lembrança?".

Então, ocorreu a ambos que ele, repetidamente, nas mais diversas situações – mas a cada vez sem tirar proveito –, tinha relatado a seguinte breve lembrança:

"Certa vez, quando meu tio viajou, ele perguntou à minha irmã e a mim o que devia nos trazer de presente. Minha irmã pediu um livro, e eu, um canivete". Agora entendíamos essa ocorrência [*Einfall*], que havia surgido meses antes como lembrança encobridora da lembrança recalcada

---

[i] Correção feita em um relato posterior: "Acho que eu não estava cortando a árvore. Foi uma mistura com uma outra lembrança que também deve ter sido falseada alucinatoriamente, de eu ter feito um corte em uma árvore com o canivete e de ter saído *sangue* da árvore".

[ii] Cf. *Märchenstoffe im Traum* [Material de contos de fadas nos sonhos].

e como preparação do relato – não realizado devido à resistência – sobre a suposta perda do dedinho (um inequívoco equivalente do pênis). O canivete, que seu tio realmente lhe trouxera, era, segundo sua clara lembrança, o mesmo que aparecia naquele relato longamente reprimido [*unterdrückten*].

Penso ser desnecessário acrescentar algo mais à interpretação dessa pequena experiência, tendo em vista que ela lança luz sobre o fenômeno da *fausse reconnaissance*. Sobre o conteúdo da visão do paciente, quero assinalar que, justamente na estrutura do complexo de castração, essas confusões alucinatórias não são raras, e que elas igualmente podem servir para corrigir percepções indesejadas.

Em 1911, uma pessoa de formação acadêmica vinda de uma cidade universitária alemã, pessoa que não conheço e da qual também desconheço a idade, colocou à minha disposição a seguinte comunicação sobre a sua infância:

"Na leitura de 'Lembranças da infância de Leonardo' (1910),[6] as afirmações feitas na p. 29 até 31 me conduziram a uma contradição interna. Sua observação de que o menino é dominado pelo interesse de seu próprio genital despertou em mim uma contraobservação do tipo: 'Se essa é uma regra geral, então, de qualquer forma, eu sou uma exceção'. Li, então, as próximas páginas (31 até 32 – parte de cima) com o maior assombro, aquele assombro que se apodera de nós quando tomamos conhecimento de um fato inteiramente novo. Em meio ao meu assombro me vem uma lembrança que me ensina – para a minha própria surpresa – que aquele fato não poderia ser tão novo. Na época em que me encontrava no meio da 'investigação sexual infantil', passei pelo feliz acaso de ter a oportunidade de observar o genital feminino de uma coleguinha da mesma idade e *percebi, muito claramente, um pênis do mesmo tipo que o meu*. Mas, logo em seguida, a visão de estátuas e nus femininos me lançou em uma nova confusão e, para sair desse conflito 'científico', engendrei o seguinte experimento: fiz desaparecer meu genital, pressionando-o entre as duas coxas, e constatei, com satisfação, que assim estava eliminada qualquer diferença do nu feminino. Estava claro, pensei comigo mesmo, que também no caso do nu feminino fizeram desaparecer o genital da mesma maneira.

"Mas nesse ponto me vem uma outra lembrança que sempre teve para mim a maior importância, pois ela é *uma* das três lembranças que constam no conjunto das lembranças sobre minha mãe, que faleceu precocemente. Minha mãe está na frente da pia, lavando os copos e a cuba, enquanto eu estou brincando no mesmo cômodo e fazendo algum tipo de travessura. Como castigo, levo algumas palmadas em minha mão: então, para o meu grande horror, vejo que meu dedo mindinho caiu, e caiu justamente na cuba de água. Como sei que minha mãe está zangada, não me atrevo a dizer nada e vejo, cada vez mais horrorizado, que logo depois a empregada levou a cuba de água para fora. Por muito tempo fiquei convencido de que tinha perdido um dedo, provavelmente até a época em que aprendi a contar.

"Muitas vezes tentei interpretar essa lembrança que – como já mencionei – sempre foi muito importante para mim por sua ligação com minha mãe. Mas nenhuma dessas interpretações me deixou satisfeito. Só agora – após a leitura de seu trabalho – vislumbro uma solução simples e satisfatória para o enigma".

Para a satisfação dos terapeutas, há uma outra espécie de *fausse reconnaissance* que aparece não raramente no final de um tratamento. Depois que se conseguiu, contra todas as resistências, abrir caminho para a aceitação do acontecimento recalcado de natureza real ou psíquica, e reabilitá-lo, por assim dizer, o paciente diz: "*agora tenho a sensação de que eu sempre soube disso*". Com isso, a tarefa analítica está resolvida.

Über fausse reconnaissance ("déjà raconté") während der psychoanalytischen Arbeit

1914 Primeira publicação: *Internationale Zeitschrift für Psychoanalyse*, t. 2, n. 1, p. 1-5

1925 *Gesammelte Schriften*, t.VI, p. 76-83

1946 *Gesammelte Werke*, t. X, p. 116-123

O tema do presente artigo foi mencionado em 1912 no artigo "Recomendações ao médico para o tratamento psicanalítico" (neste volume, p. 93). Um extrato deste texto foi reproduzido na história clínica do Homem dos Lobos, caso em que Freud estava trabalhando, mas que viria a lume apenas ao final da guerra.

O fenômeno aqui estudado ganharia uma luz nova a partir de 1925, quando Freud estuda o problema do estatuto da negação (ver "A negação", nesta coleção, no volume *Neurose, psicose, perversão*).

NOTAS

[1] Traduzido por Maria Rita Salzano Moraes. (N.E.)

[2] *Unpsychologisch* – com o prefixo de negação "un-", Freud alude aqui ao que seria inadequado ou mesmo contrário ao "psicológico". (N.R.)

[3] Freud refere-se provavelmente à segunda edição, publicada em 1860, de: WIGAN, A. L. *A new view of insanity: the duality of the mind proved by the structure, functions, and diseases of the brain, and by the phenomena of mental derangement, and shewn to be essential to moral responsibility.* London: Longman, Brown, Green and Longmans, 1844. (N.E.)

[4] Trata-se de Sergei Pankejeff, conhecido como "Homem dos Lobos". (N.E.)

[5] Dada a ambiguidade da palavra alemã *Angst*, conforme o contexto a traduzimos por "angústia" ou "medo". É importante ressaltar que, ainda que haja no alemão a palavra *Furcht*, a ser traduzida de modo inequívoco como "medo", o vocábulo *Angst* pode ser compreendido como "medo", "ansiedade" ou "angústia", conforme o contexto de seu emprego. Sendo uma palavra corriqueira da língua alemã, muitas vezes Freud a emprega no sentido mais comum de "medo". Contudo, há uma certa tendência ao seu uso no sentido de "angústia" quando o autor a emprega num contexto teórico. Ainda que por vezes a composição *Kastrationsangst* nos leve à tradução por "medo de castração", o contexto aqui parece remeter de modo mais claro à noção de "angústia". (N.R.)

[6] Incluído nesta coleção, no volume *Arte, literatura e os artistas*. As passagens referidas por Freud encontram-se à página 110 e seguintes. (N.E.)

CAMINHOS DA TERAPIA PSICANALÍTICA (1919 [1918])

Senhores colegas!

Os senhores sabem que nunca nos orgulhamos da completude e do fechamento do nosso saber e de nossas habilidades; estamos sempre dispostos, tanto antes quanto agora, a admitir a incompletude do nosso conhecimento, a aprender coisas novas e mudar em nosso procedimento aquilo que pode ser substituído por algo melhor.

Como voltamos a nos reunir agora, depois de longos anos de separação, difíceis de serem vividos,[1] sinto-me estimulado a rever o estado da nossa terapia, à qual, enfim, devemos a nossa posição na sociedade humana, para observar em que direções ela poderia se desenvolver.

Formulamos como sendo a nossa tarefa médica levar o doente neurótico a conhecer as moções recalcadas e inconscientes existentes dentro dele e, para esse fim, revelar as resistências que nele atuam contra tais ampliações do conhecimento sobre sua própria pessoa. Será que com a revelação dessas resistências também garantimos a sua superação? Nem sempre, certamente, mas esperamos atingir esse objetivo na medida em que aproveitamos a sua transferência para a pessoa do médico para transformarmos a nossa convicção da inadequação dos processos de recalque ocorridos na infância e da inexequibilidade de uma vida pautada no princípio de prazer na própria convicção quanto a isso. As relações dinâmicas do novo conflito pelo qual conduzimos o paciente, e que colocamos no lugar do antigo conflito da doença dentro dele, foram por mim esclarecidas em outro lugar. Atualmente, não teria nada a modificar quanto a isso.

O trabalho através do qual trazemos à consciência do paciente o material anímico recalcado foi chamado por nós de Psicanálise. Por que "análise", que significa desmembramento, decomposição e remete a uma analogia com o trabalho do químico com as substâncias que ele encontra na natureza e leva ao laboratório? Porque uma tal analogia realmente existe em um ponto importante. Os sintomas e as manifestações patológicas do paciente são de natureza altamente intricada, bem como todas as suas atividades anímicas; os elementos dessa composição intricada são, em última instância, motivos e moções pulsionais. Mas o doente nada sabe desses fatores elementares ou sobre eles possui apenas informações insuficientes. Então lhe ensinamos a entender a composição dessas formações anímicas de alta complexidade, rememetemos os sintomas às moções pulsionais que os motivaram, comprovamos nos sintomas esses motores pulsionais até então desconhecidos do doente, tal como o químico extrai a substância de base [*Grundstoff*], o elemento químico em meio ao sal dentro do qual encontrava-se irreconhecível por estar associado com outros elementos. Da mesma forma, mostramos ao paciente, a partir de suas manifestações anímicas não consideradas como patológicas, que a motivação dessas manifestações só lhe era parcialmente conhecida de forma consciente, e que outros motivos pulsionais também atuaram ali e permaneceram desconhecidos para ele.

Também explicamos a aspiração sexual das pessoas, separando-a em seus componentes, e, quando interpretamos um sonho, procedemos inicialmente deixando em segundo plano o sonho como um todo, atrelando a associação a seus elementos específicos.

A partir dessa comparação pertinente da atividade médica psicanalítica com um trabalho químico, então, poderia surgir a motivação para um novo rumo da nossa terapia. Nós *analisamos* o paciente, isto é, decompomos a sua atividade anímica em seus componentes elementares e mostramos a ele esses elementos pulsionais individual e isoladamente; então, não parece óbvio exigir que também o ajudemos na nova e melhor composição dos componentes? Os senhores sabem que essa exigência realmente foi feita. Ouvimos o seguinte: depois da análise da vida anímica doente, deve ocorrer a sua síntese! E logo se aliou a essa exigência a preocupação de se dar muita análise e pouca síntese, assim como o esforço de transferir o peso maior do efeito psicoterapêutico para a síntese, uma espécie de reconstituição daquilo que fora praticamente destruído pela vivissecção.

Mas não posso crer, meus senhores, que nessa psicossíntese se nos apresente uma nova tarefa. Se eu quisesse me conceder a liberdade de ser sincero e descortês, eu diria que se trata de retórica vazia e impensada. Limito-me a observar que temos aí apenas uma hiperextensão, sem conteúdo, de uma comparação, ou, se quiserem, uma exploração injustificada de uma nomenclatura. Mas um nome é apenas uma etiqueta, adequada para diferenciá-la de outras coisas, semelhantes; não é um programa, nem um sumário, nem uma definição. E uma comparação precisa tangenciar aquilo que é comparado apenas em um ponto, e em todos outros pode se distanciar bastante daquilo. O psíquico é algo tão especificamente único que nenhuma comparação individual poderá reproduzir a sua natureza. O trabalho psicanalítico oferece analogias com a análise química, mas igualmente analogias com a intervenção do cirurgião ou a atuação do ortopedista, ou ainda com a influência de um educador. A comparação com a análise química encontra um limite no fato de que, na vida anímica, lidamos com aspirações, que estão sujeitas a uma compulsão [*Zwang*] por unificação e reunião. Se conseguirmos dissecar um sintoma, liberar uma moção pulsional de um determinado contexto, ela não ficará isolada, mas logo entrará em um novo contexto.[i]

Sim, pelo contrário! O paciente neurótico nos apresenta uma vida anímica dilacerada, cindida por resistências, e, enquanto a analisamos e afastamos as resistências, essa vida anímica vai se recompondo, incorpora na grande unidade que chamamos de seu Eu todas as moções pulsionais que até então eram dissociadas por ele e reunidas em outro lugar. Assim, a psicossíntese se dá no analisando sem a nossa intervenção, de forma automática e inescapável. Com a dissecação dos sintomas e a suspensão das resistências, criamos as condições para que ela acontecesse. Não é verdade que haja algo no doente que foi decomposto em partes e que agora esteja esperando calmamente que nós, de algum modo, façamos a reconstrução.

O desenvolvimento da nossa terapia, portanto, deverá trilhar outros caminhos, principalmente aquele que

---

[i] Já que durante a análise química acontece algo muito semelhante. Concomitantemente com os isolamentos forçados pelo químico, ocorrem sínteses que ele não pretendia, graças às afinidades liberadas e às afinidades eletivas dos materiais.

Ferenczi recentemente definiu em seu trabalho sobre as "Dificuldades técnicas de uma análise da histeria"[i] como a "atividade" do analista.

Entremos em um rápido acordo sobre o que se entende por tal atividade. Havíamos descrito a nossa tarefa terapêutica a partir de dois conteúdos: conscientização do recalcado e descoberta das resistências. Fazendo isso, aliás, já somos suficientemente ativos. Mas será que devemos deixar por conta do doente lidar sozinho com as resistências que lhe foram reveladas? Será que não podemos lhe fornecer nenhuma outra ajuda além da que ele recebeu com o impulso [*Antrieb*] da transferência? Não seria muito mais óbvio ajudá-lo também, colocando-o naquela situação psíquica que é a mais favorável para a solução desejada do conflito? Afinal, a sua produção [*Leistung*] também depende de uma constelação de fatores externos. Sendo assim, será que deveríamos pensar em mudar essa constelação através de uma intervenção nossa que fosse adequada? Acredito que uma tal atividade do médico analista é unívoca e claramente justificada.

Os senhores percebem que aqui se abre um novo setor da técnica analítica, cujo destrinchamento exige esforço intenso e que produzirá determinadas prescrições. Hoje, não tentarei lhes dar uma introdução dessa técnica ainda em desenvolvimento, mas me limitarei a destacar um princípio básico, que provavelmente será o princípio dominante nessa área. É ele: *O tratamento analítico deve, na medida do possível, ser executado na privação [Entbehrung] – na abstinência.*

Deixarei para uma discussão mais detalhada observar em que medida é possível detectar isso. Mas por abstinência

---

[i] *Internationale Zeitschrift für Psychoanalyse*, v. V, 1919.

não entendemos a falta de toda satisfação − obviamente, isso seria inexequível −, e também não o que se entende popularmente pelo termo, que seria a abstinência sexual, mas algo diferente, que tem muito mais a ver com a dinâmica do adoecimento e do restabelecimento.

Os senhores se lembram de que foi um impedimento [*Versagung*] que fez o paciente ficar doente, que os seus sintomas lhe prestam o serviço de satisfações substitutivas. Durante o tratamento [*Kur*], os senhores podem observar que cada melhora de seu estado de sofrimento [*Leidenszustand*] retarda a velocidade do restabelecimento e diminui a força motriz [*Triebkraft*] que impele para a cura. Mas não podemos renunciar a essa força motriz; uma diminuição dela é perigosa para a nossa intenção de cura. Então qual é a conclusão que se evidencia irrefutavelmente? Temos de − por mais cruel que isso possa parecer − cuidar para que o sofrimento, de algum modo eficaz, do paciente não termine antes da hora. Se pela decomposição e desvalorização dos sintomas ele foi reduzido, em algum outro lugar precisamos reerguê-lo como uma privação sensível, senão corremos o risco de nunca alcançarmos nada além de melhoras modestas e insustentáveis.

Pelo que vejo, o perigo se mostra como ameaça especialmente em dois lados. Por um lado, o paciente, cujo estar doente foi abalado pela análise, esforça-se com afinco em criar novas satisfações substitutivas no lugar dos seus sintomas, satisfações que agora não têm a característica do sofrimento. Ele se serve da grandiosa mobilidade da libido parcialmente liberada para investir com libido as mais variadas atividades, preferências, costumes, também os que já existiam antes, elevando-os, assim, a satisfações substitutivas. Ele sempre voltará a encontrar tais distrações novas, através das quais escoa a energia necessária para a manutenção do tratamento, e sabe mantê-las em segredo por algum tempo. Temos a tarefa de detectar todos esses desvios e, a cada vez, exigir dele a renúncia, mesmo que a atividade que leva à satisfação pareça ser a mais inofensiva possível. Mas o semicurado também pode trilhar caminhos menos inofensivos, por exemplo, se for homem, procurar um vínculo prematuro com uma mulher. Diga-se de passagem que um casamento infeliz e o sofrimento corporal são as manifestações mais comuns da neurose. Elas satisfazem em especial a consciência de culpa (necessidade de punição), que faz com que muitos doentes se apeguem tão tenazmente à sua neurose. Devido a uma escolha infeliz no casamento, eles punem a si próprios; uma doença orgânica longa eles aceitam como sendo uma punição do destino, e então, muitas vezes, renunciam a uma continuidade da neurose.

A atividade do médico, em todas essas situações, precisa se manifestar como uma intervenção enérgica contra as satisfações substitutivas prematuras. Porém, será mais fácil para ele a preservação diante do segundo perigo, que não deve ser subestimado, e que ameaça a força motriz da análise. O doente procura principalmente a satisfação substitutiva no próprio tratamento, na relação transferencial com o médico, podendo até almejar, dessa forma, uma compensação por toda a recusa que até então lhe foi imposta. Alguma coisa precisa ser concedida a ele, em maior ou menor proporção, dependendo da natureza do caso e da característica do doente. Mas não é bom quando é demais. Quando o analista, por exemplo, de dentro da imensidão de seu coração solícito, concede ao paciente tudo que uma pessoa pode esperar do outro, ele estará cometendo o mesmo erro econômico em que incorrem as nossas instituições de cura não analíticas. Elas nada mais buscam que tornar a estada do doente o mais agradável possível, para que ele se sinta bem ali e possa retornar àquele lugar como a um refúgio para todas as situações difíceis da vida. Fazendo isso, elas abdicam de torná-lo mais forte para a vida e mais capacitado para as suas verdadeiras tarefas. No tratamento analítico, devemos evitar todo tipo de mimo semelhante. Em sua relação com o médico, o paciente deve ter uma vasta gama de desejos não realizados. É oportuno privá-lo justamente daquelas satisfações que ele mais deseja e que expressa de forma mais urgente.

Não creio ter esgotado a dimensão da atividade almejada para um médico com a frase: no tratamento, deve-se manter a falta. Uma outra vertente, como os senhores se lembram, já foi ponto de discórdia entre nós e a Escola Suíça.[2] Recusamos enfaticamente transformar o paciente, que se entrega em nossas mãos buscando ajuda, em nossa propriedade, formar o seu destino para ele, impor-lhe os nossos ideais e, com a altivez do Criador, formá-lo à nossa semelhança, para a nossa satisfação. Ainda hoje insisto nessa recusa e creio que aqui seja o lugar da discrição médica que precisamos superar em outros relacionamentos, e também tive a experiência de que uma atividade que vai tão longe contra o paciente tampouco seja necessária para a intenção terapêutica. Porque pude ajudar pessoas com as quais não tinha qualquer laço de raça, educação, posição social ou visão de mundo, sem incomodá-las em suas peculiaridades. Aliás, naquela época, quando houve aquelas divergências, tive a impressão de que o protesto de nossos representantes – creio que foi, em primeira linha, Ernest Jones – acabou sendo demasiado brusco e direto. Não podemos impedir que recebamos também pacientes que são tão instáveis e incapazes de viver que nesse caso precisamos unir o influenciamento [*Beeinflussung*] analítico com o educacional, e também na maioria dos outros casos aqui e acolá teremos uma oportunidade em que o médico é obrigado a atuar como educador e conselheiro. Mas isso, a cada vez, precisa ser manuseado com grande cuidado de preservação, e o paciente não deve ser educado para ser semelhante a nós, mas para a libertação e a concretização de sua própria essência.

Nosso estimado amigo James Putnam, que está na América (tão inimiga nossa atualmente), precisa nos desculpar por também não podermos aceitar a sua exigência de que a Psicanálise se coloque a serviço de uma determinada visão de mundo filosófica [*philosophischen Weltanschauung*] e que a imponhamos ao paciente com a finalidade de seu enobrecimento. Quero dizer que isso é apenas violência, mesmo que encoberta pelas mais nobres intenções.

Outra atividade, de tipo bem diferente, nos será imposta pela compreensão, que vem crescendo aos poucos, de que as diferentes formas de doença de que tratamos não podem ser resolvidas pela mesma técnica. Seria apressado tratarmos disso em detalhes agora, mas posso explicar a partir de dois exemplos em que medida deve ser considerada aqui uma nova atividade. Nossa técnica cresceu a partir do tratamento da histeria e ainda se volta para essa afecção. Já as fobias, estas nos obrigam a ir além de nossa conduta até então exercida. Dificilmente seremos senhores de uma fobia se esperarmos que o doente se motive pela análise a abdicar dela. Então, ele nunca trará aquele material para a análise que seria indispensável para a solução convincente da fobia. Precisamos proceder de outro modo. Tomem o exemplo de uma agoráfobo; há duas classes deles, uma mais leve e outra mais severa. É verdade que os primeiros sempre terão de sofrer com o medo [*Angst*] toda vez que andarem sozinhos na rua, mas nem por isso abdicaram de andar sozinhos; os outros se protegem do medo, abdicando de andar sozinhos. Com esses últimos, só teremos sucesso se pudermos motivá-los, por influência da análise, a se comportar como os fóbicos de primeiro grau, portanto a ir para a rua e lutar contra o medo durante essa tentativa. Ou seja, conseguimos chegar a um ponto em que diminuímos a fobia nessa medida, e só quando alcançamos isso por exigência do médico o doente terá domínio daquelas ocorrências e lembranças que possibilitam a solução da fobia.

Menos adequado ainda parece ser esperarmos passivamente nos casos graves de atos obsessivos que, na verdade, tendem, num processo de cura "assintótico", a uma duração infinita do tratamento, cuja análise sempre corre o risco de revelar muita coisa e nada mudar. Parece-me pouco questionável que a técnica certa aqui só possa consistir em esperar até que o próprio tratamento tenha se transformado em obsessão, e depois reprimir [*unterdrücken*] violentamente a obsessão da doença com essa contraobsessão [*Gegenzwang*]. Mas os senhores entendem que nesses dois casos lhes apresentei apenas amostras dos novos desenvolvimentos dos quais a nossa terapia se aproxima.

E agora, por fim, gostaria de enfocar uma situação que pertence ao futuro, que para muitos dos senhores parecerá fantasiosa, mas que merece, creio eu, que nos preparemos para ela em pensamento. Os senhores sabem que a nossa eficácia terapêutica não é muito intensa. Somos apenas um punhado de gente, e cada um de nós, mesmo com um grande esforço, só pode se dedicar a um número pequeno de pacientes em um ano. Contra o excesso de sofrimento neurótico que existe no mundo e que talvez não tenha de existir, aquilo que nós conseguimos eliminar desse sofrimento é praticamente irrelevante em termos quantitativos. Além disso, devido às condições de nossa existência, estamos limitados às camadas abastadas e mais altas da sociedade, que costumam escolher, elas próprias, os seus médicos, e nessa escolha são desviadas por todos os preconceitos relativos à Psicanálise. Para as amplas camadas da população que sofrem muito profundamente com as neuroses, por ora nada podemos fazer.

Agora, suponhamos que através de alguma organização conseguíssemos multiplicar o nosso número, de modo que fôssemos suficientes para o tratamento de massas maiores de pessoas. Por outro lado, pode-se prever que, em algum momento, a consciência da população acordará e a alertará para o fato de que o pobre tem o mesmo direito à assistência anímica que ele já tem agora à assistência cirúrgica, que salva vidas. E que as neuroses não são menos ameaçadoras à saúde da população que a tuberculose e que, assim como esta, não podem ser deixadas a cargo de cada pessoa do povo. Então, serão erguidos instituições ou institutos de formação [*Ordinationsinstitute*], onde trabalharão médicos de formação psicanalítica que através da análise manterão capazes, em face da resistência à produtividade [*Leistung*], homens – que do contrário se entregariam à bebida –, mulheres – que ameaçam sucumbir diante do peso das renúncias – e crianças – que têm diante de si apenas a escolha entre a selvageria e a neurose. Esses tratamentos serão gratuitos. Pode ser que leve muito tempo até que o Estado perceba esses deveres como sendo urgentes. As condições atuais possivelmente ainda adiarão esse prazo, e é provável que a beneficência particular dará o primeiro passo com tais institutos; mas em algum momento isso necessariamente terá de acontecer.

Resultará daí para nós, então, a tarefa de adequar a nossa técnica às novas condições. Não duvido de que a força argumentativa das nossas crenças psicológicas também impressionará alguém sem formação, mas precisaremos encontrar a expressão mais simples e palpável dos nossos ensinamentos teóricos. Provavelmente teremos a experiência de que o pobre estará ainda menos disposto a renunciar à sua neurose do que o rico, porque a vida difícil que espera por ele não o atrai e o estar-doente lhe garante mais um direito à assistência social. Possivelmente, muitas vezes poderemos ter resultados apenas se conseguirmos unir, à maneira do imperador José,[3] a assistência anímica e o apoio material. Muito provavelmente também seremos obrigados, ao utilizarmos a nossa terapia com as massas, a fundir o ouro puro da análise em grande medida com o cobre do sugestionamento direto, e também o influenciamento hipnótico poderia encontrar o seu lugar ali, assim como no tratamento dos neuróticos de guerra. Mas seja de que forma essa psicoterapia para o povo se configure, ou de que elementos ela se constitua, as suas partes mais eficazes e importantes certamente serão aquelas emprestadas da Psicanálise propriamente dita, livre desta ou daquela tendência.

Wege der psychoanalytischen Therapie (1919 [1918])

1919 Primeira publicação: *Internationale Zeitschrift für Psychoanalyse*, t. 5, n. 2, p. 61-68

1946 *Gesammelte Werke*, t. XII, p. 181-194

Freud esboçou as principais ideias desta conferência durante sua estadia de verão em Steinbruch, na Hungria. O texto desta conferência foi lido no V Congresso Internacional de Psicanálise, ocorrido na Academia de Ciências de Budapeste, em presença de representantes dos governos da Alemanha, da Áustria e da Hungria, entre 28 e 29 de setembro de 1918, pouco tempo antes do fim da guerra. O caráter inequivocamente político do texto, evidente principalmente na sua última parte, explica-se, pelo menos em parte, por essa particular audiência e contexto. Freud não poderia perder a chance de falar sobre o futuro da Psicanálise no pós-guerra, especialmente no que tange à sua extensão para camadas mais pobres da população, através de serviços públicos de saúde. Sua fala foi vista como um misto de profecia e de desafio.

Numa passagem tornada célebre, a analogia do trabalho do psicanalista com a análise química afasta a tentação de aproximar a prática psicanalítica e a psicossíntese. O tropo relativo à Química permite ainda outra importante metáfora, aquela que distingue o *ouro* puro da análise e o *cobre* dos métodos sugestivos. A *fusão* dessas substâncias, sob certas condições, poderia ser uma inovação técnica com vistas à extensão do tratamento analítico em contexto institucional.

Não foram poucas as ressonâncias práticas dessa intervenção, levadas a efeito por diversos participantes do congresso. Em 1920, Max Eitingon e Ernst Simmel fundam a Policlínica de Berlim, que oferecia tratamento gratuito e onde trabalharam nomes como Melanie Klein, Hanns Sachs e Karl Abraham; dois anos mais tarde, Eduard Hitschmann inaugura uma clínica social em Viena; depois de algum tempo, Sándor Ferenczi funda em Budapeste mais uma clínica gratuita. As ressonâncias da conferência de Freud chegam ainda a Ernest Jones, que, mesmo não tendo participado do congresso de Budapeste, cria em 1926 a London Clinic for Psychoanalysis. Ao fim e ao cabo, entre o final da Primeira Guerra e a ascensão do Reich nazista, perto de uma dúzia de clínicas sociais foi fundada por discípulos de Freud, de Londres a Zagreb.

Este texto é um ótimo exemplo do cruzamento entre a dimensão ética e a dimensão técnica da Psicanálise, especialmente quando aborda o risco de uma certa análise ortopédica, que submete os destinos de uma análise seja aos ideais do terapeuta, seja a ideais sociais determinados. Reconhecemos aqui o distanciamento de Freud com relação a Jung, no primeiro caso, e a uma certa versão da Psicanálise norte-americana, no segundo.

Por outro lado, é nítida também a afirmação do caráter inacabado da teoria e da técnica psicanalíticas. Os "caminhos" da terapia psicanalítica referidos no título do artigo são o índice de uma certa abertura a inovações clínicas, tendo como horizonte inovações técnicas discutidas naqueles anos com seus discípulos, sobretudo com Ferenczi. Nesse sentido, a conferência de Freud da qual resultou o presente artigo detinha, também, a especificidade de um ato político contra a tendência ao dogmatismo precocemente presente no movimento psicanalítico.

DANTO, E. A. *Freud's free clinics: psychoanalysis and social justice, 1918-1938*. New York: Columbia University Press, 2005. • FERENCZI, S. A técnica psicanalítica. In: *Obras completas*. São Paulo: Martins Fontes, 1992 [1919]. v. 2.

NOTAS

[1] Clara menção aos anos da Primeira Guerra Mundial (1914-1918). (N.R.)

[2] Modo como Freud se referia à pessoa de Carl Gustav Jung. Inicialmente um psicanalista suíço que Freud teve em alta conta, e que chegou a presidir a Associação Internacional de Psicanálise. Posteriormente um conhecido dissidente da Psicanálise. (N.R.)

[3] Referência ao imperador José II, do Império Austro-Húngaro, famoso pelos seus gestos de filantropia. (N.R.)

A QUESTÃO DA ANÁLISE LEIGA. CONVERSAS COM UMA PESSOA IMPARCIAL (1926)

INTRODUÇÃO

O título deste pequeno escrito não é inteligível de imediato. Portanto, vou elucidá-lo: *leigos* = *não médicos*, e a questão que se coloca é se a não médicos também é permitido exercer a análise. Essa questão está condicionada pelo tempo e pelo espaço. Pelo tempo, na medida em que até agora ninguém se preocupou com *quem* exerce a análise. É verdade, preocuparam-se pouco demais com essa questão, mas havia consenso no desejo de que *ninguém* deveria exercê-la, com justificativas diversas, todas elas com a mesma rejeição na base. A exigência de que apenas médicos devessem analisar, portanto, corresponde a uma nova postura, aparentemente mais simpática em relação à análise – isto é, desde que não se coloque apenas como um derivado da postura antiga. Admite-se que um tratamento analítico deva ser feito sob certas circunstâncias, mas, sendo o caso, apenas médicos deveriam poder fazê-lo. O porquê dessa limitação é que será aqui analisado.

Essa questão está condicionada pelo espaço, porque não se aplica a todos os países da mesma forma. Na Alemanha e nos Estados Unidos, ela é uma discussão meramente acadêmica, pois nesses países todo paciente pode ser tratado como e por quem ele quiser, e todo aquele que quiser pode tratar inúmeros pacientes como "charlatão" [Kurpfuschen[1]], desde que assuma a responsabilidade pelos seus atos. A lei não se intromete até que ela seja consultada para punir um dano causado ao paciente. Mas na Áustria, onde e para a qual eu escrevo, a lei é preventiva; ela proíbe ao não médico aplicar tratamentos em pacientes sem esperar o seu resultado.[i] Aqui, portanto, a questão sobre se leigos = não médicos podem tratar pacientes com a Psicanálise tem um sentido prático. Mas assim que é levantada, ela parece também ter sido decidida pela letra da Lei. Os doentes de nervos [Nervösen] são doentes, leigos são não médicos, a Psicanálise é um procedimento para a cura ou a melhora das doenças nervosas, e todos os tratamentos desse tipo são reservados aos médicos; consequentemente, não é permitido que leigos exerçam a análise em doentes de nervos, e, se o fizerem, serão passíveis de punição legal. Numa situação tão simples e clara, dificilmente nos atreveríamos a discutir a questão da análise leiga. No entanto, há algumas complicações das quais a lei não se ocupou, mas que justamente por isso precisam ser consideradas. Talvez se conclua aqui que doentes nesse caso não são iguais a outros doentes, que leigos não são realmente leigos e que médicos não são exatamente aquilo que se pode esperar de médicos e em que eles podem embasar as suas reivindicações. Se isso puder ser comprovado, será uma exigência justificada que a lei não se aplique a esse caso, sem que ela seja modificada.

---

[i]   O mesmo vale para a França.

I

Se isso de fato irá ocorrer vai depender de pessoas que não têm a obrigação de conhecer as especificidades de um tratamento analítico. É nossa tarefa instruir tais pessoas imparciais a respeito, supomos até agora como desinformadas. Lamentamos não podermos transformá-los em ouvintes de um tratamento desse tipo. A "situação analítica" não suporta um terceiro. Cada uma das sessões de tratamento também tem valor desigual; um ouvinte desses – não autorizado – que presenciasse uma sessão aleatória na maioria dos casos não teria uma impressão aproveitável, ele correria perigo de não entender o que é tratado entre o analista e o paciente, ou então ficaria entediado. Ou seja, mal ou bem ele precisa se dar por satisfeito com a nossa informação, que queremos passar da forma mais confiável possível.

O paciente talvez sofra de oscilação de humores que ele não domina, ou talvez de desânimo, através do qual ele sente a sua energia paralisada, já que não confia muito em si, ou então sofre de timidez angustiante diante de estranhos. Ele poderá perceber (sem compreender) que lhe é difícil executar o seu trabalho profissional, mas também toda tomada de decisão mais séria ou qualquer empreendimento. Certo dia – ele não sabe por que – ele sofreu um ataque desconcertante de sentimentos de angústia e desde então não consegue atravessar a rua sozinho ou viajar de trem sem um esforço de superação, talvez até tenha abdicado de ambos. Ou – o que é muito curioso – seus pensamentos trilham caminhos próprios e não se deixam guiar por sua vontade. Eles perseguem problemas que lhe são muito indiferentes, mas dos quais não consegue se livrar. Também lhe são impostas tarefas extremamente ridículas, como contar a quantidade de janelas nas fachadas dos prédios, e quanto a atividades simples, como jogar cartas em uma caixa de correio ou desligar a chama do fogão, por um instante ele fica em dúvida se realmente as executou. Isso talvez seja apenas irritante e incômodo, mas a situação fica insuportável quando de repente ele não consegue se livrar da ideia de que jogou uma criança debaixo das rodas de um carro, empurrou um desconhecido da ponte, fazendo-o cair na água, ou se vê instado a se perguntar se não é ele o assassino que a polícia está procurando como o autor de um crime que foi descoberto hoje. Aparentemente é bobagem, ele mesmo sabe disso, ele nunca fez mal a ninguém, mas se ele fosse mesmo o assassino procurado, a sensação – o sentimento de culpa – não poderia ser mais forte.

Ou então o nosso paciente – digamos que agora seja uma mulher – sofre de outra forma e em outra área. Ela é pianista, mas seus dedos ficam crispados e recusam-se a tocar. Quando ela pensa em ir a um evento social, imediatamente se instala nela uma necessidade natural cuja satisfação seria incompatível com a sociabilidade. Portanto, ela abdica de ir a eventos sociais, bailes, teatro, concertos. No momento em que menos precisa, ela é acometida por fortes dores de cabeça ou outras sensações de dor. Eventualmente, ela expele todas as refeições que ingere através de vômito, o que a longo prazo pode ser perigoso. Por fim, é lamentável que ela não suporte excitações, algo que é inevitável ao longo da vida. Nessas ocasiões, ela desmaia, muitas vezes com cãibras musculares, que lembram estados patológicos perturbadores [unheimliche].

Ainda outros pacientes sentem-se incomodados em um âmbito especial, no qual a vida sentimental liga-se com as demandas do corpo. Quando homens, eles se sentem incapazes de expressar fisicamente as moções mais afetivas diante do sexo oposto, enquanto talvez diante de objetos pouco amados eles tenham à disposição todas as reações. Ou então a sua sensualidade os atrela a pessoas que eles desprezam, das quais querem se libertar. Ou ainda ela estabelece condições cuja realização é abjeta até mesmo para eles. Quando mulheres, elas se sentem impedidas, pelo medo e pelo nojo ou por obstáculos desconhecidos, a responder às exigências da vida sexual; ou, se elas cederam ao amor, sentem-se privadas do prazer que a natureza concedeu como prêmio por tal docilidade.

Todas essas pessoas se enxergam como doentes e procuram médicos, dos quais se espera a eliminação desses distúrbios nervosos. Os médicos também dispõem das categorias em que se classificam essas doenças. De acordo com as suas perspectivas, eles as diagnosticam com nomes diversos: neurastenia, psicastenia, fobias, neurose obsessiva, histeria. Eles examinam os órgãos que manifestam os sintomas: o coração, o estômago, os intestinos, os genitais e os acham saudáveis. Eles aconselham interrupções do modo de vida usual, descansos, procedimentos fortalecedores, medicamentos tonificantes, e obtêm alívios passageiros – ou simplesmente nada. Por fim, os doentes ouvem dizer que há pessoas que se ocupam especificamente do tratamento desse tipo de doença, e começam uma análise com elas.

Nosso interlocutor imparcial, que imagino como estando aqui presente, deu sinais de impaciência durante a apresentação das manifestações patológicas dos doentes de nervos. Agora, ele está mais atento, curioso, e se expressa da seguinte forma: "Então agora vamos saber o que o analista faz com o paciente a quem o médico não conseguiu ajudar".

Nada mais acontece entre eles do que uma conversa. O analista não utiliza instrumentos, nem mesmo para o exame, nem prescreve medicamentos. Se possível, ele até mantém o doente em seu ambiente e em meio a suas relações habituais enquanto está em tratamento. Isso evidentemente não é uma condição, e nem sempre pode ser feito dessa forma. O analista pede que o paciente venha ao seu consultório em um horário determinado do dia, deixa-o falar, ouve o que ele diz, depois fala com ele e o faz ouvir.

A expressão facial do nosso interlocutor imparcial, então, demonstra um indefectível alívio e relaxamento, mas também evidencia claramente certo desprezo. É como se pensasse: é só isso? "Palavras, palavras, palavras",[2] como diz o príncipe Hamlet. Certamente também lhe vem à cabeça a fala de escárnio de Mefisto,[3] que diz como é confortável lidar com palavras – versos que nenhum alemão jamais esquecerá.

Ele diz também: "Então isso é um tipo de magia, vocês fazem desaparecer a doença com palavras e um simples sopro".

Com certeza, seria magia se o efeito fosse mais rápido. Parte da magia é necessariamente a rapidez, até mesmo o aspecto repentino do sucesso. Mas os tratamentos analíticos precisam de meses e até anos; uma mágica tão lenta perde o caráter do miraculoso. Aliás, não desprezemos a *palavra*. Ela é um instrumento poderoso; é o recurso pelo qual comunicamos nossos sentimentos uns aos outros, é o caminho pelo qual influenciamos o outro. Palavras podem ser extremamente benfazejas e podem ferir terrivelmente. É verdade que no princípio era o ato,[4] a palavra veio depois, sob certas circunstâncias foi um progresso cultural quando a ação se reduziu à palavra. Mas a palavra originalmente era magia, um ato mágico, e ainda preservou muito de sua antiga força.

O interlocutor imparcial continua: "Suponhamos que o paciente não esteja mais preparado que eu para compreender o tratamento analítico; como o senhor pensa em convencê-lo da magia da palavra ou da fala, que o libertará de seu sofrimento?".

Evidentemente, ele necessitará de uma preparação, e isso pode ser feito de um modo fácil. Pedimos a ele que seja muito sincero com seu analista, que não omita propositalmente nada que lhe venha à mente, e depois que ignore *todos* os impedimentos que querem excluir alguns pensamentos ou lembranças da comunicação. Toda pessoa sabe que há coisas que ela contaria aos outros apenas a contragosto, ou cuja comunicação ela julga impraticável. São suas "intimidades". Ele também intui aquilo que significa um grande progresso no autoconhecimento psicológico, que há outras coisas que não se quer confessar a si mesmo, que se quer esconder de si mesmo e que por isso se interrompe e se afugenta de seus pensamentos quando elas surgem. Talvez ele próprio perceba o indício de um problema psicológico muito curioso na situação em que um pensamento deva ser escondido de si mesmo. É como se o si-mesmo [*Selbst*] não fosse mais aquela unidade que se julgava ser, como se ainda houvesse outra coisa dentro dele que se contrapusesse a esse si-mesmo. Algo como uma oposição entre o si-mesmo e uma vida anímica em sentido amplo pode ser vislumbrado por ele ainda em contornos obscuros. Quando, então, ele aceita a exigência da análise de dizer tudo, ele facilmente se torna acessível à expectativa de que um trânsito e uma troca de ideias sob circunstâncias tão incomuns também possa levar a efeitos curiosos.

"Eu entendo", diz o nosso ouvinte imparcial, "o senhor supõe que todo nervoso tenha algo que o incomoda, um segredo, e na medida em que o senhor o motiva a verbalizar o problema, o senhor lhe tira o peso e lhe faz bem. Esse é o princípio da confissão, do qual a igreja católica se serviu desde sempre para garantir o seu domínio dos ânimos."

Temos de responder a isso com sim e não. A confissão introduz a análise como uma espécie de preâmbulo. Mas está longe de chegar à essência da análise ou de explicar o seu efeito. Na confissão, o pecador diz o que sabe; na análise, o neurótico deve dizer mais. Também nada consta sobre a confissão ter desenvolvido alguma força que elimine sintomas diretos de doenças.

"Então eu não entendo", é o que retruca. "O que significa: dizer mais do que ele sabe? Mas posso imaginar que o senhor enquanto analista tenha uma influência maior sobre o paciente que o penitente sobre o confessor, porque o senhor se dedica a ele por muito mais tempo, de forma mais intensa e mais individualizada, e o senhor utiliza essa influência ampliada para afastá-lo de suas ideias patologizantes, para tirar dele os temores, etc. Seria deveras curioso se dessa forma fosse possível dominar também fenômenos puramente físicos, como vômitos, diarreia e cãibras, e sei que esses influenciamentos [*Beeinflussungen*] são perfeitamente possíveis quando se colocou alguém em estado hipnótico. Provavelmente, através do seu esforço com o paciente, o senhor consiga tal relação hipnótica, uma ligação sugestiva com a sua pessoa, mesmo não sendo essa a sua intenção, e os milagres da sua terapia serão, então, os efeitos da sugestão hipnótica. Mas, pelo que sei, a terapia hipnótica trabalha muito mais rápido que a sua análise, que, como o senhor diz, dura meses e até anos."

Nosso interlocutor imparcial não é nem tão desinformado nem tão perdido como inicialmente poderíamos supor. É evidente que ele se esforça em compreender a Psicanálise com auxílio de seus conhecimentos prévios, atrelá-los a outra coisa que ele já sabe. Temos agora a tarefa difícil de esclarecer a ele que isso não funcionará, que a análise é um procedimento *sui generis*, algo novo e único, que só pode ser compreendido por meio de novas descobertas – ou, se quisermos, de novas suposições. Mas ainda estamos devendo a ele a resposta aos seus últimos comentários.

O que o senhor disse sobre a influência pessoal especial do analista certamente é notável. Essa influência existe e tem um papel muito importante na análise. Mas não o mesmo que no hipnotismo. Creio que conseguirei provar ao senhor que as situações nos dois casos são bem diferentes. Talvez baste a observação de que não usamos essa influência pessoal – o fator "sugestivo" – para suprimir [*unterdrücken*] os sintomas da doença, como acontece na sugestão hipnótica. Além disso, seria falso acreditar que esse momento é o portador e o promotor do tratamento. No início, talvez; mas depois ele se contrapõe às nossas intenções analíticas e nos obriga a tomar as mais extensas contramedidas. Também quero lhe mostrar, a partir de um exemplo, como a distração e a dissuasão estão distantes da técnica analítica. Se o nosso paciente sofre de um sentimento de culpa, como se tivesse cometido um crime grave, não aconselhamos a ele que supere essa crise de consciência reforçando a sua indubitável ausência de culpa; ele já tentou isso, sem sucesso. Mas nós o alertamos de que um sentimento tão forte e duradouro deve se originar de algo real, que talvez possa ser encontrado.

"Muito me espantaria", diz o interlocutor imparcial, "se com essa aquiescência o senhor conseguisse aplacar a sensação de culpa do seu paciente. Mas quais são as suas intenções analíticas e o que o senhor faz com o paciente?"

II

Se eu tiver de dizer ao senhor algo compreensível, provavelmente terei de lhe informar uma parte de um ensinamento psicológico que é desconhecido fora dos círculos analíticos ou, pelo menos, que não é suficientemente reconhecido. A partir dessa teoria é fácil deduzir o que queremos do doente e de que modo iremos alcançá-lo. Vou apresentá-lo ao senhor de forma dogmática, como se fosse uma estrutura doutrinária acabada. Mas não ache que ela surgiu como tal, semelhante a um sistema filosófico. Nós a desenvolvemos muito lentamente, lutamos por cada pedacinho, a modificamos em constante contato com a observação, até que ela enfim ganhasse uma forma que fosse suficiente para os nossos objetivos. Há alguns anos, eu ainda teria de vesti-la com outros termos. Evidentemente, não posso lhe garantir que a forma como ela se expressa hoje seja a definitiva. O senhor sabe que a Ciência não é uma revelação, que muito depois de seus primórdios lhe faltam as características da determinação, da imutabilidade, da infalibilidade, características pelas quais o pensamento humano tanto anseia. Mas tal como ela é, ela é tudo de que podemos dispor. Acrescente-se a isso que a nossa ciência é muito jovem, mal tem a idade do nosso século, e que ela mais ou menos se ocupa da matéria mais difícil que pode ser apresentada à pesquisa humana, então o senhor facilmente terá a perspectiva correta diante da minha explanação. Mas me interrompa à vontade toda vez que o senhor não conseguir acompanhar ou se desejar mais esclarecimentos.

"Interrompo mesmo antes de o senhor começar. O senhor diz que vai me apresentar uma nova Psicologia, mas quero crer que a Psicologia não seja uma ciência nova. Houve Psicologia e psicólogos suficientes, e na escola ouvi falar de grandes feitos nessa área."

O que não tenciono refutar. Mas se o senhor analisar mais de perto, terá de associar esses grandes feitos à fisiologia dos sentidos. A doutrina da vida anímica não pôde se desenvolver porque estava travada por uma única compreensão falsa essencial. O que ela engloba hoje, tal como é ensinada nas escolas? Além daquelas descobertas valiosas da fisiologia dos sentidos, uma série de divisões e definições dos nossos processos anímicos, que, graças ao uso corriqueiro da linguagem, tornaram-se bem comuns para todas as pessoas cultas. Isso aparentemente não é suficiente para abarcar a nossa vida anímica. O senhor não percebeu que todo filósofo, poeta, historiador e biógrafo organiza a sua própria Psicologia, apresenta seus pré-requisitos especiais sobre a relação e os objetivos dos atos anímicos, todos eles mais ou menos agradáveis e todos igualmente pouco confiáveis? Ao que parece, falta um fundamento comum a todos. E é por isso também que no campo da Psicologia, por assim dizer, não há respeito nem autoridade. Toda e qualquer pessoa pode agir "de forma selvagem", à vontade. Se o senhor levantar uma questão de Física ou de Química, silenciará todo aquele que não dispuser de "conhecimentos de especialista". Mas se o senhor arriscar uma afirmação da área da Psicologia, o senhor deverá estar preparado para juízos e refutações de todos. Provavelmente não há "conhecimentos especializados" nessa área. Qualquer um tem a sua vida anímica e por isso todo mundo se julga um psicólogo. Mas isso não me parece ser um título de direito suficiente. Conta-se que perguntaram a uma pessoa que se oferecia para ser "babá de crianças" se ela sabia lidar com crianças. "Certamente", respondeu ela, "eu mesma já fui criança um dia."

"E o senhor alega ter descoberto esse 'fundamento comum' da vida anímica, que passou despercebido de todos os psicólogos, a partir da observação dos pacientes?"

Não creio que essa origem desqualifique os nossos achados. A Embriologia, por exemplo, não mereceria confiança se não conseguisse esclarecer claramente o surgimento de malformações congênitas. Mas contei para o senhor o caso de pessoas cujos pensamentos caminham por vias próprias, de modo que são obrigadas a refletir sobre problemas que lhe são completamente indiferentes. O senhor acha que a Psicologia acadêmica alguma vez contribuiu minimamente para esclarecer tal anomalia? E, por fim, acontece com todos nós que à noite os nossos pensamentos trilhem caminhos próprios e criem coisas que então não compreendemos, que nos causam estranhamento e nos preocupam, pois as associamos a produtos doentios. Refiro-me aos nossos sonhos. O povo sempre sustentou a crença de que os sonhos têm um sentido, um valor, que significam algo. A Psicologia acadêmica nunca conseguiu indicar o sentido dos sonhos. Ela não sabia o que fazer com o sonho; quando tentou dar explicações, elas não eram psicológicas, tal como remontar a estímulos sensoriais, a diferentes profundidades do sono das diferentes partes do cérebro e explicações semelhantes. Mas pode-se dizer que uma psicologia que não consegue explicar o sonho também não serve para a compreensão da vida anímica normal, portanto não tem direito de se chamar de Ciência.

"O senhor está ficando agressivo, portanto o senhor deve ter tocado em um ponto sensível. É que ouvi que na análise se dá muito valor aos sonhos, eles são interpretados, por trás deles se buscam lembranças de fatos reais, etc. Mas ouvi também que a interpretação do sonho está sujeita à arbitrariedade dos analistas, e que eles mesmos não souberam lidar com as divergências sobre o modo de interpretar sonhos, sobre o direito de tirar conclusões a partir deles. Se isso for verdade, o senhor não pode sublinhar com tanta ênfase a vantagem que a análise alcançou diante da Psicologia acadêmica."

O senhor realmente disse muita coisa correta. É verdade que a interpretação do sonho alcançou uma importância incomparável, tanto para a teoria quanto para a prática da análise. Se pareço agressivo, para mim essa é uma forma de defesa. Mas se penso em todas as besteiras que alguns analistas fizeram com a interpretação do sonho, eu poderia ficar desesperançoso e dar razão à expressão pessimista do nosso grande autor satírico Nestroy,[5] que é: todo progresso sempre tem só a metade do tamanho que parece ter inicialmente! Mas alguma vez o senhor teve outra experiência senão a de que as pessoas confundem e distorcem tudo que lhes cai nas mãos? Com algum cuidado e autocontrole, certamente se pode evitar a maioria dos perigos da interpretação do sonho. Mas o senhor não acha que eu nunca de fato começarei a minha palestra se nos deixarmos distrair de tal modo?

"Sim, o senhor queria falar do pressuposto fundamental da nova Psicologia, se eu o entendi bem."

Eu não queria iniciar por aí. Tenho a intenção de fazê-lo ouvir qual foi a concepção da estrutura do aparelho anímico [Seelenapparat] que nós formamos durante os estudos analíticos.

"Posso perguntar o que o senhor chama de aparelho anímico e do que ele é composto?"

Logo ficará claro o que é o aparelho anímico. Peço que não pergunte de que material ele é composto. Não é um interesse psicológico; pode ser tão indiferente para a Psicologia quanto é para a Óptica saber se as paredes dos binóculos são feitas de metal ou de papelão. Aliás, deixaremos totalmente de lado o aspecto *material*, mas não o aspecto *espacial*. É que realmente imaginamos o aparelho desconhecido que serve aos empreendimentos anímicos como sendo um instrumento composto de várias partes – que chamamos de instâncias –, cada uma com uma função específica e que têm uma relação espacial mútua estabelecida, isto é, a relação espacial, o "na frente de" e o "atrás de", o "superficial" e o "profundo" para nós inicialmente só tem o sentido de uma representação da sequência regular das funções. Ainda me faço compreender?

"Não muito bem, talvez eu entenda mais tarde, mas no mínimo é uma curiosa anatomia da alma, que há muito tempo não existe mais para os cientistas naturais."

Mas o que o senhor esperava? É uma concepção auxiliar, como tantas outras nas ciências. As primeiras sempre foram bastante rudimentares. *Open to revision* [aberta a reconsiderações], como poderíamos dizer nesses casos. Acredito ser supérfluo eu me utilizar aqui do "como se", que ficou tão popular. O valor de tal – "ficção", diria o filósofo Vaihinger[6] – depende do quanto se pode fazer com ela.

Então, para continuarmos: colocamo-nos no terreno da sabedoria cotidiana e reconhecemos no ser humano uma organização anímica, que por um lado está inserida entre os seus estímulos sensoriais e a percepção das necessidades do corpo, e por outro, nos seus atos motores e que serve de mediadora entre eles com determinada intenção. Chamamos a essa organização de seu *Eu*. Mas isso não é novidade, todos nós fazemos essa suposição quando não somos filósofos, e alguns o fazem apesar de serem filósofos. Mas não acreditamos ter esgotado com isso a descrição do aparelho anímico. Além desse Eu, reconhecemos outra área anímica, mais ampla, mais grandiosa e mais obscura que o Eu, a que chamamos de *Isso*. A relação entre os dois é a que nos ocupará nesse primeiro momento.

O senhor provavelmente irá criticar o fato de termos escolhido pronomes simples para introduzirmos as nossas duas instâncias ou províncias anímicas, em vez de nomes gregos sonoros.[7] Mas, na Psicanálise, amamos ficar em contato com o modo de pensar popular e preferimos tornar os seus conceitos cientificamente úteis, em vez de descartá-los. Não há nenhum mérito nisso, precisamos proceder dessa forma, porque as nossas doutrinas precisam ser entendidas pelos nossos pacientes, que muitas vezes são muito inteligentes, mas nem sempre são eruditos. O *Isso* impessoal associa-se diretamente a certas formas de expressão do homem normal. As pessoas dizem "algo me estremeceu"; "havia isso dentro de mim [*es war etwas in mir*] que naquele momento foi mais forte que eu". "*C'était plus fort que moi.*"[8]

Na Psicologia, só podemos descrever com auxílio de comparações. Isso não é nada de especial, também é assim em outros lugares. Mas precisamos mudar essas comparações constantemente, ninguém nos aguenta por muito tempo. Portanto, seu eu quiser esclarecer a relação entre Eu e Isso, pediria ao senhor que imaginasse que o Eu é uma espécie de fachada do Isso, um primeiro plano, como uma camada externa cortical do Isso. Essa última comparação pode ser guardada. Sabemos que as camadas corticais possuem as suas características especiais graças à influência modificadora do meio externo que elas tocam. Assim, imaginamos que o Eu seja a camada do aparelho anímico, do Isso, que foi modificada por influência do mundo externo (da realidade). Assim, o senhor vê como levamos a sério as concepções de espaço na Psicanálise. O Eu para nós é realmente o superficial, o Isso é o mais profundo, é claro que visto de fora. O Eu se localiza entre a realidade e o Isso, que é o propriamente anímico.

"Ainda nem vou perguntar como podemos saber disso tudo. Diga-me primeiro que vantagem tem essa separação entre um Eu e um Isso, o que leva o senhor a fazer isso?"

A sua pergunta me aponta o caminho para a continuação correta. O importante e valioso é saber que o Eu e o Isso em vários pontos diferem muito entre si; no Eu valem regras diferentes daquelas do Isso para o desenrolar de atos anímicos, o Eu persegue outros objetivos e com outros recursos. Teríamos muito a dizer a esse respeito, mas o senhor se contentará com uma nova comparação e um exemplo? Pense na diferença entre o *front* e o interior, tal como se configurou durante a guerra. Naquele momento, não nos surpreendemos com o fato de que no *front* muitas coisas aconteciam de modo diferente se comparadas ao interior, e que no interior se permitiam coisas que no *front* tinham de ser proibidas. A influência decisiva evidentemente era a proximidade do inimigo; para a vida anímica, é a proximidade do mundo externo. Os termos "fora – alheio – inimigo [*draußen – fremd – feindlich*]" em algum momento foram idênticos. E agora, o exemplo: no Isso, não há conflitos; contradições, opostos continuam coexistindo sem se deixar importunar e muitas vezes se acertam por meio da formação de acordos. Nesses casos, o Eu sente um conflito que precisa ser decidido, e a decisão consiste no fato de que uma ambição é descartada em benefício da outra. O Eu é uma organização caracterizada por um anseio muito curioso por unificação, por síntese; essa característica falta ao Isso, ela está – digamos – desgastada, suas ambições individuais perseguem os seus objetivos, independentes umas das outras e sem consideração mútua.

"Mas se existe um interior anímico tão importante, como o senhor pode tornar compreensível para mim o fato de que até a época da Psicanálise ele tenha sido ignorado?"

Assim, voltamos a uma das suas perguntas anteriores. A Psicologia bloqueou o acesso à área do Isso, na medida em que se ateve a um pressuposto que parece evidente, mas que não se sustenta. Diz ele que todos os atos anímicos são conscientes em nós, que a consciência é a marca do anímico e que, se houver processos inconscientes em nosso cérebro, eles não merecem o nome de atos anímicos e não são da alçada da Psicologia.

"Creio que isso seja óbvio."

Sim, os psicólogos também acham isso, mas é fácil mostrar que isso está errado, ou que é uma diferenciação totalmente inadequada. A auto-observação mais confortável nos ensina que podemos ter ocorrências [*Einfälle*] que não podem ter surgido sem uma preparação. Mas dessas etapas preliminares de sua ideia, que certamente também foram de natureza anímica, o senhor não fica sabendo nada, o que chega à sua consciência é apenas o resultado pronto. Ocasionalmente, o senhor poderá conscientizar-se *a posteriori* dessas formações preparatórias das ideias, como em uma reconstrução.

"Provavelmente, havia uma distração da atenção, para que não se percebessem essas preparações."

Mas isso são evasivas! Assim, o senhor não escapa do fato de que dentro do senhor podem acontecer atos de natureza anímica, frequentemente muito complicados, dos quais a sua consciência nada fica sabendo, dos quais o senhor nada sabe. Ou o senhor está disposto a supor que um pouco mais ou um pouco menos da sua "atenção" é suficiente para transformar um ato não anímico em um ato anímico? Aliás, por que a discussão? Há experimentos hipnóticos em que a existência dessas ideias não conscientes é demonstrada de forma irrefutável para qualquer pessoa que queira aprender.

"Não quero negar, mas acredito que enfim entendo o senhor. O que o senhor chama de Eu é o consciente, e o seu Isso é o chamado inconsciente, do qual tanto se fala hoje. Mas por que esse mascaramento com esses nomes novos?"

Não é um mascaramento, esses outros nomes são inúteis. E não tente me dar Literatura em vez de Ciência. Quando alguém fala de inconsciente, não sei se fala no sentido tópico, alguma coisa que se encontra na alma abaixo do consciente, ou no sentido qualitativo, um outro consciente, como um consciente subterrâneo. Provavelmente, ele não tem nada disso claro para si. A única oposição admissível é aquela entre consciente e inconsciente. Mas seria um engano repleto de consequências acreditar que essa oposição seja coincidente com a separação entre Eu e Isso. Aliás, seria maravilhoso se fosse simples assim; a nossa teoria então teria um jogo fácil, mas não é tão simples assim. Certo é apenas que tudo aquilo que se passa no Isso é e permanece inconsciente, e que os processos no Eu *podem* se tornar conscientes, e só eles. Mas não são todos, nem sempre e não necessariamente, e grandes partes do Eu podem permanecer inconscientes o tempo todo.

A conscientização [*Bewusstwerden*] de um processo anímico é uma questão complicada. Não vou me refrear em lhe apresentar – de novo, de forma dogmática – o que supomos a esse respeito. O senhor se recorda de que o Eu é uma camada externa, periférica do Isso. Nós acreditamos, então, que na superfície extrema desse Eu exista uma instância especial, voltada diretamente para o mundo externo, um sistema, um órgão, a partir de cuja excitação surja o fenômeno que chamamos de consciência. Esse órgão também pode ser excitado pelo lado de fora, ou seja, ele recebe os estímulos do mundo externo por meio dos órgãos sensoriais, ou por dentro, onde percebe primeiro as sensações no Isso e depois também os processos no Eu.

"Isso está ficando cada vez mais difícil e cada vez mais se distancia da minha compreensão. O senhor havia me convidado para uma conversa sobre a questão que indaga se também os leigos = não médicos devem exercer o tratamento analítico. Por que então todas essas digressões sobre teorias ousadas e obscuras, de cuja justificativa o senhor não consegue me convencer?"

Eu sei que não consigo convencê-lo. Isso está aquém de todas as possibilidades e, por isso, também não é a minha intenção. Quando ministramos aulas teóricas de Psicanálise aos nossos alunos, podemos observar quão pouco os impressionamos num primeiro momento. Eles aceitam os preceitos analíticos com a mesma frieza que outras abstrações com que foram alimentados. Alguns talvez queiram ser convencidos, mas não há qualquer traço de que o foram. Mas agora exigimos também que todo aquele que queira aplicar a análise em outras pessoas primeiro se submeta ele próprio a uma análise. Só no decurso dessa "autoanálise" (como ela é erroneamente denominada), quando eles experimentam de fato no próprio corpo – ou melhor: na própria alma – os processos postulados pela análise, eles terão adquirido as convicções que os guiarão mais tarde enquanto analistas. Como, então, esperar convencer o senhor, o interlocutor imparcial, da correção das nossas teorias, o senhor, para quem posso fazer apenas uma apresentação incompleta, reduzida e por isso não transparente delas, sem o reforço das suas próprias experiências?

Ajo com outro intuito. Entre nós não existe a questão que indaga se a análise faz sentido ou não, se ela tem razão em suas considerações ou se incorre em erros crassos. Apresento-lhe nossas teorias, porque assim posso esclarecer da melhor forma qual o repertório de ideias da análise, de que premissas ela parte em cada paciente e o que ela faz com ele. Assim, jogaremos uma luz muito específica sobre a questão da análise leiga. Aliás, fique tranquilo; se o senhor me acompanhou até aqui, o senhor superou a parte mais difícil, tudo o que se segue será mais fácil. Mas, agora, deixe-me respirar um pouco.

III

"Estou na expectativa de que o senhor queira deduzir a partir das teorias da Psicanálise como devemos imaginar o surgimento de uma doença nervosa."

Vou tentar fazê-lo. Mas, para esse fim, precisamos estudar o nosso Eu e o nosso Isso a partir de uma perspectiva nova, a perspectiva *dinâmica*, isto é, considerando as forças que agem dentro deles e entre eles. Anteriormente, havíamos nos contentado com a descrição do aparelho anímico.

"Espero que não seja novamente tão incompreensível!"

Creio que não. O senhor logo compreenderá. Então suponhamos que as forças que impulsionam o aparelho anímico para a atividade originam-se nos órgãos do corpo como expressão das grandes necessidades físicas. O senhor se lembra da expressão do nosso filósofo poeta: "fome e amor".[9] Aliás, um par de forças respeitável! Nós as chamamos de necessidades físicas, na medida em que representam estímulos para a atividade anímica, *pulsões* [*Triebe*], uma palavra pela qual muitos idiomas modernos nos invejam.[10] Essas pulsões então preenchem o Isso; podemos dizer, em resumo, que toda energia no Isso provém delas. As forças no Eu também não têm outra origem, elas são derivadas daquelas do Isso. Mas o que querem as pulsões? Satisfação, isto é, a produção de situações em que as necessidades físicas possam se extinguir. A diminuição da tensão das necessidades é sentida pelo nosso órgão da consciência como prazerosa, um aumento dessa tensão logo será sentido como desprazer. A partir dessas oscilações surge uma série de sensações de prazer-desprazer segundo a qual todo o aparelho anímico regula a sua atividade. Nesse caso, falamos de um "*domínio do princípio de prazer*".

Chega-se a estados insuportáveis quando as exigências pulsionais [*Triebansprüche*] do Isso não encontram satisfação. A experiência logo mostrará que essas situações de satisfação só podem ser produzidas com auxílio do mundo exterior. Assim, a parte do Isso voltada para o mundo exterior, que é o Eu, entra em funcionamento. Se toda a força motriz que tira o veículo do lugar for levantada pelo Isso, o Eu assume a condução, cuja ausência evidentemente impediria de alcançar o objetivo. As pulsões no Isso pressionam no sentido de uma satisfação imediata, irrestrita, não alcançam nada dessa forma ou experimentam, elas mesmas, um dano sensível. Passa então a ser a tarefa do Eu evitar esse insucesso e mediar entre as necessidades do Isso e o protesto do mudo exterior. Ele desenvolve a sua atividade em duas direções. De um lado, ele observa o mundo externo com ajuda de seu órgão sensorial, o sistema da consciência, para aproveitar o momento certo para a satisfação sem danos; por outro lado, ele influencia o Isso, refreia as suas "paixões", faz com que as pulsões adiem a sua satisfação e até mesmo, se for reconhecidamente necessário, que elas modifiquem os seus objetivos ou que deles desistam ao receberem uma compensação. Na medida em que ele acalma as moções do Isso dessa forma, ele substitui o princípio de prazer, que antes era o único determinante, pelo chamado *princípio de realidade*, que, esse sim, persegue os mesmos objetivos finais, mas leva em consideração as condições estipuladas pelo mundo exterior real. Mais tarde, o Eu aprende que ainda há outro caminho para a garantia da satisfação, diferente da *adaptação* ao mundo exterior. Também se pode intervir no mundo externo de forma *modificadora* e nele produzir propositalmente as condições que possibilitam a satisfação. Essa atividade, então, se tornará o produto mais elevado do Eu; as decisões sobre quando é mais adequado dominar as suas paixões e se curvar diante da realidade ou tomar o partido delas e se defender do mundo exterior são o que há de básico na sabedoria de vida.

"Mas o Isso aceita simplesmente um tal domínio do Eu, mesmo sendo ele, se bem entendi, a parte mais forte?"

Sim, isso funciona bem quando o Eu está de posse de sua organização plena e de sua capacidade produtiva, quando tem acesso a todas as partes do Isso e pode exercer a sua influência sobre elas. É que não há uma oposição natural entre Eu e Isso, eles são uma coisa só, e no caso de uma pessoa saudável praticamente não se consegue diferenciá-los.

"Isso tudo é bom de ouvir, mas eu não vejo em que lugar dessa relação ideal pode haver o mais ínfimo espaço para um distúrbio patológico."

O senhor tem razão; enquanto o Eu e suas relações com o Isso preencherem essas exigências, não haverá distúrbio patológico. O ponto de irrupção da doença está em um lugar inesperado, não obstante um conhecedor de patologia geral não ficar surpreso em ver confirmado que justamente os desenvolvimentos e diferenciações mais significativos trazem dentro de si a semente que leva ao adoecimento, ao fracasso da função.

"O senhor se coloca de forma muito erudita, eu não o entendo."

Eu preciso abrir o contexto um pouco mais. Não é verdade que o pequeno ser vivo é uma coisa bastante miserável e impotente diante do mundo externo mais-que-poderoso e repleto de influências destrutivas? Um ser primitivo, que não desenvolveu uma organização suficiente do Eu, está exposto a todos esses "traumas". Ele vive para a satisfação "cega" de seus desejos pulsionais e, tantas vezes, sucumbe por isso. A diferenciação de um Eu é, principalmente, um passo para a preservação da vida. É verdade que nada se aprende da derrocada, mas, quando se supera um trauma de forma feliz, presta-se atenção quando situações semelhantes se aproximam e se sinaliza o perigo através de uma repetição reduzida das impressões vividas durante o trauma, através de um *afeto de angústia* [*Angstaffekt*]. Essa reação à percepção do perigo, então, introduz a tentativa de fuga, que terá o efeito de salvar a vida até que se tenha força suficiente para enfrentar o perigo no mundo externo de forma ativa, talvez até com agressão.

"Isso tudo está muito distante daquilo que o senhor prometeu."

O senhor não faz ideia de quanto me aproximei do cumprimento de minha promessa inicial. Mesmo nos seres que depois têm uma organização do Eu produtiva, esse Eu inicialmente, nos anos de infância, ainda está enfraquecido e diferencia-se pouco do Isso. Agora imagine o senhor o que acontece quando esse Eu sem poderes vivencia uma necessidade pulsional do Isso, à qual já quer resistir, porque antevê que essa satisfação é perigosa, provocaria uma situação traumática, um confronto com o mundo externo, mas que não consegue dominar, porque ainda não possui a força necessária para tanto. Então, o Eu trata o perigo pulsional como se fosse um perigo externo, ele tenta fugir, recua diante dessa parte do Isso e o deixa à mercê de seu destino, depois de lhe ter recusado todas as contribuições que normalmente faz para as moções pulsionais. Dizemos que o Eu promove um *recalque* dessas moções pulsionais.[i] No momento, isso tem como resultado afastar o perigo, mas não se confunde o dentro e o fora impunemente. Não se pode fugir de si mesmo. No recalque, o Eu segue o princípio de prazer que normalmente costuma corrigir, e terá prejuízos por causa disso. Esse prejuízo consiste no fato de que o Eu agora tem a sua área de poder constantemente limitada. A moção pulsional recalcada agora está isolada, deixada à sua própria sorte, inacessível, mas também ininfluenciável. Ela trilha o seu próprio caminho. Em geral o Eu, depois que já

---

[i] [Nota de 1935:] Teoria da Psicanálise sobre a qual devo atrair a atenção do leitor. A apresentação no texto somente reconhece como motivo de recalcamento o caso em que a satisfação da pulsão é perigosa, em que ela conduziria a uma "colisão com o mundo exterior". Mas a questão é saber se essa é a única condição ou talvez somente a condição original de um recalque; saber se o recalque, essa tentativa de fuga do Eu diante da pulsão, não intervém na verdade a cada vez que a demanda pulsional se torna, dada sua intensidade, excessivamente intensa em relação à capacidade do Eu de lidar com ela, caso em que a consideração do perigo que ameaça a partir do mundo exterior não é levada em conta. A questão ainda não está resolvida, e as relações recíprocas dos dois possíveis motivos do recalque ainda não foram esclarecidas.

estiver mais forte, também não conseguirá mais suspender o recalque, sua síntese ficará prejudicada, uma parte do Isso permanecerá solo proibido para o Eu. Mas a moção pulsional isolada também não fica ociosa, ela sabe buscar a sua compensação por lhe ter sido negada a satisfação normal e produz derivados [*Abkömmlinge*] psíquicos que a representam, associa-se a outros processos, que por sua influência também arranca do Eu, e por fim irrompe no Eu e chega até a consciência, com o aspecto de uma formação substitutiva disforme e irreconhecível, e cria o que chamamos de sintoma. De repente, vislumbramos o estado de um distúrbio nervoso diante de nós: um Eu que teve a sua síntese impedida, que não tem influência sobre partes do Isso, que precisa abdicar de várias de suas atividades para evitar um novo confronto com o recalcado, que por sua vez se esgota em reações de defesa geralmente inúteis contra os sintomas – os derivados das moções recalcadas –, e um Isso em que algumas pulsões se tornaram independentes, que perseguem os seus objetivos sem considerar os interesses da pessoa como um todo e que só obedecem às leis da psicologia primitiva que vigoram nas suas profundezas [do Isso]. Se observarmos toda a situação em sua perspectiva geral, mostra-se para nós uma fórmula simples para o surgimento da neurose: o Eu tentou suprimir [*unterdrücken*] certas partes do Isso *de forma inadequada*, não teve sucesso e o Isso foi buscar vingança. Portanto, a neurose é a consequência de um conflito entre o Eu e o Isso, em que o Eu ingressa porque, como mostra um estudo detalhado, ele quer se ater à sua plasticidade diante do mundo externo. A oposição se dá entre o mundo externo e o Isso, e porque o Eu, fiel a sua essência mais íntima, se coloca do lado do mundo externo e por isso entra em conflito com seu Isso. Mas atente para o detalhe de que não é o fato do conflito que cria a condição do estar doente – pois tais oposições entre a realidade e o Isso são inevitáveis e o Eu tem como uma de suas constantes tarefas fazer a mediação entre eles –, mas a circunstância de que o Eu se serviu do recurso insuficiente do recalque para resolver o conflito. Mas isso se explica porque o Eu, no momento em que a tarefa se colocou para ele, ainda não tinha se desenvolvido e era impotente. Os recalques decisivos, como se sabe, ocorrem todos na primeira infância.

"Que caminho curioso! Sigo o seu conselho de não criticar, já que o senhor quer apenas me mostrar o que a Psicanálise acha em relação ao surgimento da neurose, para acrescentar o que ela faz para combatê-la. Eu teria diversas perguntas a fazer e trarei algumas questões mais tarde. No momento estou até me sentindo tentado a continuar construindo a partir de seus raciocínios e até mesmo a ousar criar uma teoria. O senhor desenvolveu a relação mundo externo-Eu-Isso e a apresentou como a condição da neurose que o Eu, em sua dependência do mundo externo, combate o Isso. Será que não poderíamos também pensar no outro caso, em que o Eu num conflito desses se deixe arrastar pelo Isso e renegue a sua consideração para com o mundo externo? O que acontece nesse caso? Segundo as minhas concepções de leigo em relação à natureza de uma doença psíquica, essa decisão do Eu poderia ser a condição da doença psíquica. Um tal apartamento da realidade parece ser o essencial na doença psíquica."

Sim, eu mesmo já pensei nisso[11] e acho até pertinente, mesmo a comprovação dessa suposição exigindo uma discussão de situações bastante complicadas. Neurose e psicose aparentemente são muito próximas, mas se separam num ponto decisivo. Esse ponto poderia ser a tomada de partido do Eu em tal conflito. Em ambos os casos, o Isso manteria o seu caráter de irredutibilidade cega.

"Agora continue. Que dicas a sua teoria nos dá para o tratamento das doenças neuróticas?"

Nosso objetivo terapêutico agora é fácil de ser descrito. Queremos restabelecer o Eu, libertá-lo de suas restrições, devolver a ele o domínio sobre o Isso, que ele perdeu como consequência de seus recalques da primeira infância. Somente para esse fim fazemos a análise, toda a nossa técnica está voltada para esse objetivo. Temos de buscar os recalcamentos ocorridos e mover o Eu a corrigi-los agora com a nossa ajuda, a resolver os conflitos de um modo melhor do que com uma tentativa de fuga. Como esses recalques pertencem aos primeiros anos da infância, o trabalho analítico também nos leva de volta a essa época da vida. O caminho até as situações de conflito, geralmente esquecidas, que queremos reavivar na lembrança do doente é que nos aponta os sintomas, sonhos e ocorrências [*Einfälle*] do doente, mas que antes precisamos interpretar e traduzir, já que sob a influência da psicologia do Isso adotaram formas de expressão estranhas à nossa compreensão. Das ocorrências, pensamentos e lembranças que o paciente consegue nos comunicar, mesmo com uma sensação de rejeição interior, podemos supor que eles têm alguma relação com o recalcado ou que são derivados dele. Na medida em que encorajamos o paciente a superar as suas resistências quanto à comunicação, educamos o seu Eu a superar a sua tendência a tentativas de fuga e a suportar a aproximação do recalcado. No final, quando tivermos conseguido reproduzir a situação do recalque em sua lembrança, a sua plasticidade será recompensada regiamente. Toda a diferença entre as épocas corre em favor dele, e aquilo do que o seu Eu infantil fugia assustado agora parece uma brincadeira de criança ao Eu adulto e fortalecido.

IV

"Tudo o que o senhor me contou até aqui tratou de Psicologia. Muitas vezes soava estranho, seco, obscuro, mas sempre foi... como diria: limpo. É verdade que até agora sempre soube pouco sobre a sua Psicanálise, mas chegou até mim o boato de que ela essencialmente se ocupa de coisas que não têm direito a tal categorização. Cria em mim a impressão de uma reclusão intencional o fato de até agora o senhor não ter tocado em nada semelhante. Também não consigo evitar externar outra dúvida. As neuroses, como o senhor mesmo diz, são distúrbios da vida anímica. E coisas tão importantes como a nossa ética, nossa consciência, nossos ideais, será que elas não têm nenhuma participação nesses distúrbios tão profundos?"

O senhor, portanto, sente falta nas nossas discussões até aqui de considerar tanto o mais baixo quanto o mais elevado. Mas isso se deve ao fato de que ainda nem tratamos dos conteúdos da vida anímica. Mas deixe-me fazer eu mesmo o papel daquele que interrompe, que impede o progresso da conversa. Falei tanto de Psicologia para o senhor porque eu queria que o senhor tivesse a impressão de que o trabalho analítico seria um pouco de Psicologia aplicada, mais especificamente de uma Psicologia desconhecida fora do âmbito da análise. Portanto, o analista precisa ter aprendido principalmente essa Psicologia, a Psicologia Profunda ou Psicologia do Inconsciente, pelo menos aquilo que se sabe a respeito até os dias de hoje. Nós precisaremos disso para as nossas conclusões posteriores. Mas agora, o que o senhor quis dizer com a sua alusão ao que é limpo?

"Bom, o que geralmente se diz por aí é que nas análises se abordam as mais íntimas e mais sórdidas questões da vida sexual com todos os detalhes. Se isso for verdade – a partir das suas discussões psicológicas eu não pude deduzir que necessariamente precisa ser desse modo –, isso seria um argumento forte para deixar que apenas médicos fossem autorizados a realizar tal tratamento. Como podemos pensar em conceder liberdades tão perigosas a outras pessoas, de cuja discrição não temos certeza e de cujo caráter não temos qualquer garantia?"

É verdade que os médicos detêm certa prerrogativa no âmbito sexual; de resto, eles também têm a permissão para examinar as partes genitais. Não obstante eles não terem essa permissão no Oriente; até mesmo alguns reformadores idealistas – o senhor sabe a quem me refiro[12] – combateram algumas dessas prerrogativas. Mas em primeiro lugar o senhor quer saber se na análise acontece isso mesmo e por que precisa ser assim? – Sim, é assim mesmo.

Mas precisa ser assim, em primeiro lugar, porque a análise se fundamenta em total sinceridade. Nela, tratamos, por exemplo, de questões de patrimônio com o mesmo detalhamento e a mesma abertura, dizemos coisas que não dizemos aos outros concidadãos, mesmo não sendo eles concorrentes ou agentes do fisco. Não refuto e até reforço enfaticamente que esse dever de sinceridade também coloca o analista sob uma forte responsabilidade. Em segundo lugar, precisa ser assim porque, entre as causas e motivações das doenças nervosas, fatores da vida sexual têm um papel extremamente importante, de destaque, talvez até um papel específico. O que mais a análise pode fazer além de se moldar à sua matéria, ao material que o paciente traz? O analista nunca atrai o paciente para o terreno sexual, ele não antecipa: trataremos agora das intimidades de sua vida sexual! Ele o deixará começar com as suas comunicações por onde quiser e aguardará calmamente até que o próprio paciente toque em questões sexuais. Sempre costumo alertar os meus alunos: nossos opositores nos informaram que toparemos com casos em que o fator sexual não tem papel relevante; evitemos introduzi-lo na análise, não percamos a chance de encontrar um caso desses. Bem, até agora nenhum de nós teve essa sorte.

Evidentemente eu sei que o nosso reconhecimento da sexualidade – admitidamente ou não – se tornou o motivo mais forte para a animosidade dos outros contra a análise. Isso pode nos abalar? Apenas nos mostra como toda a nossa vida cultural é neurótica, uma vez que os supostos normais não se comportam de modo muito diferente dos doentes de nervos. Na época em que nas sociedades eruditas na Alemanha se procedia solenemente a um julgamento da Psicanálise – hoje a coisa se aquietou bastante –, um dos oradores reclamava para si autoridade especial, porque após a sua comunicação ele também permitia que os doentes se expressassem. Aparentemente com intenção diagnóstica e para comprovar as afirmações dos analistas. "Mas", acrescentou ele, "se eles começarem a falar de coisas sexuais, eu lhes faço calar a boca." O que o senhor acha desse procedimento de comprovação? A sociedade erudita aplaudia o orador em júbilo, em vez de se envergonhar por ele, como era devido. Apenas a segurança triunfante que a consciência de preconceitos conjuntos concede pode explicar a falta de preocupação lógica desse orador. Anos depois, alguns de meus alunos daquela época cederam à necessidade de libertar a sociedade humana da imposição da sexualidade, que a Psicanálise quer lhe impor. Um deles declarou que o sexual não significava a sexualidade, mas algo diferente, algo abstrato, místico; um segundo afirmou até que a vida sexual seria apenas uma das áreas em que o ser humano quer ativar a necessidade de poder e de dominação que o move.[13] Eles foram muito aplaudidos, pelo menos durante certo período.

"Mas aqui me arrisco a tomar partido. Parece-me muito ousado afirmar que a sexualidade não é uma necessidade natural e original dos seres vivos, mas a expressão de alguma outra coisa. Basta nos atermos ao exemplo dos animais."

Isso não importa. Não existe nenhuma beberagem, por mais absurda que ela seja, que a sociedade não engoliria de bom grado se ela fosse vendida como sendo um antídoto contra a temida supremacia da sexualidade.

Aliás, confesso ao senhor que a rejeição que o senhor mesmo revelou sentir diante do fato de se dar um papel tão importante ao fator sexual no surgimento das neuroses não parece se coadunar com a sua tarefa de interlocutor imparcial. O senhor não teme que com uma tal antipatia estaria prejudicado em emitir uma sentença justa a respeito?

"Sinto muito que o senhor diga isso. A sua confiança em mim parece abalada. Então, por que o senhor não escolheu outro para ser o interlocutor imparcial?"

Porque esse outro também não teria pensado de outro modo. Mas se desde o início ele estivesse disposto a reconhecer a importância da vida sexual, todo mundo teria gritado: mas esse aí não é alguém imparcial, é um adepto seu. Não, eu não desisto da expectativa de exercer influência sobre as suas opiniões. Mas reconheço que esse caso é diferente para mim em relação ao anteriormente tratado. Nas abordagens psicológicas, seria indiferente se o senhor acreditasse em mim ou não, desde que o senhor tivesse a impressão de que se tratava de problemas puramente psicológicos. Dessa vez, na questão da sexualidade, eu gostaria que o senhor fosse acessível diante da percepção de que o seu motivo mais forte para a refutação seria justamente a animosidade trazida de antemão, que o senhor divide com tantos outros.

"É que me falta a experiência, que criou no senhor uma segurança tão inabalável."

Bem, agora posso continuar com a minha apresentação. A vida sexual não é apenas uma mera ocorrência picante, mas também um problema científico sério. Havia muita novidade nesse terreno, muitas curiosidades. Eu já lhe disse que a análise teve de retroceder até os anos da primeira infância do paciente, porque foi nessa época e durante a fase de fraqueza do Eu que aconteceram os recalques decisivos. Mas na infância certamente não há vida sexual; ela começa só na época da puberdade, não é? Pelo contrário, tivemos de fazer a descoberta de que as moções pulsionais sexuais acompanham a vida desde o nascimento e que são justamente essas pulsões que fazem com que o Eu infantil delas se proteja através dos recalcamentos. Uma combinação curiosa o fato de que já a criança bem pequena se revolta contra o poder da sexualidade, como depois o orador na sociedade erudita e depois ainda os meus alunos, que propõem as suas próprias teorias, não é mesmo? Como isso se dá? A informação mais geral diria que a nossa cultura em geral é construída às custas da sexualidade, mas há muitas outras coisas a serem ditas a esse respeito.

A descoberta da sexualidade infantil seria um desses achados dos quais devemos nos envergonhar. Alguns pediatras sempre souberam desse fato, e, ao que parece, também algumas babás. Homens intelectualizados que se denominam psicólogos da infância, então, falaram em tom crítico de uma "desinocentização da infância". Como sempre, sentimentos em vez de argumentos! Nas nossas corporações políticas, esses fatos são corriqueiros. Alguém da oposição levanta e denuncia uma malversação na administração, no exército, na justiça e assemelhados. Em seguida, um outro declara, de certo alguém do governo, que tais constatações ferem a honra do Estado, dos militares, da dinastia e até mesmo da Nação. Ou seja, elas são como que inverídicas. Esses sentimentos não toleram ofensas.

A vida sexual da criança obviamente é diferente daquela do adulto. A função sexual perfaz uma evolução complicada, desde os primórdios até a configuração final que nos é tão familiar. Ela se forma a partir de inúmeras pulsões parciais com objetivos específicos, percorre várias fases de organização, até por fim se colocar a serviço da reprodução. Das pulsões parciais, nem todas são úteis em igual medida para o resultado final, elas precisam ser desviadas, remodeladas e em parte reprimidas [*unterdrückt*]. Um desenvolvimento tão amplo nem sempre transcorre de forma impecável, há inibições no desenvolvimento, fixações parciais em níveis iniciais do desenvolvimento; ali onde mais tarde há obstáculos para o exercício da função sexual, o anseio sexual – a libido, como dizemos – costuma recuar para esses pontos de fixação anteriores. O estudo da sexualidade infantil e as suas transformações até a maturidade também nos forneceu a chave para a compreensão das chamadas perversões sexuais, que sempre costumavam ser descritas com todos os sinais exigidos de aversão, mas cuja gênese não se conseguia esclarecer. Toda essa área é extremamente interessante, mas para os fins das nossas conversas não faz muito sentido eu continuar lhe contando a respeito. Para se orientar nessa área, é evidente que são necessários conhecimentos de Anatomia e Fisiologia, que infelizmente não podem ser adquiridos em sua totalidade na escola médica; mas uma certa familiaridade com a História Cultural e com a Mitologia são igualmente indispensáveis.

"Mas, depois disso tudo, eu ainda não consigo ter uma visão clara da vida sexual da criança."

Sendo assim, vou me deter mais nesse tema; aliás, não é fácil para mim me afastar do assunto. Veja, o mais curioso na vida sexual da criança parece-me ser o fato de que ela perfaz todo o seu amplo desenvolvimento nos primeiros cinco anos de vida; daí até a puberdade temos o chamado período de latência, em que – normalmente – a sexualidade não faz progressos, e em que as aspirações sexuais, pelo contrário, perdem a intensidade, e muito daquilo que a criança já fez ou sabia é descartado e esquecido. Nesse período da vida, depois que a florada precoce da vida sexual murchou, começam a se formar aquelas atitudes do Eu, que, como a vergonha, o nojo e a moralidade, têm a finalidade de se manter fortes diante da tempestade da puberdade que está por vir e de colocar nos trilhos o desejo sexual que começa a surgir. Essa chamada *iniciação da vida sexual em dois tempos* tem muito a ver com o surgimento das doenças nervosas. Parece que ela ocorre apenas nos seres humanos, talvez ela seja uma das condições da prerrogativa humana de se tornar neurótico. Os primórdios da vida sexual foram esquecidos antes da Psicanálise, assim como em outra área esqueceram o pano de fundo da vida anímica consciente. O senhor com razão irá supor que ambos estão intimamente ligados.

Haveria muito a dizer sobre os conteúdos, as mudanças e os produtos desses primórdios da sexualidade que contrariam as expectativas. Por exemplo: o senhor certamente ficará surpreso ao ouvir que o menininho muitas vezes tem medo de ser devorado pelo pai. (Não é de se admirar, também, que eu coloque esse medo entre as expressões da vida sexual?) Mas quero lembrá-lo aqui da narrativa mitológica da qual o senhor talvez ainda se lembre de sua época de escola, que diz que até o deus Cronos devora os seus filhos. Que curioso deve ter lhe parecido esse mito quando o senhor o ouviu pela primeira vez! Mas eu acho que naquela época não nos parecia absurdo. Hoje também nos lembramos de muitos contos de fada em que aparece um animal que devora alguma coisa, como o lobo, e nele reconheceremos um disfarce do pai. Aproveito essa oportunidade para lhe assegurar que a Mitologia e o mundo dos contos de fada só se tornam compreensíveis a partir do conhecimento da vida sexual infantil. Isso acaba sendo um lucro agregado aos estudos analíticos.

Não será menor o seu espanto quando o senhor ouvir que os meninos têm medo de que o pai lhes roube o órgão sexual, de modo que esse medo da castração[14] [*Kastrationsangst*] terá a maior influência sobre o desenvolvimento do seu caráter e sobre a decisão de sua opção sexual. Aqui também, a Mitologia o encorajará a acreditar na Psicanálise. O mesmo Cronos que devora os seus filhos também castrara o seu pai, Urano, e depois, como vingança, foi castrado por seu filho Zeus, que fora salvo pela astúcia da mãe. Se o senhor tendia a supor que tudo que a Psicanálise conta sobre a sexualidade precoce das crianças é produto da fantasia selvagem dos analistas, pelo menos admita que essa fantasia criou as mesmas produções que a atividade fantástica da humanidade primitiva, da qual os mitos e os contos de fada são os produtos. A outra concepção, mais simpática e provavelmente também mais adequada, seria que na vida anímica da criança ainda hoje são comprováveis

240 OBRAS INCOMPLETAS DE S. FREUD

os mesmos momentos arcaicos que originalmente vigoravam nos primórdios da cultura humana em geral. A criança repetiria, em seu desenvolvimento anímico, a história etnográfica [*Stammesgeschichte*] de forma abreviada, tal como a Embriologia há muito tempo reconheceu em relação ao desenvolvimento do corpo.

Outra característica da sexualidade da primeira infância é que o órgão sexual feminino propriamente dito ainda não tem um papel importante – para a criança, ele ainda não foi descoberto. Todo o interesse está voltado para o órgão masculino, todo o interesse se concentra em detectar se ele está presente ou não. Sabemos menos sobre a vida sexual da menininha do que sobre a do menininho. Não precisamos ter vergonha dessa diferença, uma vez que também a vida sexual da mulher adulta é um *dark continent*[15] para a Psicologia. Mas reconhecemos que a menina sente como difícil a falta de um membro sexual masculino equivalente, sente-se inferior por isso, e que essa "inveja do pênis" é a origem de toda uma série de reações femininas características.

Também é próprio da criança que as duas necessidades excrementícias estejam investidas [*besetzt*] de interesse sexual. A educação depois impõe uma diferenciação clara, e a prática das piadas volta a suspendê-la. Isso pode nos parecer repugnante, mas, como se sabe, na criança é necessário bastante tempo até que o asco se instaure. Isso não foi negado nem mesmo por aqueles que normalmente defendem a pureza seráfica da alma infantil.

Mas nenhum outro fato tem chamado mais a nossa atenção que o fato de a criança direcionar regularmente os seus desejos sexuais para as pessoas mais próximas, que lhe são aparentadas, ou seja, em primeira linha pai e mãe, e na sequência os irmãos. Para o menino, a mãe é o primeiro objeto de amor, para a menina é o pai,[i] desde que uma disposição bissexual não favoreça também ao mesmo tempo a disposição contrária. A figura parental do mesmo sexo é sentida como rival que atrapalha e não raro é tratada com forte animosidade. Entenda-me bem, não quero dizer que a criança só deseja aquele tipo de carinho da parte privilegiada dos pais, em que nós, adultos, gostamos de ver a essência da relação entre pais e filhos. Não, a análise mostra indubitavelmente que os desejos da criança, para além desse carinho, almejam tudo aquilo que compreendemos como satisfação sensual, considerando o limite da capacidade de imaginação [*Vorstellungsvermögen*] da criança. É fácil entender que a criança nunca suspeitará da situação verdadeira da união dos sexos; para tanto, ela ativa outras concepções deduzidas a partir de suas experiências e sensações. Geralmente, os seus desejos culminam na intenção de dar à luz um filho ou – de modo indefinido – de concebê-lo. Desse desejo de dar à luz um filho nem o menino, em seu desconhecimento, está excluído. Chamamos a toda essa construção anímica de *complexo de Édipo*, inspirados pela lenda grega. Normalmente, com o fim do primeiro período sexual, ele deverá ser totalmente abandonado e transformado, e os resultados dessa transformação estão destinados a grandes funções na vida anímica posterior. Mas, em geral, ele não ocorre de modo suficientemente radical, e então a puberdade provoca uma revivificação do complexo, que pode ter consequências graves.

---

[i] [Nota de 1935:] Nossas investigações desde então nos ensinaram que também para a menina a mãe é o primeiro objeto de amor. É somente através de um longo desvio que posteriormente sucede ao pai tomar o lugar da mãe.

Eu estou espantado com o seu silêncio. Isso dificilmente significa aprovação. – Quando a análise afirma que a primeira escolha do objeto da criança é uma escolha *incestuosa*, usando o termo técnico, certamente ela mais uma vez ofendeu os sentimentos mais sagrados da humanidade e pode se preparar para a respectiva quantidade de incredulidade, protesto e acusação. E isso ela já experimentou em grande quantidade. Nada lhe foi mais prejudicial em relação à acolhida do público do que a apresentação do complexo de Édipo como uma formação geral, inerente ao destino humano. O mito grego, aliás, deve ter intencionado o mesmo, mas a grande maioria das pessoas de hoje, instruídas ou não, prefere acreditar que a natureza ativou uma rejeição inata como proteção contra a possibilidade de incesto.

Num primeiro momento, quem nos auxiliará é a História. Quando Júlio César pisou no Egito, encontrou a jovem rainha Cleópatra – que logo se tornaria tão importante para ele – casada com o próprio irmão ainda mais jovem, Ptolomeu. Isso não era nada de mais na dinastia egípcia; os Ptolomeus, originalmente gregos, apenas deram continuidade ao costume que os seus antecessores, os antigos faraós, já praticavam há alguns milênios. Mas isso é apenas incesto entre irmãos, que ainda em nossos dias é visto de forma mais branda. Por isso, voltemo-nos à nossa testemunha-mor das condições nos tempos primordiais, a Mitologia. Ela tem a nos relatar que os mitos de todos os povos, não apenas dos gregos, são mais que ricos em relações amorosas entre pai e filha e mesmo entre mãe e filho. Tanto a Cosmologia quanto a Genealogia das dinastias reais são fundadas a partir do incesto. Com que intenção o senhor acha que essas narrativas foram criadas? Para cunhar deuses e reis como criminosos e atrair para si a aversão da raça humana? É mais provável que seja porque os desejos incestuosos são uma herança humana dos primórdios e nunca foram superados totalmente, de modo que ainda se aceitava a sua realização para os deuses e seus descendentes, quando a maioria dos humanos comuns já tinha de renunciar a eles. Em total consonância com esses ensinamentos da História e da Mitologia, ainda hoje vemos o desejo incestuoso presente e atuante na infância do indivíduo.

"Eu poderia levar a mal o fato de o senhor querer me ocultar tudo isso sobre a sexualidade infantil. Parece-me muito interessante, justamente por causa de suas relações com a história primordial da humanidade."

Eu temia que isso nos afastasse demais do nosso objetivo. Mas talvez acabe tendo lá a sua vantagem.

"Mas agora me diga: que certeza o senhor pode conferir aos seus resultados analíticos sobre a vida sexual das crianças? A sua convicção se baseia apenas nas consonâncias com a Mitologia e a História?"

Oh, não, de modo algum. Ela se baseia na observação direta. Foi assim: nós tínhamos descoberto inicialmente o conteúdo da infância sexual a partir da análise de adultos, portanto, 20 a 40 anos mais tarde. Depois, passamos a fazer as análises nas próprias crianças, e não foi um triunfo pequeno quando confirmamos nelas aquilo que havíamos deduzido, apesar das sobreposições e distorções desse lapso de tempo.

"Como? O senhor levou crianças pequenas para a análise, crianças de 6 anos? Isso funciona? Não seria muito questionável para essas crianças?"

Funciona muito bem. É inacreditável o que já acontece numa dessas crianças de 4 a 5 anos. Nessa idade, as crianças ainda são muito ativas intelectualmente, os primórdios sexuais para elas são também um período de florescência intelectual. Tenho a impressão de que com a chegada do período de latência elas também ficam intelectualmente inibidas, mais tolas. Muitas crianças também perdem a sua atratividade física a partir dessa fase. E quanto aos danos de uma análise precoce, posso relatar ao senhor que a primeira criança em quem se ousou aplicar esse experimento há cerca de 20 anos desde então se tornou um jovem saudável e produtivo, que passou pela puberdade sem queixas, apesar de ter vivido traumas psíquicos graves. Pode-se esperar que com as outras "vítimas" da análise precoce não tenha sido diferente. Há diversos interesses atrelados a essas análises em crianças; é possível que no futuro ainda se tornem mais importantes. Seu valor para a teoria é inquestionável. Elas fornecem informações unívocas sobre questões que permanecem inconclusas nas análises com adultos, protegendo, assim, o analista de cometer erros que teriam graves consequências para ele. Surpreendem-se os fatores que configuram a neurose enquanto atuam, e eles são evidentes. Mas em nome do interesse das crianças, o influenciamento analítico precisa estar associado a medidas educacionais. Essa técnica ainda aguarda aperfeiçoamento. No entanto, desperta-se um interesse prático através da observação de que uma grande quantidade de nossas crianças passa por uma fase claramente neurótica em seu desenvolvimento. Desde que aprendemos a olhar mais atentamente, somos tentados a dizer que a neurose infantil não é a exceção, mas a regra, como se no trajeto da disposição infantil até a cultura social ela fosse praticamente inevitável. Na maioria dos casos, essa disposição neurótica dos anos de infância é superada espontaneamente; será que ela não deixa regularmente os seus traços, mesmo nos medianamente saudáveis? Por sua vez, em nenhum dos posteriormente neuróticos sentimos falta da ligação com a doença infantil, que não precisa ter sido necessariamente muito clara à sua época. De modo bastante análogo, creio eu, os médicos internistas afirmam hoje que toda pessoa alguma vez na infância passou por uma tuberculose. Para as neuroses, aliás, a questão da inoculação está fora de cogitação, apenas a da predisposição.

Quero voltar à sua questão referente à certeza. Como disse, em geral nos convencemos, a partir da observação analítica direta das crianças, de que tínhamos interpretado de forma correta as informações dos adultos sobre a sua infância. Mas em uma série de casos ainda se tornou possível para nós outro tipo de confirmação. A partir do material da análise, tínhamos reconstituído certos processos externos, fatos impressionantes dos anos de infância, dos quais a recordação consciente dos doentes nada tinha retido, e acasos felizes, buscas de informação junto a pais e cuidadores então nos trouxeram a prova irrefutável de que esses acontecimentos desbravados realmente aconteceram daquela forma. É claro que isso não funcionava com muita frequência, mas, quando acontecia, causava uma impressão espantosa. O senhor precisa saber que a reconstrução correta de tais vivências infantis esquecidas sempre tem um grande efeito terapêutico, independentemente de elas permitirem uma confirmação objetiva ou não. É claro que esses acontecimentos devem a sua importância à circunstância de que aconteceram tão cedo, em uma época em que ainda podiam ter efeito traumático sobre o Eu enfraquecido.

"Que acontecimentos são esses que precisam ser descobertos pela análise?"

Variados. Em primeira linha, trata-se de impressões que tinham a capacidade de influenciar constantemente a vida sexual nascente da criança, assim como a observação de processos sexuais entre adultos ou experiências sexuais próprias com um adulto ou uma outra criança – ocorrências nada raras –, além disso, ouvir conversas que a criança naquela época ainda não entendia ou que viria a entender só mais tarde, e das quais ela julgava extrair esclarecimentos sobre coisas misteriosas ou inquietantes [*unheimliche*], ademais expressões e ações da própria criança, que comprovam uma postura importante afetuosa ou hostil dela diante de outras pessoas. De crucial importância na análise é fazer recordar a atividade sexual esquecida da criança, acrescendo a isso a intervenção do adulto que pôs fim a tal atividade.

"Isso para mim é a oportunidade para levantar uma questão que eu queria colocar há muito tempo. Então, afinal, em que consiste a 'atividade sexual' da criança durante esse período inicial que, como o senhor disse, tinha sido ignorada antes da Psicanálise?"

Curiosamente, no entanto, não se tinha esquecido o elemento regular e essencial dessa atividade sexual; isto é, nem é espantoso, porque era evidente. As moções sexuais da criança encontram a sua mais importante expressão na autossatisfação a partir da estimulação dos próprios genitais, na verdade a porção masculina deles. A incrível disseminação desse "vício" infantil sempre foi do conhecimento dos adultos, e ele costumava ser condenado como pecado grave e tratado com rigidez. Não me pergunte como se conseguiu unir essa observação das tendências indecorosas das crianças – pois as crianças o fazem porque, segundo elas próprias, divertem-se com isso – com a teoria de sua pureza e falta de decoro, ambos inatos. Peça que os opositores esclareçam esse enigma. Para nós, coloca-se um problema mais importante. Como se comportar diante da atividade sexual da primeira infância? Sabemos da responsabilidade que assumimos quando reprimimos [*unterdrücken*] essa atividade, mas ao mesmo tempo não temos coragem de deixá-la fluir ilimitadamente. Em povos de pouca cultura e nas camadas inferiores dos povos civilizados, a sexualidade das crianças parece estar liberada. Com isso, talvez se tenha conseguido uma proteção forte contra o adoecimento posterior por neuroses individuais, mas será que também não se paga um preço extraordinário em detrimento da capacidade de criar produtos culturais? Muitos argumentos mostram que estamos aqui diante de uma nova escolha entre Cila e Caríbdis.[16]

Quanto a se os interesses suscitados através do estudo da vida sexual dos neuróticos criam uma atmosfera favorável ao despertar da volúpia [*Lüsternheit*] – isso eu deixo a cargo de seu próprio juízo.

V

"Creio entender o seu intuito. O senhor quer me mostrar quais os conhecimentos de que precisamos para exercer a análise, para que eu possa julgar se apenas o médico deveria ser autorizado a exercê-la. Bem, até agora surgiram poucos assuntos médicos, muita Psicologia e um pouco de Biologia ou Sexologia. Mas talvez ainda não tenhamos vislumbrado o final?"

Certamente não. Ainda há lacunas a preencher. Posso lhe pedir algo? O senhor não quer me descrever como o senhor imagina agora que seja um tratamento analítico? Como se o senhor mesmo tivesse de fazê-lo.

"Bem, isso está ficando cada vez melhor. Eu realmente não tenho a intenção de decidir a nossa questão polêmica com um tal experimento. Mas vou lhe fazer esse favor, uma vez que a responsabilidade seria sua de todo modo. Pois então, eu suponho que o paciente chegue até mim e se queixe de seus problemas. Eu lhe prometo a cura ou a melhora se ele quiser seguir as minhas instruções. Eu o encorajo a me dizer com toda a sinceridade tudo o que sabe e o que lhe ocorre e lhe digo para não se deixar desviar dessa intenção, mesmo se alguma coisa lhe for desagradável de ser dita. Eu me lembrei bem dessa regra?"

Sim, o senhor ainda deveria acrescentar: mesmo se ele achar que aquilo que lhe ocorre é desimportante ou não faz sentido.

"Isso também. Então, ele começa a contar, e eu escuto. Sim, e depois? A partir de suas informações eu infiro que impressões, vivências, moções de desejo ele recalcou, porque elas lhe apareceram em uma época em que seu Eu ainda estava fraco e as temia, em vez de lidar com elas. Quando ele ouve isso de mim, ele se coloca nas situações daquela época e age de forma melhor com a minha ajuda. Então, as restrições a que se via obrigado o seu Eu desaparecem, e o paciente se restabelece. É isso mesmo?"

Bravo, bravo! Eu vejo que novamente poderão me criticar, dizendo que eu formei um não médico para ser analista. O senhor se apropriou muito bem disso.

"Eu apenas repeti o que ouvi do senhor, como se eu repetisse algo que foi decorado. Não consigo imaginar como eu faria isso, e não entendo por que um trabalho desses precisa de uma hora diária durante tantos meses. Uma pessoa normal geralmente não vivenciou tanta coisa assim, e aquilo que é recalcado na infância provavelmente é a mesma coisa em todos os casos."

Aprendem-se ainda muitas coisas no verdadeiro exercício da análise. Por exemplo: o senhor não acharia tão fácil tirar conclusões a partir das comunicações [*Mitteilungen*] do paciente em relação às vivências que ele esqueceu e as moções pulsionais que ele recalcou. Ele lhe dirá uma coisa qualquer, o que inicialmente para o senhor fará tão pouco sentido quanto para ele. O senhor terá de decidir lidar de uma forma muito especial com o material que o analisando lhe apresenta, seguindo fielmente a regra. Assim como um minério do qual extraímos o teor de metal precioso a partir de determinados processos. Desse modo, o senhor também estará preparado para processar muitas toneladas de minério que talvez só contenham pouco daquela matéria preciosa que se busca. Aqui teríamos a primeira razão para a longa duração do tratamento.

"Mas como é que processamos essa matéria-prima, para nos atermos à sua comparação?"

Na medida em que supomos que as informações e ocorrências do doente sejam apenas deformações daquilo que procuramos, assim como alusões a partir das quais o senhor terá de adivinhar o que se esconde por trás delas. Resumindo: primeiro, o senhor terá de *interpretar* esse material, seja ele composto de recordações, ocorrências ou sonhos. Obviamente, isso se dá tendo em vista as expectativas que se formaram no senhor graças ao seu conhecimento técnico enquanto ouvia o que lhe era dito.

"Interpretar! Essa é uma palavra desagradável. Não gosto de ouvi-la, com ela o senhor me tira toda a segurança. Se tudo depende da minha interpretação, quem me garante que ela esteja correta? Então, tudo estará à mercê da minha arbitrariedade."

Calma, não é tão grave assim. Por que o senhor quer excluir os seus próprios processos anímicos das regras que o senhor reconhece para os processos dos outros? Se o senhor adquiriu um certo autocontrole e dispõe de determinados conhecimentos, as suas interpretações permanecerão imunes às suas propriedades pessoais e chegarão à conclusão correta. Não digo com isso que para essa parte da tarefa a personalidade do analista seja indiferente. Entra em cena uma certa sensibilidade auditiva para o que foi recalcado inconscientemente, e nem todos possuem o mesmo grau de sensibilidade. E, principalmente, atrelada a isso temos também a obrigação do analista de se tornar apto para a recepção sem preconceitos do material analítico, a partir de uma profunda análise própria. Resta uma coisa, evidentemente, que é comparável à "equação pessoal" nas observações astronômicas; esse momento individual sempre terá um papel maior na Psicanálise do que nas outras áreas. Uma pessoa anormal poderá se tornar um físico correto, mas como analista ela estará impedida por sua própria anormalidade de perceber as imagens da vida anímica sem distorção. Como não se pode comprovar a anormalidade de ninguém, será muito difícil alcançar uma unanimidade geral nas questões da Psicologia Profunda. Alguns psicólogos acham até que isso não tem chance alguma, e que todo tolo tem o mesmo direito de vender a sua tolice como sendo sabedoria. Confesso que nesse ponto sou mais otimista. Pois as nossas experiências mostram que também na Psicologia podem ser alcançadas unanimidades bastante satisfatórias. Toda área de pesquisa tem a sua dificuldade específica, que precisa do nosso esforço para ser eliminada. Aliás, também na arte de interpretação na análise há muito a ser aprendido, como uma matéria nova, por exemplo, aquilo que está associado à curiosa representação indireta por meio de símbolos.

"Bem, não tenho mais vontade de empreender um tratamento analítico, nem que seja em pensamento. Quem sabe que surpresas me esperariam aí?"

O senhor faz bem em desistir dessa intenção. O senhor percebe quanto treinamento e exercício ainda seriam necessários. Quando o senhor encontrar as interpretações corretas, ainda se coloca uma nova tarefa. O senhor precisa aguardar o momento certo para informar ao seu paciente a sua interpretação, se quiser ter sucesso na empreitada.

"E como percebemos qual é o momento certo em cada caso?"

É uma questão de tato, que pode ser bastante refinado através da experiência. O senhor incorrerá em erro grave se despejar no paciente a sua interpretação assim que a tiver encontrado, com o objetivo de encurtar a análise. Fazendo isso, o senhor receberá manifestações de resistência, rejeição e indignação do paciente, mas não conseguirá que o seu Eu domine o recalcado. A prescrição é esperar até que ele tenha se aproximado disso de tal maneira que precise apenas dar mais alguns passos, guiado pela interpretação sugerida.

"Eu acho que nunca aprenderia isso. E se eu tiver tomado todos esses cuidados na interpretação, o que acontece depois?"

Aí o senhor está determinado a fazer uma descoberta para a qual o senhor não está preparado.

"E qual seria...?"

Que o senhor se enganou na avaliação do paciente, que o senhor não pode contar com a ajuda e a submissão dele, que ele está disposto a colocar todos os empecilhos possíveis no caminho do trabalho conjunto, resumindo: que ele não quer se curar.

"Não, isso é a coisa mais louca que o senhor me disse até agora! Eu não acredito nisso. O doente que sofre tanto, que reclama de forma tão pungente dos males que o afligem, que faz tanto sacrifício pelo tratamento não quer se curar? Certamente o senhor não quer dizer isso nesse sentido."

Quero dizer isso, sim, acredite. O que eu disse é a verdade, obviamente não toda ela, mas uma parcela considerável dela. O doente quer se curar, mas ao mesmo tempo ele não quer. Seu Eu perdeu a unidade, por isso ele também não apresenta uma vontade unificada. Se fosse diferente, ele não seria um neurótico.

"Se eu tivesse razão, não seria o Tell."[17]

Os derivados do recalcado irromperam no seu Eu, ali se firmam, e o Eu tem tão pouco domínio sobre as aspirações dali originadas quanto sobre o próprio recalcado, e geralmente nada sabe a respeito delas. E esses pacientes justamente são de um tipo especial e causam dificuldades com as quais não estamos acostumados a lidar. Todas as nossas instituições sociais são talhadas para pessoas com um Eu unificado e normal, que pode ser classificado como bom ou mau, que preenche a sua função ou é desligado por força de uma influência de elevado poder. Por isso, temos a alternativa judicial: responsável ou irresponsável. Nenhuma dessas distinções é adequada para os neuróticos. Temos de confessar que é difícil adequar as exigências sociais ao seu estado psicológico. Em grande escala vivemos isso na última guerra. Será que os neuróticos que se furtaram ao serviço militar eram farsantes ou não? Eram ambos. Quando eram tratados como farsantes, tornando a doença desconfortável, eles se curavam; quando os supostamente curados eram mandados para o serviço, logo eles voltavam a se refugiar na doença. Nada havia a fazer com eles. E o mesmo acontece com os neuróticos na vida civil. Eles reclamam da doença, mas a aproveitam ao máximo, e quando a queremos tirar deles, eles a defendem como a leoa defende os filhotes, não havendo sentido em criticá-los por essa contradição.

"Mas não seria melhor, então, nem tratar dessas pessoas difíceis e deixá-las entregues à própria sorte? Não quero crer que valha a pena empenhar tanto esforço em cada um desses doentes como eu suponho que seja necessário a partir de suas alusões."

Não posso concordar com a sua sugestão. Certamente seria mais correto aceitar as complicações da vida em vez de se rebelar contra elas. Nem todo neurótico que tratamos é digno do esforço da análise, mas entre eles certamente há pessoas muito valiosas. Precisamos ter como meta conseguir que o mínimo possível de indivíduos humanos enfrente a vida cultural com um equipamento anímico tão deficiente, e é por isso que precisamos acumular muitas experiências, aprender a compreender muito. Toda análise pode ser instrutiva, trazer-nos um ganho a partir de novos esclarecimentos, para não falar do valor pessoal de cada paciente.

"Mas se no Eu do paciente se formou uma moção de vontade que quer manter a doença, ela precisa se reportar a razões e motivos, precisa se justificar com alguma coisa. Mas é incompreensível por que razão uma pessoa queira estar doente e o que ela ganharia com isso."

Oh, sim, não é nada difícil ocorrer. Pense nos neuróticos de guerra, que não precisam servir por estarem doentes. Na vida burguesa, a doença pode servir como proteção, para embelezar a sua incapacidade na profissão e na concorrência com os outros; na família, pode servir como meio para obrigar os outros a sacrifícios e provas de amor, ou para impor a sua vontade.[i] Isso tudo é bastante superficial, vamos resumi-lo sob o termo "ganho da

---

[i] [Nota de 1935] Esse é o ponto de vista que a assim chamada Psicologia Individual retirou do contexto da Psicanálise e popularizou através de uma generalização indevida. [A alusão à psicologia individual remete provavelmente à perspectiva de Adler. (N.E.)]

doença"; apenas é curioso que o doente, o seu Eu, nada saiba de toda essa associação de motivos com as suas ações coerentes. Combatemos a influência dessas aspirações na medida em que convocamos o Eu a tomar conhecimento delas. No entanto, ainda há motivos mais profundos para se agarrar à doença, com os quais é mais difícil de lidar. Mas não podemos entendê-los sem uma nova excursão pela teoria psicológica.

"Continue a sua explanação, sem problemas. Um pouco a mais ou um pouco a menos de teoria não vai fazer diferença agora."

Quando dissequei para o senhor a relação entre Eu e Isso, omiti uma parte importante da doutrina sobre o aparelho anímico. É que éramos obrigados a supor que dentro do próprio Eu se distinguia uma instância específica, que chamamos de Super-Eu.[i] Esse Super-Eu tem uma posição entre o Eu e o Isso. Ele pertence ao Eu, compartilha da sua avançada organização psicológica, mas se encontra em relação especialmente íntima com o Isso. Na verdade, é a precipitação das primeiras cargas de objeto [*Objektbesetzungen*] do Isso, o herdeiro do complexo de Édipo depois de sua abertura. Esse Super-Eu pode se contrapor ao Eu, tratá-lo como objeto e muitas vezes ele o trata de forma muito dura. Para o Eu, é tão importante estar em acordo com o Super-Eu quanto com o Isso. Discordâncias entre o Eu e o Super-Eu têm grande importância para a vida anímica. O senhor certamente já deve estar adivinhando que o Super-Eu é o portador do fenômeno que chamamos de consciência

---

[i] [Nota de 1935] Tornou-se usual na literatura psicanalítica de língua inglesa substituir os pronomes ingleses *I* [Eu] e *It* [Isso] pelos pronomes latinos *Ego* e *Id*. Em alemão dizemos *Ich* [Eu], *Es* [Isso] e *Überich* [Super-Eu].

moral [*Gewissen*].[18] Para a saúde anímica é muito importante que o Super-Eu tenha uma formação normal, isto é, que tenha permanecido suficientemente impessoal. Justamente no neurótico não é esse o caso, pois o seu complexo de Édipo não experimentou a transformação correta. O seu Super-Eu ainda está contraposto ao Eu, como o pai severo diante da criança, e a sua moralidade age de forma primitiva, na medida em que o Eu se deixa castigar pelo Super-Eu. A doença é utilizada como meio de "autopunição", o neurótico precisa se comportar como se fosse dominado por uma sensação de culpa, que para ser aplacada precisa da doença como punição.

"Isso realmente parece muito misterioso. O mais curioso nisso tudo é que esse poder de sua consciência moral [*seines Gewissens*] também não deve se tornar consciente [*zum Bewußtsein kommen*]".[19]

Sim, nós estamos apenas começando a valorizar todas essas importantes relações. Por isso, a minha apresentação tinha de resultar tão obscura. Agora, posso continuar. Chamamos a todas as forças que se contrapõem ao trabalho de cura de "resistências" do paciente. O ganho da doença é a fonte de uma tal resistência, a "sensação inconsciente de culpa" representa a resistência do Super-Eu, ela é o fator mais poderoso e o mais temido por nós. No tratamento, ainda encontraremos outras resistências. Se nos primórdios o Eu realizou um recalque movido pela angústia, essa angústia continua existindo e agora se manifesta como resistência, quando o Eu deve se aproximar do recalcado. Por fim, podemos imaginar que não são poucas as dificuldades quando um processo pulsional que durante décadas trilhou um determinado caminho de repente precisa trilhar um novo caminho que lhe abriram. Poderíamos chamar isso de resistência do Isso. A luta contra todas essas resistências é o nosso trabalho principal durante o tratamento analítico, diante disso a tarefa das interpretações chega a desaparecer. Através dessa luta e da superação das resistências, no entanto, o Eu do paciente também é modificado e fortalecido, de modo que podemos vislumbrar com tranquilidade o seu comportamento futuro após o término do tratamento. Por outro lado, agora o senhor entende por que precisamos dessa longa duração do tratamento. A extensão do caminho do desenvolvimento e a riqueza do material não são o elemento decisivo. É mais importante saber se o caminho está livre. Num trecho que em tempos de paz pode ser percorrido de trem em algumas horas, um exército pode ser retido durante semanas se tiver de superar aí a resistência do inimigo. Essas batalhas dispendem tempo, também na vida anímica. Infelizmente, tenho de constatar que todos os esforços de acelerar sensivelmente o tratamento analítico até agora fracassaram. O melhor caminho para o encurtamento do tratamento parece ser a sua execução correta.

"Se alguma vez eu tivesse tido vontade de me intrometer no seu ofício e tentar fazer eu mesmo a análise de uma outra pessoa, as suas informações sobre as resistências teriam me curado dessa intenção. Mas o que dizer sobre a influência pessoal especial, que o senhor confessou existir? Ela não se insurge contra as resistências?"

É bom que o senhor pergunte isso agora. Essa influência pessoal é a nossa arma dinâmica mais poderosa, é aquele elemento novo que introduzimos na situação e com o qual a fazemos seguir. O teor intelectual dos nossos esclarecimentos não consegue fazer isso, pois o paciente, que compartilha todos os preconceitos do ambiente, precisaria acreditar em nós tão pouco quanto os nossos críticos científicos. O neurótico arregaça as mangas, porque ele acredita no analista, e acredita nele porque adquire uma atitude emocional especial em relação à pessoa do analista. Também a criança só acredita nas pessoas com as quais possui vínculo. Eu já lhe disse com que finalidade usamos essa influência "sugestiva" especialmente grande. Não só para a supressão [*Unterdrückung*] dos sintomas – é isso que diferencia o método analítico dos outros procedimentos da psicoterapia –, mas como força motriz [*Triebkraft*] para incentivar o Eu do paciente a superar as suas resistências.

"Bem, e se isso der certo, o resto também funcionará bem?"

Sim, deveria. Mas aí aparece uma complicação inesperada. Talvez tenha sido a maior surpresa para o analista o fato de que a relação de sentimentos que o doente adota em relação a ele é de natureza muito curiosa. Já o primeiro médico que tentara uma análise – e não era eu – deparou-se com esse fenômeno – que o desconcertou.[20] É que essa relação pautada em sentimentos – para dizê-lo de forma bem clara – é da natureza de um enamoramento. Curioso, não? Se, além disso, o senhor considerar que o analista nada faz para provocá-la, que, pelo contrário, mantém-se afastado do paciente no âmbito pessoal, cercando a sua própria pessoa de uma certa reserva. E se, ademais, o senhor ficar sabendo que essa relação amorosa curiosa desconsidera todas as outras vantagens reais, que se sobrepõe a todas as variações de atração pessoal, de idade, sexo e posição social. Esse amor é até *obrigatório*. Não que essa característica do enamoramento espontâneo de resto seja algo estranho. O senhor sabe, o contrário é suficientemente frequente, mas na situação analítica se instala com regularidade, porém sem encontrar aí uma explicação racional. Poderíamos crer que, a partir da relação do paciente com o analista, para o primeiro nada mais resultaria do que um certo grau de respeito, confiança, gratidão e simpatia humana. Em vez disso, temos esse enamoramento que, ele próprio, dá a impressão de um fenômeno patológico.

"Bem, eu deveria crer que isso seria benéfico para os seus intentos analíticos. Quando se ama, se é submisso e se faz tudo por amor à outra parte."

Sim, no início é benéfico, mas depois, quando essa paixão se aprofunda, aparece toda a sua natureza, em que muitas coisas são incompatíveis com a tarefa da análise. O amor do paciente não se contenta em obedecer, ele se torna exigente, exige satisfações carinhosas e sensuais, exige exclusividade, desenvolve ciúme, mostra de forma cada vez mais evidente o seu lado oposto, a disposição para a animosidade e a vingança quando não consegue realizar as suas intenções. Ao mesmo tempo, como toda paixão, reprime todos os outros conteúdos anímicos, apaga o interesse pelo tratamento e pela cura, em resumo: não duvidamos que ela se colocou no lugar da neurose e o nosso trabalho teve como resultado substituir uma forma de doença por outra. [i]

"Isso agora soa desesperançoso. O que fazer nessa situação? Dever-se-ia desistir da análise, mas como o resultado aparece em todos os casos, como o senhor disse, não se poderia fazer análise nenhuma."

Em primeiro lugar, vamos aproveitar a situação para aprendermos a partir dela. O que ganhamos assim pode

---

[i] [Nota de 1935] Essa característica da transferência no tratamento analítico foi o motivo principal para atribuir às moções eróticas um papel eminente, quiçá um papel específico na etiologia das neuroses. Mas de um modo geral é questionável se as moções destrutivas (ou agressivas) podem lançar a mesma demanda em todas as direções. Na apresentação do texto somente as moções eróticas foram levadas em consideração, isso em conformidade com uma versão mais antiga da teoria.

nos ajudar depois para dominá-la. Não é muito digno de nota que tenhamos conseguido transformar uma neurose de conteúdo aleatório em um estado de paixão doentia?

A nossa convicção de que a neurose tem como base uma parte da vida amorosa usada de forma anormal é reforçada inabalavelmente a partir dessa experiência. Com essa percepção, voltamos a nos movimentar em solo firme, ousando agora tomar esse enamoramento como o objeto da análise. Também faremos outra observação. Não é em todos os casos que esse apaixonamento analítico se expressa de forma tão clara e tão crassa como tentei descrever aqui. Mas por que isso não acontece? Logo perceberemos. Na medida em que os lados ultrassensuais e os hostis do seu enamoramento querem se mostrar, também acorda a aversão do paciente a eles. Ele luta contra eles, busca recalcá-los diante dos nossos olhos. E agora entendemos o processo. O paciente *repete*, sob a forma do enamoramento pelo analista, vivências anímicas pelas quais já passou antigamente – ele *transferiu* para o analista as posições anímicas que estavam disponíveis dentro dele e que estavam intimamente associadas à sua neurose. Ele também repete as suas reações de rejeição daquela época à nossa vista, e preferiria repetir todos os destinos daquele período esquecido da vida na sua relação com o analista. O que ele nos mostra, portanto, é o cerne de sua história de vida íntima, ele o *reproduz* de forma *tangível, como se fosse presente*, em vez de se recordar dele. Com isso, solucionamos o mistério do amor transferencial, e a análise pode ser continuada justamente com a ajuda da nova situação, que lhe parecia tão ameaçadora.

"Isso é bem sagaz. E o doente acredita tão facilmente que ele não está apaixonado, mas apenas que é obrigado a reencenar uma peça antiga?"

Tudo agora depende disso, e toda a habilidade no manejo da "transferência" condiz com a tentativa de alcançar isso. O senhor percebe que nesse ponto as exigências feitas à técnica analítica experimentam o seu ápice. É aqui que podemos cometer os erros mais graves ou obter os maiores sucessos. A tentativa de se esquivar das dificuldades, suprimindo [*unterdrück*] ou desconsiderando a transferência, seria absurda; seja lá o que se tenha feito, certamente não mereceria o nome de análise. Mandar o paciente embora assim que os lados desagradáveis de sua neurose transferencial se instalam tampouco faz sentido e, além disso, é uma covardia; é como se invocássemos espíritos e depois saíssemos correndo assim que eles aparecessem. É bem verdade que às vezes não temos como agir diferentemente; há casos em que não dominamos a transferência desencadeada e temos de interromper a análise, mas pelo menos precisamos ter vivido um embate de forças com os espíritos maus. Ceder às exigências da transferência, realizar os desejos do paciente por satisfação carinhosa e sensual não nos é proibido apenas por restrições morais, mas também é totalmente inadequado como recurso técnico para atingir a meta analítica. O neurótico não pode ser curado pelo fato de termos possibilitado a ele a repetição sem correção de um clichê inconsciente, preparado dentro dele. Se entrarmos em acordos negociados com ele, oferecendo-lhe satisfações parciais em troca de sua colaboração na análise, precisamos tomar cuidado para não entrarmos naquela situação ridícula do religioso que deve converter o corretor de seguros doente. O doente não é convertido, mas o religioso sai de lá com uma apólice. A única saída possível dessa situação da transferência é a recondução ao passado do doente, tal como ele a vivenciou realmente ou tal como ele a configurou através da atividade de sua imaginação, que realiza os seus desejos. E isso exige do analista muita habilidade, paciência, calma e abnegação.

"E onde o senhor acha que o neurótico vivenciou o modelo para o seu amor transferencial?"

Na infância, geralmente na relação com um dos pais. O senhor se lembra da importância que tivemos de atribuir a essas primeiras relações afetivas. Aqui, portanto, o círculo se fecha.

"O senhor terminou, finalmente? Estou um pouco tonto com a quantidade de coisas que ouvi do senhor. Apenas me diga ainda como e onde se aprende o que se precisa para exercer a análise."

Atualmente, há dois institutos em que ocorre o ensino da Psicanálise. O primeiro, em Berlim, foi instalado pelo Dr. Max Eitingon, da associação local. O segundo é mantido pela Associação Vienense de Psicanálise [Wiener Psychoanalytische Vereinigung] com recursos próprios e com sacrifícios consideráveis. A participação dos órgãos públicos por enquanto se resume às diversas dificuldades que eles oferecem a esse novo empreendimento. Um terceiro instituto de ensino está para ser inaugurado em Londres pela associação local, sob a direção do Dr. Ernest Jones.[i] Nesses institutos, os próprios candidatos são analisados, têm aulas teóricas em forma de palestras sobre todos os objetos importantes para eles e usufruem da supervisão de analistas mais velhos e experientes quando são habilitados a empreender os primeiros experimentos em casos

---

[i] [Nota de 1935] Depois de estas linhas terem sido escritas, o número de institutos de ensino cresceu consideravelmente, assim como os esforços dedicados à formação, esta agora bastante aperfeiçoada, em Psicanálise.

mais simples. Calcula-se que sejam necessários em média dois anos para essa formação. Evidentemente, após esse período ainda se é iniciante, não um mestre. Aquilo que ainda for lacunar precisa ser adquirido por meio de exercícios e pela troca de ideias nas associações psicanalíticas, onde membros mais jovens encontram os mais velhos. A preparação para a atividade analítica não é tão fácil e simples como se pensa, o trabalho é difícil, a responsabilidade é grande. Mas aquele que tiver passado por uma formação dessas, que tiver sido analisado, que absorveu tudo o que pode ser ensinado hoje sobre a Psicologia do Inconsciente, que transita bem na ciência da vida sexual e que aprendeu a técnica delicada da Psicanálise, assim como a arte da interpretação, o combate às resistências e o manuseio da transferência, *não é mais um leigo na área da Psicanálise*. Ele está apto a empreender o tratamento de distúrbios neuróticos, e com o passar do tempo ele poderá produzir nesse contexto tudo aquilo que se pode requerer dessa terapia.

VI

"O senhor empenhou grande esforço para me mostrar o que é a Psicanálise e quais os conhecimentos de que se precisa para praticá-la com alguma perspectiva de sucesso. Bem, não me fará mal ter ouvido o senhor. Mas não sei que influência o senhor espera ter sobre a minha opinião em relação às suas considerações. Vejo diante de mim um caso que não tem nada de extraordinário. As neuroses são um tipo especial de doença, a análise é um método especial para tratá-la, uma especialidade médica. Geralmente, a regra é que um médico que escolheu uma área específica da Medicina não se satisfaça com a formação atestada pelo diploma. Especialmente quando ele quer se estabelecer em uma cidade maior, somente onde se podem alimentar especialistas. Quem quiser ser cirurgião procurará trabalhar alguns anos em uma clínica cirúrgica, assim como o oftalmologista, o laringologista, etc., e até o psiquiatra, que talvez nunca se livre de uma instituição pública ou de um sanatório. Será o mesmo para o psicanalista; aquele que decidir seguir essa nova especialidade médica, depois de formado, terá de passar pelos dois anos de formação nos institutos de ensino dos quais o senhor falava, se é que realmente levará esse tempo todo. Ele também perceberá que será vantajoso manter o contato com os colegas em uma sociedade psicanalítica, e tudo seguirá na mais perfeita ordem. Não entendo como pode haver espaço aí para a questão da análise leiga."

O médico que faz isso que o senhor prometeu em seu nome será bem-vindo para todos nós. Quatro quintos das pessoas que reconheço como meus alunos já são médicos mesmo. Mas permita-me lhe apresentar como as relações dos médicos com a análise realmente se configuraram e como previsivelmente irão continuar se desenvolvendo. Os médicos não têm um direito historicamente adquirido de propriedade exclusiva da análise, muito pelo contrário, até há pouco tempo eles se valiam de tudo, do escárnio mais raso até a calúnia pesada, para prejudicá-la. O senhor responderá, com razão, que isso pertence ao passado e que não influenciará necessariamente o futuro. Concordo, mas temo que o futuro será diferente do que o senhor previu.

Permita que eu dê à palavra "charlatão" [*Kurpfuscher*] o sentido a que tem direito, no lugar do significado legal. Para a lei, um charlatão é aquele que trata de pacientes sem poder se identificar por meio da posse de um diploma oficial de médico. Eu preferiria outra definição: charlatão é aquele que empreende um tratamento sem possuir os conhecimentos e as habilidades necessários para tanto. Com base nessa definição, ouso afirmar que – não apenas nos países europeus – os médicos representam a maioria do contingente de charlatães na análise. Eles muitas vezes exercem o tratamento analítico sem o ter aprendido e sem compreendê-lo.

É inútil o senhor querer retrucar que isso é inconsequente, que o senhor não quer imputar isso aos médicos. Que um médico deve saber que um diploma médico não é uma carta branca e que um doente não está disponível ao léu. Que se deve confiar que o médico sempre age de boa-fé, mesmo ele talvez incorrendo em enganos.

Os fatos perduram; esperemos que eles possam ser esclarecidos da forma como o senhor imagina. Vou tentar esmiuçar para o senhor como é possível que um médico em questões da análise se comporte de uma forma que ele evitaria com todo o cuidado em qualquer outra área.

Aqui, em primeira linha precisamos levar em consideração que o médico recebeu uma formação na Faculdade de Medicina que é mais ou menos o contrário do que ele precisaria como preparação para a Psicanálise. A sua atenção foi direcionada para fatos anatômicos, físicos e químicos objetivamente detectáveis, e da percepção correta deles e do influenciamento [*Beeinflussung*] adequado depende o sucesso da ação médica. No seu raio de visão encontra-se o problema da vida, na medida em que até agora se revelou para nós a partir do jogo das forças comprováveis também na natureza inorgânica. Não se desperta o interesse pelos lados anímicos dos fenômenos da vida, o estudo das produções espirituais mais elevadas não diz respeito à Medicina, isso é do âmbito de outra faculdade. Apenas a Psiquiatria deveria se ocupar dos distúrbios das funções anímicas, mas sabe-se de que modo e com que intenções ela o faz. Ela busca as condições físicas dos distúrbios da alma e as trata como outras causas de doença.

Nisso, a Psiquiatria tem razão, e a formação médica ao que parece é excelente. Se dissermos que ela é unilateral, precisamos detectar a partir de qual perspectiva essa característica se torna uma crítica. Em si, toda ciência é unilateral, ela precisa sê-lo, na medida em que se restringe a determinados conteúdos, pontos de vista e métodos. É um contrassenso, e não quero ser parte disso, que se jogue uma ciência contra a outra. A Física não desmerece a Química, ela não pode substituí-la, mas também não pode ser substituída por ela. A Psicanálise com certeza é especialmente unilateral, como a ciência do inconsciente anímico. O direito à unilateralidade, portanto, não deve ser contestado às Ciências Médicas.

O ponto de vista procurado só será encontrado se nos desviarmos da Medicina científica para chegar à cura prática. A pessoa doente é um ser complicado, ela pode nos lembrar de que nem mesmo os fenômenos anímicos tão difíceis de ser abarcados podem ser apagados do quadro da vida. Até o neurótico é uma complicação indesejada, um mal-estar para a arte da cura, assim como o é para o direito e o serviço militar. Mas ele existe e concerne à Medicina de modo bastante direto. E para julgá-lo digno, bem como para tratá-lo, a formação médica em nada contribui, absolutamente nada. Na relação intensa entre as coisas que dividimos como sendo físicas e anímicas, podemos prever que chegará o dia em que se abrirão os caminhos do conhecimento e oxalá também do influenciamento [*Beeinflussung*] da Biologia dos órgãos e da Química para termos um quadro das manifestações da neurose. Esse dia parece ainda estar distante, atualmente esses estados de doença ainda são inacessíveis pelo lado da Medicina.

Seria tolerável se a formação médica falhasse somente em suprimir dos médicos a orientação no âmbito das neuroses. Ela faz mais; ela transmite a eles uma postura errada e nociva. Os médicos nos quais não foi despertado o interesse pelos fatores psíquicos da vida agora estarão mais do que dispostos a menosprezá-los e a ironizá-los como sendo não científicos. Por isso, eles não conseguem levar nada realmente a sério que esteja relacionado a eles, e não percebem as responsabilidades deles decorridas. Por essa razão, eles sucumbem à falta de respeito semelhante à do leigo diante da pesquisa psicológica e facilitam a sua tarefa. Ora, os neuróticos precisam ser tratados porque são doentes e se dirigem ao médico, sempre se precisa tentar algo novo. Mas por que se submeter ao esforço de uma preparação longa? Também funcionará sem isso; quem sabe para o que serve o que ensinam nos institutos analíticos. Quanto menos eles entendem do assunto, mais ousados eles se tornam. Apenas aquele que realmente sabe ficará modesto, pois sabe como esse conhecimento é insuficiente.

A comparação da especialidade analítica com outras disciplinas médicas que o senhor fez para me acalmar, portanto, não se aplica. Para a Cirurgia, a Oftalmologia, etc., a própria escola oferece a possibilidade de formação continuada. Os institutos analíticos são poucos, novos e desprovidos de autoridade. A Escola de Medicina não os reconheceu e não se ocupa deles. O jovem médico, que teve de acreditar em tanta coisa que os seus professores diziam, sobrando pouco espaço para a educação de seu próprio juízo, adorará aproveitar a oportunidade de, enfim, poder fazer o papel de crítico numa área em que ainda não existe autoridade reconhecida.

Ainda há outras condições que favorecem a sua atuação como charlatão analista. Se ele quisesse fazer operações oftalmológicas sem a devida preparação, o insucesso de suas extrações de catarata e de iridectomias, bem como a ausência de pacientes, logo colocariam um ponto final em sua ousadia. O exercício da análise, para ele, é comparavelmente inofensivo. O público está acostumado com os resultados positivos da média das cirurgias oftalmológicas e espera a cura por parte do cirurgião. Mas quando o "médico dos nervos" não restabelece os seus doentes, ninguém se espanta. Não se ficou acostumado com os sucessos da terapia dos doentes de nervos, pelo menos o médico dos nervos "se dedicou muito a eles". Nesse caso, não há mesmo muito que fazer, a natureza ou o tempo é que irão ajudar. Ou seja, no caso da mulher, primeiro a menstruação, depois o casamento e mais tarde a menopausa. No fim, o que ajuda é a morte. Além disso, aquilo que o analista médico fez com o nervoso é tão pouco notável que não se pode criticar nada a respeito. Ele não usou instrumentos ou medicamentos, apenas conversou com ele, tentou convencê-lo ou demovê-lo de algo. Isso não pode fazer mal, especialmente quando se evitou tocar em coisas vexaminosas ou que provoquem comoção. O analista médico que se libertou da instrução rígida certamente não deixou de lado a tentativa de melhorar a análise, quebrar-lhe os dentes peçonhentos e torná-la agradável para os doentes. E que bom se ele permaneceu nessa tentativa, porque se ele realmente tivesse a coragem de despertar resistências e depois não soubesse como enfrentá-las, aí sim, nesse caso ele realmente poderia ter se tornado impopular.

Para sermos honestos, a atividade de um analista sem treinamento também é mais inofensiva para o doente do que a de um cirurgião pouco hábil. O possível dano se restringe ao fato de que o doente foi motivado a fazer um esforço inócuo e que perdeu ou piorou as chances de cura. Além disso, rebaixou-se a fama da terapia analítica. Isso tudo é bastante indesejável, mas não se compara aos perigos decorrentes do bisturi de um cirurgião charlatão. Pioras graves e duradouras do estado patológico, no meu entender, não devem ser temidas, mesmo na aplicação inábil da análise. As reações indesejáveis depois de um tempo esmorecem. Além dos traumas da vida que produziram a doença, esse pouco de tratamento equivocado do médico é irrelevante. Apenas que justamente a tentativa terapêutica inadequada não produziu nada de bom para o doente.

"Eu ouvi a sua descrição do médico charlatão na análise, sem interrompê-lo, não deixando de ter a impressão de que o senhor está dominado pela animosidade contra a classe médica, sendo que o senhor mesmo me apontou o caminho para a sua explicação histórica. Mas confesso que concordo com uma coisa: já que se vai executar a análise, que seja feita por pessoas que tiveram uma sólida formação na área. E o senhor não acredita que os médicos que se voltam para a análise, no decorrer do tempo, vão fazer todo o possível para se apropriar dessa formação?"

Temo que não. Enquanto a relação entre a faculdade e o instituto analítico permanecer inalterada, possivelmente os médicos acharão grande demais a tentação de lhes facilitar a vida.

"Mas o senhor parece se esquivar constantemente de uma afirmação direta em relação à questão da análise leiga. Agora, devo adivinhar que o senhor sugere que, pelo fato de não se poder controlar os médicos que querem analisar, deva-se – de certa forma por vingança e para puni-los – tirar-lhes o monopólio da análise e abrir essa atividade médica também para os leigos."

Não sei se o senhor adivinhou corretamente os meus motivos. Talvez mais tarde eu possa lhe apresentar o testemunho de uma posição menos partidária. Mas coloco a ênfase na exigência de que *ninguém que não tenha sido habilitado para tanto através de uma formação específica deva exercer a análise*. Se essa pessoa é um médico ou não, parece-me secundário.

"Então, que sugestões específicas o senhor teria a fazer?"

Ainda não cheguei a esse ponto, e também não sei se chegarei. Quero abordar outra questão com o senhor agora, mas também gostaria de tocar em determinado ponto, à guisa de introdução. Dizem que os órgãos responsáveis, motivados pela classe médica, querem proibir aos leigos em geral o exercício da análise. Essa proibição afetaria também os membros não médicos da Associação Psicanalítica, que usufruíram de uma formação excelente e se aperfeiçoaram por meio do exercício. Se a proibição for promulgada, teremos uma situação em que se impede uma série de pessoas de exercerem uma atividade, em relação à qual podemos estar convictos de que a possam exercer muito bem, enquanto se libera essa mesma atividade para pessoas em relação às quais não podemos ter uma garantia semelhante. E isso não é exatamente o resultado que uma lei quer alcançar. No entanto, esse problema específico não é nem muito importante nem difícil de resolver. Trata-se aqui de uma quantidade de pessoas que não podem ser prejudicadas gravemente. Provavelmente, elas emigrarão para a Alemanha, onde, sem o impedimento legal, logo receberão o reconhecimento pelo seu empenho. Caso se queira poupá-las disso e abrandar a dureza da lei para elas, isso seria fácil, com base em casos precedentes conhecidos. Na Áustria monárquica, por diversas vezes se concedeu permissão para a atividade médica em determinadas áreas *ad personam* a notórios charlatães, porque havia convicção sobre a sua real capacidade. Esses casos se reportavam, em sua maioria, a camponeses curandeiros, e a aquiescência regularmente se dava por meio de uma das outrora inúmeras arquiduquesas, mas também deveria ser possível para os citadinos e com base em outras garantias, puramente técnicas. Mais importante teria sido o efeito de tal proibição no Instituto de Ensino Analítico de Viena, que a partir daí não poderia mais aceitar candidatos de círculos não médicos para a formação. Dessa forma, mais uma vez em nossa pátria teria sido reprimida uma vertente da atividade intelectual que em outros lugares pode se desenvolver livremente. Longe de mim pleitear competência na avaliação de leis e determinações. Mas vejo que a ênfase na nossa lei relativa ao charlatanismo vai no sentido oposto ao das condições alemãs, cuja adequação parece ser almejada hoje, e que a aplicação da lei ao caso da Psicanálise tem algo de anacrônico, pois à época de sua promulgação ainda não existia a análise, e a natureza específica das doenças neuróticas ainda não era conhecida.

Chego agora à questão cuja discussão me parece mais importante. Será que o exercício da Psicanálise é um objeto que deva ser submetido à intervenção dos órgãos oficiais, ou será que é mais adequado deixá-lo à mercê de seu desenvolvimento natural? Certamente não tomarei uma decisão aqui, mas tomo a liberdade de lhe apresentar o problema, para que o senhor reflita a respeito. Na nossa pátria, desde sempre há um verdadeiro *furor prohibendi*, uma tendência à tutela, à intervenção e à proibição que, como todos sabemos, não trouxe exatamente frutos positivos.

Parece-me que na nova Áustria republicana ainda não mudou muita coisa. Suspeito que em relação à decisão sobre o caso da Psicanálise que nos ocupa agora o senhor tenha uma contribuição importante a dar; não sei se o senhor terá vontade ou influência para se contrapor às tendências burocráticas. Pelo menos não o pouparei de meus pensamentos irrelevantes sobre a nossa questão. Acredito que um excesso de determinações e proibições prejudique a autoridade da lei. Pode-se observar: onde há apenas poucas proibições, elas são obedecidas cuidadosamente; onde se é acompanhado de proibições a cada passo, sentimo-nos realmente tentados a não respeitá-las. Além disso, ainda não se é um anarquista só por estar disposto a entender que leis e determinações por sua origem não podem reivindicar o caráter de sacralidade e inviolabilidade, que muitas vezes o seu conteúdo é insuficiente e para o nosso sentimento de justiça são ofensivas ou que com o tempo passam a sê-lo, e que, no caso de morosidade das pessoas que conduzem a sociedade, muitas vezes não há outro meio para corrigir tais leis inadequadas que não seja a transgressão intencional. Também é aconselhável, quando se quer manter o respeito diante de leis e determinações, não promulgar aquelas cuja observação ou transgressão seja difícil de controlar. Muito do que dissemos sobre o exercício da análise por médicos teria de ser repetido aqui acerca da análise leiga propriamente dita, que a lei quer reprimir. O procedimento da análise é bastante imperceptível, ela não usa nem medicamentos nem instrumentos; consiste apenas de conversas e de troca de informações; não será fácil comprovar que uma pessoa leiga exerça a "análise" quando ela afirma que apenas motiva, distribui esclarecimentos e busca ganhar influência humana curativa sobre aqueles que precisam de ajuda anímica; isso não pode ser proibido, uma vez que o médico às vezes também faz isso. Nos países anglófonos, as práticas da *Christian Science*[21] são amplamente difundidas; uma espécie de negação dialética dos males da vida por meio da invocação dos ensinamentos da religião cristã. Não hesitaria em afirmar que esse procedimento seja uma lamentável deformação do espírito humano, mas quem na América ou na Inglaterra pensaria em proibi-lo ou puni-lo? Será que a alta autoridade em nosso país está tão segura de ter garantido o caminho para a felicidade que possa ter a ousadia de evitar que cada um tente "ser feliz à sua maneira"?[22] E sabendo que muitos estão entregues à própria sorte, correndo perigo ou se prejudicando, será que as autoridades não fariam bem em delimitar cuidadosamente as regiões que devem ser consideradas impenetráveis, deixando, de resto e no máximo possível, que as próprias pessoas cuidem de sua educação a partir da experiência e do influenciamento [*Beeinflussung*] mútuo? A Psicanálise é algo tão novo no mundo, a grande maioria está tão pouco informada a seu respeito, a posição da Ciência oficial em relação a ela ainda oscila tanto, que me parece prematuro já intervir nesse momento com prescrições legais no desenvolvimento. Deixemos que os próprios doentes façam a descoberta de que é prejudicial para eles buscar ajuda psíquica com pessoas que não aprenderam como prestá-la. Esclareçamos os doentes a respeito e os alertemos, pois assim nos pouparemos de lhes proibir isso. Nas estradas italianas, os fios de alta tensão têm a inscrição curta e impressionante: "*Chi tocca, muore*" [Quem toca morre]. Isso é totalmente suficiente para regular o comportamento dos transeuntes diante de fios caídos. Os avisos alemães correspondentes são de um floreio supérfluo e ofensivo: "Tocar os fios de alta tensão é rigorosamente proibido por oferecer risco de morte". Para que a proibição? Quem ama a vida se autoimpõe a proibição, e aquele que quiser se matar por essa via não irá pedir permissão.

"Mas há casos que podem ser citados como precedentes para a questão da análise leiga. Refiro-me à proibição de que leigos pratiquem hipnose em pacientes e a recente proibição de fazer reuniões de ocultismo e de fundar tais sociedades."

Não posso dizer que eu seja um admirador dessas medidas. A última indubitavelmente é um excesso da tutela policial que prejudica a liberdade intelectual. Sou insuspeito de acreditar muito nos chamados fenômenos ocultos, ou até de ansiar por seu reconhecimento; mas com tais proibições, não se conseguirá abafar o interesse das pessoas por esse suposto mundo secreto. Talvez, pelo contrário, tenha-se feito algo muito prejudicial: fechado o caminho para a vontade apartidária de conhecimento, na direção de um juízo libertador sobre essas possibilidades opressoras. Mas isso também apenas na Áustria. Em outros países, nem a pesquisa "parapsicológica" se defronta com obstáculos legais. O caso da hipnose é um pouco diferente do da análise. A hipnose é a produção de um estado anímico anormal e hoje serve aos leigos apenas como recurso de apresentação impactante. Se a terapia hipnótica incialmente tão promissora tivesse se sustentado, teriam surgido condições semelhantes às da análise. Aliás, a história da hipnose traz um precedente em relação ao destino da análise em outra direção. Quando eu era um jovem docente de Neuropatologia, os médicos se esmeravam em combater a hipnose de forma apaixonada, declarando-a como sendo um engodo, uma ilusão do diabo e uma intervenção altamente perigosa. Hoje, eles monopolizaram essa mesma hipnose, servem-se dela sem medo como método de exame e, para alguns médicos dos nervos, ela ainda é o recurso principal de sua terapia.

Mas eu já lhe disse que não penso em fazer propostas que se baseiam na decisão sobre se a regulamentação legal ou se a autorização em questões referentes à análise são a coisa mais acertada. Sei que é uma questão de princípios, sobre cuja solução provavelmente as tendências das pessoas competentes tenham mais influência do que argumentos. O que me parece favorecer uma política do *laissez faire* eu já resumi anteriormente. Se a decisão for a outra, a de uma política de intervenção ativa, então a medida deficiente e injusta da proibição irrestrita da análise praticada por não médicos não me parece ser suficiente. Nesse caso, a preocupação precisa ser com outras coisas, estabelecer as condições sob as quais se permite o exercício da prática analítica, para todos os que queiram exercê-la, instaurar uma autoridade qualquer junto à qual se possa buscar informação sobre o que é análise e que preparação se pode exigir para ela, e fomentar as possibilidades de instrução na análise. Ou seja: ou deixar em paz, ou criar ordem e clareza, mas não interferir em uma situação complicada com uma única proibição, deduzida mecanicamente a partir de uma proibição que se tornou inadequada.

VII

"Sim, mas os médicos, os médicos?! Eu não consigo trazê-lo para o verdadeiro tema das nossas conversas. O senhor continua se esquivando. Trata-se de saber se não se concede aos médicos o direito exclusivo do exercício da análise, por mim pode ser depois de terem preenchido certas condições. Os médicos certamente não são, em sua maioria, aqueles charlatães como os que o senhor descreveu. O senhor mesmo diz que a grande maioria dos seus alunos e seguidores são médicos. Alguém me segredou que eles de forma alguma compartilham o seu ponto de vista na questão da análise leiga. Certamente devo supor que os seus alunos sigam as suas exigências a respeito da preparação adequada, etc., e mesmo assim esses alunos julgam ser compatível com isso impedir o exercício da análise para leigos. É isso mesmo? E se for, como o senhor explica o fato?"

Vejo que o senhor está bem informado, e é isso mesmo. Não são todos, mas uma boa parte de meus colaboradores médicos nessa questão não está do meu lado, eles defendem o direito exclusivo dos médicos ao tratamento analítico dos neuróticos. O senhor vê, assim, que também pode haver diferenças de opinião em nosso meio. Minha tomada de partido é conhecida, e a oposição na questão da análise leiga não suspende a nossa concordância. O senhor pergunta como posso explicar o comportamento desses meus alunos? Não sei com certeza, mas creio que deva ser o poder da consciência de classe [*Standesbewusstsein*]. Eles tiveram um desenvolvimento diferente do meu, ainda se sentem desconfortáveis com o isolamento diante dos colegas, gostariam de ser acolhidos pela *profession* [profissão] com seus direitos plenos, e estão dispostos a oferecer sacrifício em nome dessa tolerância, em um ponto cuja importância vital ainda não ficou clara para eles. Talvez seja outra coisa; atribuir-lhes razões de concorrência significaria não apenas culpá-los de uma intenção baixa, mas também julgá-los capazes de uma curiosa miopia. Ora, eles estão sempre dispostos a introduzir outros médicos na análise, e se eles têm de dividir os pacientes disponíveis com colegas ou com leigos é indiferente para a sua situação material. Mas provavelmente ainda há outra coisa em jogo aí. Esses meus alunos podem estar sob a influência de determinados fatores que garantem ao médico na prática analítica a irrefutável vantagem diante do leigo.

"Garantem uma vantagem? Então é esse o ponto. Então, enfim o senhor confessa essa vantagem? Com isso, a questão estaria resolvida."

A confissão não me é difícil. Ela pode lhe mostrar que eu não estou tão apaixonadamente cego como o senhor supõe. Eu adiei a menção a essas condições, porque a sua discussão, por sua vez, novamente torna necessárias algumas elucubrações teóricas.

"A que o senhor se refere?"

Temos inicialmente a questão do diagnóstico. Se começamos a tratar com análise um doente que sofre dos chamados distúrbios nervosos, queremos antes ter certeza – desde que ela seja alcançável – de que ele é adequado para essa terapia, ou seja, de que possamos ajudá-lo por esse caminho. Mas isso só é o caso se ele realmente tiver uma neurose.

"Eu deveria crer que isso se reconhece pelos fenômenos, pelos sintomas dos quais ele reclama."

Aqui justamente é o ponto de uma nova complicação. Nem sempre os reconhecemos com absoluta segurança. O doente pode apresentar o quadro externo de uma neurose, e mesmo assim pode ser outra coisa, o início de uma doença mental incurável, a preparação de um processo cerebral destrutivo. A diferenciação – diagnóstico diferencial – nem sempre é fácil e não é factível de imediato em todas as fases. A responsabilidade por uma decisão dessas, evidentemente, só pode ser assumida por um médico. Como disse, isso nem sempre será fácil para ele. O caso patológico pode ter uma característica inofensiva durante um longo período, até que enfim se manifeste a sua natureza grave. Aliás, é sempre um temor dos doentes de nervos a possibilidade de desenvolverem uma doença mental. Mas se um médico não reconheceu adequadamente um caso assim durante algum tempo ou ficou indeciso a seu respeito, isso não é muito problemático, uma vez que não houve dano algum e nada supérfluo aconteceu. É verdade que o tratamento analítico desse doente também não lhe teria causado dano, mas teria ficado evidente que foi um esforço desnecessário. Além disso, certamente haveria pessoas em número suficiente que lhe imputariam o resultado ruim da análise. Certamente injustificado, mas esses motivos de crítica deveriam ser evitados.

"Mas isso tem um tom desesperançoso. Isso desenraiza tudo o que o senhor me disse sobre a natureza do surgimento de uma neurose."

De modo algum. Isso apenas reforça mais uma vez que os neuróticos constituem um aborrecimento e um mal-estar, para todas as partes, inclusive para os analistas. Mas talvez eu volte a desfazer a sua confusão se eu vestir as minhas novas informações com uma expressão correta. Talvez seja mais acertado falar dos casos que nos ocupam no momento, dizendo que eles realmente desenvolveram uma neurose, no entanto, esta não é psicogênica, mas somatogênica, não tem causas anímicas, mas físicas. O senhor me entende?

"Entender eu entendo; mas não consigo juntar isso com o outro aspecto, o psicológico."

Bem, isso pode ser feito, se se quiser apenas levar em consideração as complicações da substância viva. Onde encontramos a essência de uma neurose? No fato de que o Eu – que é a organização mais elevada do aparelho anímico, criada pela influência do mundo externo – não é capaz de realizar a sua função de mediação entre o Isso e a realidade, de que em sua fraqueza recua diante das porções pulsionais do Isso e por isso precisa aceitar as consequências dessa recusa em forma de restrições, sintomas e formações reativas malsucedidas.

Uma tal fraqueza do Eu geralmente acontece em nós todos na infância, por isso as vivências dos primeiros anos de infância adquirem uma importância tão grande na vida posterior. Sob o peso extraordinário desse período da infância – no período de poucos anos, temos de passar pela incrível distância evolutiva entre o primitivo da Idade da Pedra e a participação na cultura de hoje e, além disso, temos também de nos proteger especialmente das moções pulsionais do primeiro período sexual[i] – o nosso Eu se refugia em recalques e se expõe a uma neurose infantil, cujo reflexo ele levará para a maturidade da vida sob a forma de disposição para uma posterior doença nervosa. Agora, tudo vai depender de como esse ser em crescimento será tratado pelo destino. Se a vida for muito dura e a distância entre as exigências pulsionais e os protestos da realidade for muito grande, o Eu pode fracassar em seus esforços de conciliar ambos, e isso é tão mais possível quanto mais ele for impedido pela disposição infantil trazida consigo. Então, repete-se o processo do recalque, as pulsões rasgam as amarras que as prendem ao domínio do Eu, criam as suas satisfações substitutas através dos caminhos da regressão e o pobre Eu se tornou um desamparado neurótico.

---

[i] [Nota de 1935] Acrescentar aqui: a tarefa de domar a tendência inata para a agressão dada na constituição do ser humano. Tal tendência naturalmente é inconciliável com a preservação da sociedade humana. Não restam dúvidas: nossa cultura baseia-se na repressão das pulsões [*Triebunterdrückung*]. Trata-se de saber se ela se erige mais às expensas das pulsões eróticas do que das pulsões destrutivas.

Tenhamos em mente apenas isto: que o ponto crucial e de virada de toda essa situação é a relativa força da organização do Eu. Então, será fácil para nós completar o nosso panorama etiológico. Como as chamadas causas normais do nervosismo já conhecemos a fraqueza infantil do Eu, a tarefa de dominar as primeiras moções de sexualidade e os efeitos das vivências infantis mais ou menos casuais. Mas será que não é possível que outros fatores também tenham um papel importante, fatores de um período anterior à vida infantil? Por exemplo, uma força inata e uma irrefreabilidade inata da vida pulsional no Isso, que desde o início dá tarefas muito difíceis ao Eu? Ou então uma fraqueza evolutiva específica do Eu causada por motivos desconhecidos? Evidentemente esses fatores precisam adquirir uma importância etiológica, em alguns casos uma importância predominante. Teremos de contar com a força pulsional no Isso a toda vez; quando ela tiver se desenvolvido excessivamente, as perspectivas para a nossa terapia não serão boas. Ainda sabemos muito pouco sobre as causas de um impedimento evolutivo do Eu. Esses, então, seriam os casos de neurose de base essencialmente constitucional. Sem a existência de qualquer tipo desse favorecimento constitucional, congênito, é pouco provável que se produza uma neurose.

Mas se a relativa fraqueza do Eu é o fator decisivo para o surgimento da neurose, então também deve ser possível que um posterior adoecimento físico produza uma neurose, desde que ele possa provocar um enfraquecimento do Eu. E isso, por sua vez, é o caso em larga medida. Um tal distúrbio físico pode afetar a vida pulsional no Isso e intensificar a força pulsional para além do limite que o Eu consegue suportar. O padrão normal desses processos seria, por exemplo, a transformação na mulher através dos distúrbios da menstruação e da menopausa. Ou ainda um adoecimento físico, até mesmo uma doença orgânica do órgão nervoso central que ataca as condições de alimentação do aparelho anímico, obrigando-o a diminuir a sua função e a suspender as suas produções mais refinadas, das quais faz parte a manutenção da organização do Eu. Em todos esses casos surge mais ou menos o mesmo quadro da neurose; a neurose sempre tem o mesmo mecanismo psicológico, mas, como vemos, a mais diversificada e muitas vezes composta etiologia.

"Agora estou gostando mais do senhor, enfim o senhor falou como um médico. Agora, espero a confissão de que um caso médico tão complicado quanto a neurose só pode ser tratado por um médico."

Temo que com isso o senhor extrapole o objetivo. O que debatemos aqui foi um tanto de Patologia, na análise se trata de um procedimento terapêutico. Eu ressalvo, não, eu insisto que o médico, em cada caso passível de análise, primeiro estabeleça o diagnóstico. A quantidade enorme de neuroses que nos ocupam felizmente é de natureza psicogênica e é patologicamente insuspeita. Se o médico tiver constatado isso, ele tranquilamente poderá deixar a análise a cargo de um analista leigo. Nas nossas sociedades analíticas sempre tem sido assim. Graças ao contato intenso entre os membros médicos e não médicos, os temidos erros têm sido praticamente eliminados em sua totalidade. Ainda há aí um segundo caso, em que o analista precisa do auxílio do médico. No decorrer do tratamento analítico, podem aparecer sintomas – mais frequentemente físicos – em que se fica em dúvida se eles devem ser relacionados à neurose ou associados a uma doença orgânica independente, que surge como distúrbio. Essa decisão, por sua vez, deve ficar a cargo do médico.

"Então o analista leigo também não pode prescindir do médico durante a análise. Um novo argumento contra a sua utilidade."

Não, a partir dessa possibilidade não podemos forjar um argumento contra o analista leigo, pois o analista médico também não agiria de outra forma no mesmo caso.

"Não entendo."

É que existe a prescrição técnica de que o analista, no caso de surgirem sintomas dúbios desse tipo durante o tratamento, não os submeta a seu próprio juízo, mas solicite um parecer de um médico distante da análise, por exemplo, um especialista em Medicina Interna [*Internist*], mesmo ele próprio sendo médico e ainda confiando em seus conhecimentos médicos.

"E por que se prescreve algo que me parece tão supérfluo?"

Não é supérfluo, e até tem muitas justificativas. Em primeiro lugar, a junção de tratamento orgânico e psíquico numa coisa só não funciona bem, em segundo lugar, a relação da transferência pode fazer com que seja desaconselhável que o analista examine fisicamente o paciente, e em terceiro lugar, o analista tem todos os motivos para duvidar de sua imparcialidade, já que o seu interesse está tão intensamente voltado para os fatores psíquicos.

"Agora ficou clara a sua posição em relação à análise leiga. O senhor é irredutível em afirmar que precisa haver analistas leigos. Mas como o senhor não consegue refutar a incapacidade deles para a tarefa, o senhor reúne tudo que possa servir de desculpa e alívio para a sua existência. Mas eu não vejo absolutamente por que deva haver analistas leigos, que de resto conseguiriam apenas ser terapeutas de segunda categoria. Por mim, posso excetuar desse grupo os poucos leigos que já se formaram analistas, mas não se deveria criar novos, e os institutos de ensino deveriam se comprometer a não mais aceitar leigos em sua formação."

Concordo com o senhor, se ficar comprovado que com essa restrição se atenderia a todos os interesses em questão. O senhor há de convir que esses interesses são de três tipos: os dos doentes, os dos médicos e – *last not least* – os da Ciência, que inclui os interesses de todos os doentes futuros. Vamos analisar juntos esses três pontos?

Bem, para o doente é indiferente se o analista é médico ou não, desde que se exclua o perigo de uma interpretação errada de seu estado por meio do parecer médico exigido antes do início do tratamento e, em determinadas intercorrências, durante ele. Para ele, é muito mais importante que o analista disponha das características pessoais que o tornam digno de confiança, e que ele tenha adquirido os conhecimentos e as percepções, além das experiências, que o habilitem a realizar a sua tarefa. Poder-se-ia pensar que seria prejudicial à autoridade do analista o fato de o paciente saber que ele não é médico e que em algumas situações não pode prescindir do apoio do médico. Evidentemente, nunca deixamos de informar os pacientes sobre a qualificação do analista, e pudemos nos certificar de que os preconceitos de classe não encontram respaldo junto a eles, que eles estão dispostos a aceitar a cura, não importando de que origem ela lhes seja oferecida, o que, aliás, a classe médica vivenciou há tempos, para seu profundo desgosto. E acrescente-se que os analistas leigos que hoje praticam a análise não são indivíduos aleatórios arrivistas, mas pessoas de formação acadêmica, doutores em Filosofia, pedagogos e algumas mulheres com grande experiência de vida e de extraordinária personalidade. A análise, à qual devem se submeter todos os candidatos de um instituto de ensino analítico, ao mesmo tempo também é o melhor caminho para obter esclarecimentos sobre a sua adequação pessoal para o exercício dessa atividade exigente.

Agora, falemos do interesse dos médicos. Não posso crer que haja um ganho com a incorporação da Psicanálise na Medicina. O estudo da Medicina agora já leva cinco anos, a prestação dos últimos exames já entra bastante no sexto ano. Ano após ano surgem novas exigências para o estudante, sem o cumprimento das quais a sua capacitação para o futuro teria de ser declarada insuficiente. O acesso à profissão de médico é muito difícil, o seu exercício não é nem muito satisfatório nem muito vantajoso. Se adotarmos a exigência, certamente justificada, de que o médico também precisa estar familiarizado com o lado anímico da doença, e por isso estendermos a formação médica com uma parte de preparação para a análise, isso significará mais uma ampliação do conteúdo programático e a correspondente expansão de seus anos de estudo. Não sei se os médicos ficarão satisfeitos com essa conclusão a partir de sua exigência do direito à análise. Mas ela dificilmente poderá ser recusada. E isso em uma época em que as condições da existência material das classes de onde se recrutam os médicos pioraram tanto que a nova geração se vê forçada a se manter por conta própria o mais rapidamente possível.

Mas talvez o senhor não queira sobrecarregar o estudo da Medicina com a preparação para a prática analítica e julgue mais adequado que os futuros analistas se preocupem com a formação necessária para tanto apenas depois de completarem os seus estudos de Medicina. O senhor poderá dizer que a perda de tempo daí decorrente é praticamente irrelevante, porque um jovem de 30 anos nunca irá ganhar a confiança do paciente, que é justamente a condição para a ajuda psíquica. A isso poderíamos retrucar que também o médico recém-formado não deve contar com um imenso respeito dos pacientes em relação a sofrimentos físicos, e que o jovem analista poderia muito bem ocupar o seu tempo trabalhando em uma policlínica psicanalítica sob a supervisão de profissionais experientes.

Mas o que me parece mais importante é que o senhor, com essa sugestão, apoia um desperdício de forças, que nesses tempos difíceis realmente não encontra justificativa econômica. A formação analítica, é verdade, tem uma intersecção com o círculo da preparação médica, mas não o inclui e não é incluída por ele. Se tivéssemos de fundar uma Faculdade de Psicanálise, algo que hoje ainda pode parecer fantasioso, nela teríamos de ensinar muita coisa que é ensinada também na Faculdade de Medicina: além da Psicologia Profunda, que sempre seria a parte principal, uma introdução à Biologia, em um espectro o mais amplo possível a ciência da vida sexual, uma familiarização com os quadros patológicos da Psiquiatria. Por outro lado, a instrução analítica também englobaria disciplinas distantes do médico e com as quais eles dificilmente se defrontam em sua atividade: História da Cultura, Mitologia, Psicologia da Religião e Ciência da Literatura. Sem uma boa orientação nessas áreas, o analista se verá diante de boa parte de seu material com uma postura de incompreensão. Para tanto, a massa principal daquilo que é ensinado na Escola de Medicina não será útil para a sua finalidade. Tanto o conhecimento dos ossos do tarso quanto o da constituição dos hidróxidos de carbono, do percurso das fibras dos nervos cerebrais, tudo o que a Medicina revelou sobre focos bacilares de doenças e seu combate, sobre reações séricas e neoplasias: tudo em si com certeza é altamente valioso, mas para ele é completamente irrelevante, não lhe diz respeito, não lhe ajuda diretamente a compreender uma neurose e curá-la nem esse conhecimento contribui para aguçar aquelas capacidades intelectuais que são exigidas em grande quantidade na sua atividade. E não se intervenha aqui dizendo que o caso é semelhante àquele em que o médico se volta a uma especialidade médica diferente, por exemplo, à Odontologia. Mesmo nesse caso, ele também descartará muita coisa que ele teve de provar saber em exames, e precisará aprender muita coisa nova para a qual a escola não o preparou. Mas os dois casos não são equivalentes. Também para a Odontologia, os grandes aspectos da patologia, as doutrinas sobre inflamação, purulência, necrose, sobre a interação dos órgãos do corpo mantém a sua importância; mas a experiência leva o analista para um mundo diferente, com outros fenômenos e outras leis. Não importa como a Filosofia procura transpor o abismo entre o físico e o anímico – para a nossa experiência, ela tem primazia até mesmo para os nossos esforços práticos.

É injusto e inadequado obrigar uma pessoa que quer libertar o outro do sofrimento de uma fobia ou de uma ideia obsessiva a trilhar o desvio do estudo da Medicina. Também não terá sucesso se não se conseguir suprimir a análise. Imagine uma paisagem onde há dois caminhos para se chegar a um determinado mirante, um deles curto e em linha reta, o outro longo, cheio de curvas e de desvios. O senhor tenta barrar o caminho mais curto com uma placa de proibição, talvez porque ele passe por alguns canteiros de flores que o senhor quer proteger. O senhor só terá chance de a sua proibição ser respeitada se o caminho mais curto for íngreme e trabalhoso, enquanto o mais longo ascende de forma mais suave. Mas se for diferente e, ao contrário, o desvio for mais difícil, o senhor facilmente adivinhará qual a utilidade da sua proibição e o destino de seus canteiros de flores. Temo que, da mesma forma, o senhor não conseguirá obrigar os leigos a estudarem Medicina, nem eu conseguirei mover os médicos a aprenderem a análise. O senhor conhece a natureza humana.

"Se o senhor tiver razão com o fato de que o tratamento analítico não deve ser praticado sem a formação específica, mas que o estudo da Medicina não suporta a sobrecarga de uma preparação para tanto, e que os conhecimentos médicos em grande parte são supérfluos para o analista, então como chegar à personalidade médica ideal, apta a dar conta de todas as tarefas da profissão?"

Não posso prever qual será a saída para essas dificuldades, tampouco me cabe indicá-la. Vejo apenas duas coisas: em primeiro lugar, que a análise para o senhor é um incômodo, idealmente ela nem deveria existir – certamente o neurótico também é um incômodo –, e, em segundo lugar, que momentaneamente todos os interesses serão levados em conta quando os médicos decidirem tolerar uma classe de terapeutas que os poupa do tratamento trabalhoso das neuroses psicogênicas tão frequentes e está em constante contato com eles para o bem desses doentes.

"Essa é a sua última palavra sobre o assunto ou o senhor ainda tem algo a dizer?"

Certamente, eu ainda queria considerar um terceiro interesse, o da Ciência. O que eu tenho a dizer a respeito não o afetará em quase nada, mas tem para mim elevada importância.

É que não julgamos desejável que a Psicanálise seja engolida pela Medicina e depois encontre o seu depósito definitivo no livro didático de Psiquiatria, no capítulo sobre terapia, ao lado de procedimentos como sugestão hipnótica, autossugestão, persuasão, que, buscados de dentro de nosso desconhecimento, devem os seus efeitos efêmeros à morosidade e à covardia das massas de pessoas. Ela merece um destino melhor, e esperemos que o tenha. Na qualidade de "Psicologia Profunda", a ciência do inconsciente anímico, ela pode se tornar indispensável para todas as ciências que se ocupam da história da formação da cultura humana e de suas grandes instituições, como a arte, a religião e a organização social. Acho que ela já prestou auxílio considerável a essas ciências até agora para resolver os seus problemas, mas essas são apenas pequenas contribuições em comparação ao que poderia ser alcançado, se historiadores da cultura, psicólogos da religião, linguistas, etc. se reunissem para, eles mesmos, manusearem esse novo recurso de pesquisa que lhes é ofertado. A utilização da análise para a terapia das neuroses é apenas uma de suas aplicações; talvez o futuro mostre que não é a mais importante. Pelo menos seria injusto sacrificar todas as outras aplicações em favor dessa única, apenas porque essa área de aplicação toca o círculo dos interesses médicos.

Pois aqui se desenrola uma segunda relação, em que não se intervém sem prejuízos. Quando os representantes das diversas Ciências Humanas [*Geisteswissenschaften*[23]] precisam aprender a Psicanálise para aplicar os seus métodos e pontos de vista ao seu material, não é suficiente ater-se aos resultados registrados na literatura analítica. Eles precisarão aprender a entender a análise pela única via aberta para tanto, que é se submetendo a uma análise. Assim, aos neuróticos que precisam de análise se juntaria uma segunda categoria de pessoas, que aceita a análise por razões intelectuais, mas que certamente saudaria o aumento de sua produtividade, conseguida como resultado colateral. Para executar essas análises, é necessária uma quantidade de analistas para os quais eventuais conhecimentos de

Medicina terão muito pouca importância. Mas estes – iremos chamá-los de analistas didatas [*Lehranalytiker*] – precisam ter recebido uma formação especialmente detalhada. Se não quisermos que esse aprendizado arrefeça, precisamos lhes dar a oportunidade de colecionar experiências em casos com potencial de aprendizado e que sirvam de comprovação da teoria, e como as pessoas saudáveis que não possuem o motivo da sede de conhecimento não se submetem a uma análise, só pode ser com os neuróticos – sob supervisão cuidadosa – que os analistas didatas serão educados para a sua atividade futura, não médica. Mas tudo isso exige um certo grau de liberdade de movimentação e não suporta limitações mesquinhas.

Talvez o senhor não acredite nesses interesses puramente teóricos da Psicanálise ou não queira lhes conceder influência sobre a questão prática da análise leiga. Então deixe-me alertá-lo de que ainda há outra área de aplicação da Psicanálise, fora da área da lei do charlatanismo e para a qual os médicos dificilmente solicitarão soberania. Refiro-me à sua utilização na Pedagogia. Quando uma criança começa a externar sinais de um desenvolvimento indesejado, tornando-se mal-humorada, teimosa e desatenta, o pediatra e mesmo o médico da escola nada poderão fazer pela criança, mesmo quando ela produzir fenômenos claramente nervosos, como temores [*Ängstlichkeiten*], falta de apetite, vômito, insônia. Um tratamento que alia o influenciamento analítico a medidas educacionais, executado por pessoas que não dispensam ocupar-se das condições do entorno da criança e que sabem criar uma via de acesso para a vida anímica dela, consegue duas coisas ao mesmo tempo: suspender os sintomas nervosos e reverter a incipiente mudança de caráter. Nosso conhecimento da importância das neuroses infantis, muitas vezes imperceptíveis, como disposição para doenças sérias na vida futura aponta para essas análises infantis como um caminho excelente de profilaxia. Inegavelmente, ainda há inimigos da análise; não sei que recursos têm à disposição para impedir também a atividade desses analistas pedagógicos ou pedagogos analistas, também não acho que isso seja possível facilmente. Mas é claro que nunca devemos nos sentir seguros demais.

Aliás, para retornarmos à nossa questão do tratamento analítico de doentes de nervos adultos: aqui também ainda não esgotamos todos os aspectos. Nossa cultura exerce uma pressão quase insuportável sobre nós, ela exige um corretivo. Será que é muito fantasioso esperar que a Psicanálise, apesar de suas dificuldades, seja vocacionada para preparar as pessoas para um tal corretivo? Talvez mais um norte-americano tenha a ideia de gastar dinheiro para formar analiticamente os *social workers* [assistentes sociais] do seu país, transformando-os numa tropa auxiliar para combater as neuroses da cultura.

"Ah, sei, um novo tipo de Exército da Salvação."

Por que não? A nossa imaginação sempre trabalha de acordo com modelos. O fluxo de pessoas ansiosas por aprendizado que então correria para a Europa terá de passar por Viena, pois aqui o desenvolvimento analítico pode ter sucumbido a um trauma precoce da proibição. O senhor sorri? Não digo isso para obter seu apoio, certamente não. Eu sei que o senhor não acredita em mim, e também não posso lhe garantir que assim será. Mas de uma coisa eu sei. Não é tão importante saber qual a sua decisão sobre a questão da análise leiga. Ela pode ter um efeito local. Mas aquilo que realmente é importante, as possibilidades internas de desenvolvimento da Psicanálise, estas não podem ser atingidas com regulamentos e proibições.

POSFÁCIO A
"A QUESTÃO DA ANÁLISE LEIGA" (1927)

A motivação direta para redigir o meu pequeno escrito, ao qual se atrelam as discussões acima expostas,[24] foi a acusação contra o nosso colega não médico Dr. Theodor Reik de charlatanismo junto às autoridades de Viena. Deve ter sido de conhecimento geral que essa acusação foi retirada, depois de terem sido realizados todos os levantamentos prévios e colhidos diversos pareceres. Não creio que isso tenha sido um resultado positivo do meu livro; ao que parece, o caso era desfavorável demais para a acusação, e a pessoa que tinha reclamado por ter sido lesada revelou ser pouco digna de confiança. A suspensão do processo contra o Dr. Reik provavelmente não tem a importância de uma decisão de princípios do Tribunal de Viena na questão da análise leiga. Quando criei o personagem do interlocutor "imparcial" no meu escrito tendencioso, eu tinha em mente a pessoa de um dos nossos altos funcionários, um homem de boa vontade e de incomum integridade, com quem eu mesmo tinha tido uma conversa sobre o caso Reik e a quem entreguei um parecer particular a respeito, como ele desejara. Eu sabia que não tinha conseguido convertê-lo à minha opinião, e foi por isso que não deixei o meu diálogo com o interlocutor imparcial terminar em um acordo.

Também não esperava conseguir produzir uma posição unânime em relação à questão da análise leiga por parte dos analistas. Aquele que nessa coletânea comparar a manifestação da Sociedade Húngara com a do Grupo de Nova York, talvez suponha que o meu escrito de nada tenha servido, que todos mantêm a mesma opinião que já tinham antes. Também não acredito nisso. Creio que muitos colegas terão abrandado a sua postura extrema, a maioria aceitou a minha concepção de que a questão da análise leiga não pode ser decidida com base em costumes tradicionais, mas se origina de uma situação de um novo tipo, e por isso exige uma nova decisão.

Também a abordagem com que tratei a questão parece ter recebido aprovação. Como sabem, eu havia colocado em primeiro plano a afirmação de que pouco importa se o analista possui um diploma de médico, importa mais se ele adquiriu uma formação especializada que é necessária para se exercer a análise. A essa afirmação pudemos atrelar a pergunta, que tão avidamente foi discutida pelos colegas, sobre qual seria a formação mais adequada para o analista. Eu achava, e ainda defendo isso agora, que não é aquela que a universidade prescreve ao futuro médico. A chamada formação médica parece-me um desvio trabalhoso para chegar à profissão analítica, ela certamente dá ao analista muita coisa que lhe será indispensável, mas também o sobrecarrega de coisas que ele nunca irá usar, trazendo consigo o risco de que o seu interesse e a sua forma de pensar sejam desviados da percepção dos fenômenos psíquicos. O conteúdo programático para o analista ainda precisa ser criado, ele precisa abarcar tanto o conteúdo das Ciências Humanas, o conteúdo psicológico, histórico-cultural e sociológico quanto o anatômico, biológico e histórico-evolutivo. Haverá aí tanto a ensinar que se justifica deixar de fora das aulas o que não tem relação direta com a atividade analítica e que, como em todo outro curso, poderá contribuir apenas indiretamente para educar o intelecto e a capacidade de observação. É confortável retrucar a essa sugestão que não existem essas universidades analíticas, que isso é uma exigência idealizada. Sim, é um ideal, mas que pode ser realizado e precisa ser realizado. Nossos institutos de ensino, apesar de toda a sua insuficiência juvenil, já são o início de tal realização.

Aos meus leitores não deve ter escapado que no que escrevi acima eu pressupus como óbvio algo que nas discussões ainda é fortemente controvertido. Que a Psicanálise não é uma especialidade da Medicina. Não vejo como se recusar a reconhecer isso. A Psicanálise é parte da Psicologia, e também não é Psicologia Médica no sentido antigo, ou Psicologia dos processos patológicos, mas Psicologia simplesmente, e certamente não o todo da Psicologia, mas sim o seu substrato, talvez até o seu fundamento. Não nos deixemos enganar pela possibilidade de utilizá-la para fins médicos; até mesmo a eletricidade e os raios-X encontraram aplicação na Medicina, mas a ciência de ambos é a Física. Mesmo os argumentos históricos nada mudam em relação a esse vínculo. Toda a doutrina da eletricidade parte de uma observação do preparado de músculos nervosos, e nem por isso hoje se pensa em afirmar que ela é uma parte da Fisiologia. Em relação à Psicanálise se argumenta que ela foi inventada por um médico, em seu esforço para ajudar aos doentes. Mas isso, ao que parece, é indiferente para o seu julgamento. E esse argumento de cunho histórico também é bastante perigoso. Se formos continuá-lo, poderíamos lembrar como desde o início foi antipática e até de rejeição ofensiva a reação da classe médica contra a análise; daí poderíamos concluir que hoje tampouco ela teria direito à análise. E realmente – apesar de eu rejeitar essa conclusão – ainda hoje não sei ao certo se o cortejo dos médicos em relação à Psicanálise do ponto de vista da teoria da libido remonta ao primeiro ou ao segundo dos subestágios de Abraham,[25] se aí se trata de uma tomada de posse com a intenção de destruição ou de preservação do objeto.

Para nos determos ainda mais um pouco no argumento histórico: como se trata da minha pessoa, posso esclarecer as minhas próprias razões àquele que se interessar. Após 41 anos de atividade médica, o meu autoconhecimento me diz que, a rigor, eu nunca fui um médico de verdade. Tornei-me médico devido a um desvio que me foi imposto da minha intenção original, e o triunfo da minha vida consiste no fato de que reencontrei o rumo inicial depois de um grande *detour*. Nada me consta dos anos iniciais a respeito de uma necessidade de ajudar pessoas em sofrimento, a minha disposição sádica não era muito forte, assim, sendo esse um de seus derivados, ele não precisou se desenvolver. Eu também nunca "brinquei de médico", a minha curiosidade infantil aparentemente trilhava outros caminhos. Nos anos da juventude, a necessidade de entender um pouco dos mistérios deste mundo e talvez contribuir um pouco para a sua solução tornou-se dominante. A inscrição na Faculdade de Medicina parecia ser o melhor caminho para tanto, mas aí tentei – sem sucesso – a Zoologia e a Química, até que, sob influência de Brücke,[26] a maior autoridade que sobre mim influiu, ative-me à Fisiologia, que, naquela época, evidentemente se restringia de forma excessiva à Histologia. Eu já tinha passado por todos os exames da Medicina, sem, no entanto, interessar-me por algo da área médica, até que um alerta do admirado professor me dizia que, diante da minha situação material precária, eu deveria evitar uma carreira teórica. Assim, passei da Histologia do Sistema Nervoso à Neuropatologia e, devido a novos estímulos, dediquei-me ao trabalho com as neuroses. Mas acredito que a minha falha na disposição médica correta não tenha prejudicado muito os meus pacientes. Pois o doente em nada se beneficia quando o interesse terapêutico do médico registra um excesso de afetividade. Para ele, é melhor que o médico trabalhe de modo frio e o mais corretamente possível.

O relato acima certamente contribuiu pouco para esclarecer a questão da análise leiga. Ele apenas devia reforçar a minha legitimação pessoal, quando justamente eu defendo o valor próprio da Psicanálise e a sua independência da aplicação médica. Mas aqui irão me retrucar que saber se a Psicanálise enquanto ciência é uma parte da Medicina ou da Psicologia é uma questão acadêmica, e praticamente sem interesse algum. O que estaria em jogo seria outra coisa, justamente a utilização da análise para tratar doentes, e, na medida em que ela reivindica isso, ela precisa aceitar ser acolhida na Medicina enquanto área de especialidade, como, por exemplo, a Radiologia, e se submeter às prescrições válidas para todos os métodos terapêuticos. Eu reconheço isso, confesso, apenas quero evitar que a terapia sufoque a Ciência. Infelizmente, todas as comparações só funcionam até certo ponto, pois chega um momento em que os dois elementos de comparação divergem. O caso da análise é diferente daquele da Radiologia; os físicos não precisam da pessoa doente para estudar as leis dos raios-X. Mas a análise não dispõe de nenhum outro material além dos processos anímicos da pessoa, ela só pode ser estudada na própria pessoa; devido às condições especiais facilmente compreensíveis, a pessoa neurótica constitui material muito mais rico em termos de aprendizado e muito mais acessível que a pessoa normal, e se retirarmos esse material de alguém que queira aprender e aplicar a análise, teremos reduzido amplamente suas possibilidades de formação. Evidentemente, está longe de mim exigir que o interesse do doente neurótico seja oferecido em sacrifício do interesse da instrução e da pesquisa científica. Meu pequeno escrito sobre a questão da análise leiga se esforça em mostrar justamente que, observando determinadas cautelas, ambos os interesses podem ser coadunados, e que essa solução por fim acaba prestando um serviço também ao interesse médico, se entendido de forma correta.

Eu mesmo elenquei todas essas cautelas; devo dizer que a discussão não acrescentou nada de novo nesse ponto; quero ainda apontar que, muitas vezes, ela distribuiu os destaques de uma forma que não faz jus à realidade. Tudo o que foi dito sobre a dificuldade do diagnóstico diferenciado, a insegurança na avaliação dos sintomas físicos em muitos casos, está correto, ou seja, aquilo que torna necessário o conhecimento médico ou a intervenção médica, mas a quantidade de casos em que essas dúvidas nem sequer surgem, e em que o médico não é necessário, ainda é incomparavelmente maior. Esses casos possivelmente são desinteressantes do ponto de vista científico, mas na vida eles têm um papel suficientemente importante para justificar a atividade do analista leigo, que está totalmente apto a lidar com eles. Há algum tempo, eu analisei um colega que desenvolveu uma rejeição especialmente forte contra o fato de que alguém que não seja médico exerça uma atividade médica. Eu pude dizer a ele: nós estamos trabalhando há mais de três meses. Em que momento da nossa análise eu me vi obrigado a recorrer aos meus conhecimentos médicos? Ele confessou que não havia existido essa necessidade.

Também não tenho em alta conta o argumento de que o analista leigo, por ter de estar pronto para consultar o médico, não adquira autoridade junto ao doente e que não goze de um prestígio maior que o assistente de médico, o massagista e assemelhados. A analogia, mais uma vez, não é pertinente, além disso o doente costuma conceder a autoridade de acordo com a sua transferência de sentimentos, e a posse de um diploma de médico não o impressiona tanto quanto o médico quer crer. O analista leigo profissional não terá dificuldade em criar a reputação que lhe é devida como um sacerdote profano[27] [*weltlicher Seelsorger*]. Aliás, com a fórmula "sacerdote profano" poderíamos descrever a função que o analista, médico ou leigo, deve preencher diante do público. Nossos amigos entre os clérigos protestantes e recentemente também católicos muitas vezes livram os seus fiéis de suas travas na vida, na medida em que restabelecem a sua fé, após terem oferecido a eles um pouco de esclarecimento analítico sobre os seus conflitos. Nossos opositores, da Psicologia Individual de Adler, buscam a mesma transformação naqueles que perderam o prumo e se tornaram improdutivos, na medida em que despertam o seu interesse pela comunidade social, após terem iluminado um único ângulo de sua vida anímica e lhes mostrado qual a participação de suas moções de egoísmo e de desconfiança em seu estado de doença. Ambos os procedimentos, que devem a sua força ao seu apoio na análise, encontram lugar na psicoterapia. Nós, analistas, temos como objetivo uma análise a mais completa e profunda possível, nós não queremos lhe tirar um peso através do acolhimento na comunidade católica, protestante ou socialista, mas queremos enriquecê-lo a partir de seu próprio interior, na medida em que emitimos as energias em direção ao seu Eu, as quais encontram-se amarradas e inacessíveis em seu inconsciente devido ao recalque, e também aquelas que o Eu precisa desperdiçar de modo infrutífero para manter os recalques. Isso que vimos fazendo é cuidar de almas,[28] no melhor dos sentidos. Será que estabelecemos objetivos altos demais com isso? Será que a maioria dos nossos pacientes vale o esforço empenhado nesse trabalho? Não seria mais econômico aparar o que está defeituoso a partir de fora, em vez de reformar por dentro? Não sei dizer, mas sei de outra coisa. Na Psicanálise, desde o início havia uma associação entre curar e pesquisar, e o conhecimento trazia o sucesso, não se podia tratar sem experimentar algo novo, não se obtinha esclarecimento sem vivenciar o seu efeito benéfico. Nosso procedimento analítico é o único que mantém essa preciosa conjunção. Só quando praticamos o cuidado analítico da alma aprofundamos nossa incipiente compreensão da vida anímica do ser humano. Essa perspectiva de ganho científico constitui o traço mais nobre e feliz do trabalho analítico; será que podemos sacrificá-lo em nome de considerações práticas quaisquer?

Algumas manifestações nessa discussão despertam em mim a suspeita de que o meu escrito sobre a questão da análise leiga foi, sim, mal compreendido em um ponto. Os médicos são defendidos contra mim, como se eu, de forma generalizada, os tivesse declarado incapacitados para o exercício da análise e tivesse lançado a divisa de que se deva evitar buscar ajuda médica. Bom, não foi essa a minha intenção. Provavelmente, teve-se essa impressão pelo fato de eu ter declarado em minha apresentação de disposição polêmica que os analistas médicos sem formação específica seriam ainda mais perigosos que os leigos. Eu poderia deixar clara a minha verdadeira opinião nessa questão, copiando um cinismo que foi apresentado certa vez no *Simplicissimus*[29] sobre as mulheres. Nele, um dos parceiros se queixava das fraquezas e dificuldades do sexo mais belo, ao que o outro observou: "Mas a mulher é o melhor que temos *desse gênero*". Confesso que enquanto ainda não existirem as escolas que desejamos para a formação de analistas, as pessoas de formação médica são o melhor material para o futuro analista. No entanto, podemos exigir que não coloquem a sua pré-formação médica no lugar da formação específica, que eles superem a unilateralidade favorecida pelo ensino médico e que resistam à tentação de flertar com a Endocrinologia e com o sistema nervoso autônomo, quando se tratar de perceber fatos psicológicos através de concepções psicológicas auxiliares. Da mesma forma, compartilho da expectativa de que todos os problemas que se referem às relações entre os fenômenos psíquicos e suas bases orgânicas, anatômicas e químicas só possam ser enfrentados por pessoas que estudaram ambas as coisas, ou seja, por analistas médicos. Mas não deveríamos nos esquecer de que isso não é tudo na Psicanálise, e que para o seu outro lado nunca podemos prescindir da colaboração de pessoas que são formadas em Ciências Humanas. Por razões práticas, criamos o hábito, também para as nossas publicações, de separar uma análise médica das aplicações da análise. Isso não é correto. Na verdade, o limite da separação corre entre a Psicanálise científica e as suas aplicações nas áreas médica e não médica.

A rejeição mais dura quanto à análise leiga é representada, nessas discussões, por nossos colegas norte-americanos. Não considero supérfluo retrucar-lhes com algumas observações. Dificilmente seria um mau uso da análise para fins polêmicos eu expressar a opinião de que a sua resistência remonta unicamente a fatores práticos. Eles observam que em seu país os analistas leigos cometem muitos absurdos e abusos com a análise e, consequentemente, prejudicam tanto os pacientes quanto a reputação da análise. Então, é compreensível que em sua indignação eles queiram ficar longe desses malfeitores irresponsáveis e queiram excluir os leigos de qualquer participação na análise. Mas essa situação já é suficiente para diminuir a importância da sua postura. Pois a questão da análise leiga não pode ser decidida unicamente segundo considerações práticas, e as condições locais da América não podem ser os únicos parâmetros para nós.

[A atitude dos norte-americanos,[30] contudo, parece ver-se aberta a críticas, do ponto de vista da conveniência [*Zweckmäßigkeit*]. Colocamo-nos a questão sobre por que justamente da América viria o grande número de análises leigas prejudicais. Até onde se pode julgar à tamanha distância, muitos fatores, cuja importância relativa não se consegue avaliar, parecem aqui se coadunar. Primeiramente, deve-se supor que somente um pequeno número de médicos analistas foi bem-sucedido em obter reconhecimento e exercer influência sobre decisões de seu público. Nisso pode se reconhecer a culpa de muitos fatores: a extensão do país, a falta de uma organização coordenadora que se estenda de forma satisfatória para além das fronteiras de determinada cidade, além disso, o temor à autoridade dos norte-americanos, sua tendência a exercer a independência pessoal nos poucos âmbitos ainda não considerados como estabelecidos, por uma pressão implacável da *public opinion* [*sic*]. O mesmo traço norte-americano, transferido da vida política para o empreendimento científico, mostra-se no próprio grupo de analistas pela determinação de ter de trocar de dirigente a cada novo ano, de forma que com isso nenhuma liderança de fato, que seria necessária nesses difíceis caminhos, possa se constituir. Ou então no comportamento de círculos científicos que, por exemplo, manifestam igual interesse por todas as variantes de teorias autoproclamadas psicanalíticas e com isso visam afirmar sua *openmindedness* [*sic*]. O cético europeu não pode reprimir a suspeita de que o interesse em todos os casos não possa ser tão profundo e que por trás de tal imparcialidade esconda-se muito desprazer e incapacidade de julgamento.

Parece a todos, de acordo com o que se ouve, que camadas da população estão à mercê da exploração por parte de analistas leigos fraudulentos; enquanto na Europa já estariam deles protegidas graças às suas próprias censuras. Não saberia dizer que traço da mentalidade norte-americana mereceria a culpa por isso, de onde vem a explicação para o fato de que pessoas cujo mais elevado ideal de vida é a *efficiency*, o trabalho pela prosperidade na vida, não levam em conta as mais simples precauções na escolha de um auxiliar para dirimir suas aflições. Entretanto, para fazermos justiça, temos de convir que isso ao menos em parte diminui a culpa dos malfeitores. Na rica América, onde se obtém dinheiro facilmente com qualquer extravagância, ainda não há locais onde médicos e não médicos possam aprender a Psicanálise. Já a empobrecida Europa conta com três institutos de ensino financiados com meios privados em Berlim, Viena e Londres. Com isso, só resta aos pobres ladrões buscar o pouco de conhecimento necessário à formação numa lastimável apresentação popular da análise, elaborada por algum de seus compatriotas. Os bons livros em inglês lhes são muito difíceis; os em alemão, inacessíveis. Algumas dessas pessoas, depois de passarem anos numa existência de piratas [*Piratenexistenz*] e de terem com isso obtido alguma coisa, vão para a Europa com escrúpulos de consciência tardios, para *a posteriori* legitimarem sua relação com a Psicanálise, para se tornarem honestos e aprenderem alguma coisa. Nossos colegas norte-americanos geralmente nos admoestam por não recusarmos esses hóspedes.

Mas eles também rejeitam aqueles leigos que, mesmo sem ter feito o mau uso prévio da análise, procuram uma formação em nossos institutos de ensino, e criticam duramente a precariedade do conhecimento obtido com o qual retornam para a América. Se eles têm razão nesse ponto, não nos cabe a responsabilidade, mas isso seria consequência de duas particularidades bastante conhecidas da essência do norte-americano que nos bastaria aqui aludir. Primeiramente, é indiscutível que o nível de formação geral, bem como o de capacidade de assimilação intelectual, mesmo em pessoas que visitaram um *college* norte-americano, é bem mais baixo que o de um europeu. Quem não acredita nisso ou toma isso por maledicência deve se remeter a observadores norte-americanos honestos, lendo sobre exemplos em Martin, *The Behavior of Crowds* [O comportamento de massa]. Em segundo lugar, só confirmamos o ditado ao lembrar que os norte-americanos nunca têm tempo. Por certo *time is money* [tempo é dinheiro], mas não se pode entender por que ele [tempo] precisa ser convertido em dinheiro com tanta pressa. Ele manteria igualmente o seu valor monetário mesmo se agíssemos com mais morosidade, e se deveria imaginar que quanto mais tempo fosse investido, mais dinheiro se obteria no final. Em nossas terras alpinas há um cumprimento para quando duas pessoas se encontram: tome seu tempo [*Zeit lassen*]. Nós já muito escarnecemos essa formulação, mas diante da pressa norte-americana aprendemos a reconhecer a grande sabedoria de vida que nela se encerra. De todo modo, o norte-americano não tem tempo. Ele se compraz com os grandes números, pelo aumento de todas as dimensões, e, em contrapartida, pelo encurtamento do tempo dispendido pela obtenção de algo. Creio que chama isso de recorde. Ele deseja aprender a análise em três ou quatro meses e, naturalmente, que um tratamento analítico também não deveria durar mais do que isso. Um analista europeu, Otto Rank, também se submeteu a essa ânsia norte-americana por abreviamento, adequando a ela sua técnica, que consiste na ab-reação do trauma do nascimento, e buscou dar ao seu procedimento, no âmbito da "Psicologia Genética", uma fundamentação teórica. Estamos acostumados ao fato de que cada necessidade prática produza sua correspondente ideologia.

Mas os decursos entre consciente e inconsciente têm suas próprias condições temporais, que não condizem bem com as exigências norte-americanas. Não é possível transformar no intervalo de três ou quatro meses em um analista eficiente alguém que até então não tinha qualquer entendimento sobre análise, e menos ainda seria possível conduzir o neurótico às mudanças que deveriam lhe restituir as capacidades perdidas de trabalhar e de fruir [*verlorene Arbeits- und Genußfähigkeiten*].[31] O norte-americano também nada obtém em nossos institutos de ensino, pois permanece geralmente muito pouco tempo neles. Aliás, ouvi dizer de certos leigos norte-americanos que fizeram toda a formação de dois anos de duração em nossos institutos de ensino, que tal duração de curso também é requerida de analistas médicos, mas nunca soube de nenhum médico norte-americano que tivesse dispendido tanto tempo em formação. Não, devo corrigir-me, conheço uma exceção;

trata-se de uma médica norte-americana que, entretanto, jamais exerceu o ofício médico.

Ouso agora apontar para um outro fator, sem o qual não se pode entender a situação norte-americana. O Super-Eu norte-americano parece em muito diminuir a sua severidade em relação ao Eu quando se trata do interesse pelo lucro. Mas talvez o leitor ache agora que eu externei muitas maldades sobre aquele país, diante do qual, nas últimas décadas, aprendemos a nos curvar.

Paro por aqui.]

A resolução dos nossos colegas norte-americanos contra os analistas leigos, guiada essencialmente por motivos práticos, parece-me pouco prática, pois ela não pode modificar um dos momentos que dominam a situação. Ela tem mais ou menos o valor de uma tentativa de recalque. Se não se pode impedir os analistas leigos em sua atividade, se não se tem o apoio do público na luta contra eles, não seria melhor levar em consideração o fato de sua existência, oferecendo-lhes oportunidades de formação, ganhando influência sobre eles, mostrando-lhes a possibilidade de aprovação da classe médica e do recurso ao trabalho colaborativo como motivação, de modo que eles tenham interesse em melhorar o seu nível ético e intelectual?

POST-SCRIPTUM (1935)[32]

Este ensaio foi redigido em 1926 e apresentado em 1927 aos leitores norte-americanos (aos cuidados da editora Brentano). Como agora colocou-se a demanda de sua reedição, revisei-o cuidadosamente e achei que ele pode permanecer como está, que não necessita nem comporta modificações profundas. O amigável leitor deve rejeitar alguns detalhes por não serem mais atuais. Uma assimilação à situação existente no Reich Alemão não mais é desejada entre nós na Áustria, a expectativa, que aliás nunca pode ser levada a sério, de que a generosidade norte-americana fosse resolver a questão dos cuidados anímicos [*Seelsorge*] no sentido psicanalítico não resistiria ao declínio da *prosperity* [*sic*] norte-americana. No mais, acredito que algumas poucas observações devem bastar, para trazer a apresentação ao nível de nosso entendimento atual.

O escrito "A questão da análise leiga" foi um verdadeiro trabalho de ocasião. Ocorreu em Viena que um de nossos colaboradores, um homem habilidoso e digno de confiança, não médico, mas *Doctor Philosophiae* [Dr. phil.], foi erroneamente acusado por um paciente psicopático de que ele teria usurpado da qualificação médica para tê-lo sob tratamento. A lei austríaca relativa ao charlatanismo é severa; tememos então que esse precedente fosse dar aos órgãos competentes o ensejo para proibir irrestritamente o exercício da Psicanálise por não médicos. A "pessoa imparcial" referida em meu pequeno livro existiu de fato e hoje ainda vive. Ele é uma personalidade influente em nosso campo profissional, para quem redigi um parecer sobre o tema ocasionado. Não sei se meus argumentos causaram grande impressão, contudo a análise leiga na Áustria permaneceu sem ser proibida.

O ensaio que se originou desse parecer não teve um destino amigável. É um dos poucos entre meus escritos que não obteve uma segunda edição em alemão, que raramente foi traduzido e que praticamente nunca é citado. Acredito que esse tratamento foi injusto. O escrito é bom e merece o juízo de reconhecimento, que meu agora falecido amigo Ferenczi externou em sua "Introduction" [*sic*] a ele. Mas novamente empreendi a luta contra o preconceito, censurei duramente a conduta da corporação médica, da qual eu mesmo faço parte há mais de 50 anos, e isso não pode – ao menos de imediato – ter tido consequência distinta.

DR. REIK E O CHARLATANISMO (1926)[33]

Prezada redação!

Num artigo de seu jornal datado de 15 de dezembro, que abordava o caso de meu aluno, o Dr. Theodor Reik, e mais precisamente num parágrafo intitulado "Comunicação advindas de círculos de psicanalistas", encontra-se uma passagem sobre a qual gostaria de emitir certas observações retificadoras. Ali consta que "... nos últimos anos ele [Freud] se convenceu de que o Dr. Reik, que ganhou reconhecimento público através de seus trabalhos filosóficos e psicológicos, possui um dom muito mais elevado para a Psicanálise do que médicos que se dizem seguidores da Escola Freudiana e que somente a ele e a sua própria filha Anna, que se revelou especialmente capacitada para a difícil técnica analítica, confia os casos mais difíceis".

Acredito que o Dr. Reik seria o primeiro a recusar tal motivação para nossas relações. Mas procede a informação de que tomo em consideração sua competência para lidar com casos especialmente difíceis, somente, contudo, aqueles cujos sintomas se situam longe do domínio corporal. Jamais deixei de dizer a um paciente que ele não é médico, e sim psicólogo.

Minha filha Anna voltou-se para a análise pedagógica de crianças e adolescentes. Nunca ainda lhe confiei um caso de afecção neurótica severa em adultos. O único caso de doença com sintomas limítrofes ao psiquiátrico que ela tratou até o presente momento mereceu aprovação médica dado o seu pleno sucesso.

ANÚNCIO DE UMA PUBLICAÇÃO
"SOBRE A QUESTÃO DA ANÁLISE LEIGA"

Eu aproveito esta ocasião para comunicar que acabo de enviar para a impressão um breve escrito sobre "A questão da análise leiga". Nele procuro demonstrar o que é uma psicanálise, o que ela demanda do psicanalista, considero ali relações, nada simples, entre Psicanálise e Medicina e, após essa apresentação, que há grandes reservas a serem feitas contra uma aplicação mecânica do parágrafo que concerne aos charlatães no caso do analista formado em nossa escola.

Como abandonei minha clínica vienense e restringi minha atividade ao tratamento de um pequeno número de estrangeiros, espero não atrair com isso uma acusação de propaganda contra a própria profissão.

Com protestos de elevada estima e consideração,

Seu Professor Freud

Die Frage der Laienanalyse.
Unterredungen mit einem Unparteiischen (1926)

1926 Primeira publicação: *Internationaler psychoanalytischer Verlag*
1928 *Gesammelte Schriften*, t. XI, p. 307-384
1948 *Gesammelte Werke*, t. XIV, p. 209-296

[Para as passagens não incluídas na edição alemã da *Gesammelte Werke*]:
1993 GRUBRICH-SIMITIS, I. *Zurück zu Freuds Texten*. Frankfurt
am Main: Fischer Verlag, 1993. p. 226-229, 294-295, 297-302
1994 *Œuvres complètes de Freud*. Paris: PUF, 1994

Dr. Reik und die Kurpfuscherei
1926 Primeira publicação: *Neue Freie Presse* (18 de julho)
1987 *Gesammelte Werke*, Nachtragsband, p. 715-717

Este texto, construído em forma de diálogo, constitui talvez um dos mais importantes escritos técnicos freudianos após a reformulação da doutrina das pulsões e da teoria do aparelho psíquico, no início da década de 1920. Trata-se, contudo, de um texto de intervenção, um documento vivo de como Freud respondia ao contexto político de seu tempo.

Sua motivação mais imediata remonta a um processo que acusava Theodor Reik (1888-1969), membro da Sociedade Psicanalítica de Viena, de "charlatanismo", na medida em que este exercia a Psicanálise sem ser diplomado em Medicina. A discussão acerca da análise leiga, isto é, a análise exercida por não médicos, remonta a pelo menos dois anos antes. Conforme carta a Abraham de novembro de 1924, o fisiologista Arnold Durig, que era membro do Conselho Superior de Saúde da cidade de Viena, havia solicitado a Freud um parecer acerca da prática da análise por "leigos". A despeito de sua interlocução com Durig – que muito provavelmente inspirou a "pessoa imparcial" do diálogo –, o município de Viena proibiria Reik de exercer a Psicanálise, em resolução datada de 24 de fevereiro de 1925. Logo em seguida, Freud escreveria também a Julius Tandler, outro conselheiro, pedindo que ele reconsiderasse a decisão.

Freud redige seu artigo no verão de 1926. Um ano depois, escreve o "Posfácio", com o intuito de concluir uma acalorada discussão acerca do tema, que teve lugar no X Congresso Internacional de Psicanálise, ocorrido em Innsbruck, organizado por Jones e Eitingon, e que contou com as colaborações dos mais renomados psicanalistas à época.

O contexto era efervescente. Na primavera de 1925, um paciente psicótico norte-americano, Newton Murphy, que também era médico, procura Freud para uma análise, mas é encaminhado justamente a Reik. Pouco depois, Murphy entra com uma queixa contra Reik. Por seu turno, Wilhelm Stekel, dissidente do movimento analítico, orquestrara uma campanha contra a análise leiga, interpelando a Sociedade Psicanalítica de Viena. Aos praticantes de Psicanálise da Policlínica de Viena foi exigido o diploma médico. Entre julho e setembro de 1926, a imprensa vienense repercutiu esse debate, dedicando manchetes e artigos, particularmente na *Neue Freie Presse*. No domingo, 18 de julho de 1926, Freud publica um artigo defendendo Reik, acrescentando que outro exemplo de sucesso analítico de um praticante não médico era o de sua própria filha, Anna Freud. O processo contra Reik só seria concluído, favoravelmente a ele, em maio de 1927.

A repercussão desse escrito foi imediata e dividiu a comunidade psicanalítica internacional. Tornou-se um marco acerca da questão da formação do analista. Alguns nomes importantes, como Jones, Sadger e Deutsch, advogaram contra a posição de Freud e insistiram na necessidade da formação médica do psicanalista. Jones escreveu uma resenha do texto, publicada em 1927, e debateu o assunto em sua correspondência com Freud. A questão foi particularmente dramática nos Estados Unidos, onde a formação médica foi unanimemente exigida, culminando com a expulsão dos analistas não médicos em Nova York. O "Posfácio" (1927) escrito por Freud é veemente. Jones e Eitingon suprimiram, com o aval de Freud, três páginas de texto, especialmente acres em relação à assimilação norte-americana da Psicanálise. A íntegra do texto, reproduzida aqui, foi restituída por Ilse Grubrich-Simitis em 1993.

Além disso, acrescentamos aqui a tradução de um manuscrito de Freud, intitulado "*Post-scriptum*" (1935). Esse texto, assim como algumas notas de rodapé, foi escrito por Freud para uma nova edição norte-americana preparada por Norton, um editor nova-iorquino, que infelizmente abandonou o projeto. Todo esse material inédito foi descoberto por Ilse Grubrich-Simitis.

Ao final, julgamos pertinente publicar ainda uma carta de Freud sobre o charlatanismo "Dr. Reik e o charlatanismo", publicada no dia 18 de julho de 1926, na *Neue Freie Presse*.

NOTAS

[1] O termo em alemão não remete tanto à noção de alguém que use de um falso diploma ou de falsidade ideológica, como no caso do vocábulo português, mas sobretudo à clandestinidade ou falta de capacitação legal. (N.R.)

FUNDAMENTOS DA CLÍNICA PSICANALÍTICA   311

[2] SHAKESPEARE, W. *Hamlet*, ato II, cena 2: "*Words, words, words*". Na tradução de Millôr Fernandes em que o protagonista conversa com Polônio, o "Lord camarista". (N.T.)

[3] Ver GOETHE, J. W. *Fausto*, cena 4. Conversa entre Mefistófeles e o estudante ["*Mit Worten läßt sich trefflich streiten...*"]. (N.R.)

[4] No final de seu *Totem e tabu*, Freud cita o verso "No começo era o ato" ["*Im Anfang war die Tat*"]. Cf. GOETHE. *Fausto*, v. 1237. (N.E.)

[5] Johann Nestroy (1801-1862). (N.E.)

[6] Referência ao autor Hans Vaihinger, que publicou o livro *Die Philosophie des Als ob* [*A filosofia do como se*], obra duramente criticada por Freud em *Die Zukunft einer Illusion* [*O futuro de uma ilusão*], ensaio que Freud via de modo complementar a este ["A questão da análise leiga"]. Em carta a Oskar Pfister de 1933, Freud afirma que escreveu *Die Frage der Laienanalyse* para defender a Psicanálise dos médicos e *Die Zukunft einer Illusion* para defendê-la dos sacerdotes. (N.R.)

[7] Crítica de Freud à célebre tradução de Ernest Jones para essas instâncias, que utiliza não exatamente o grego, mas outra língua clássica igualmente morta: o latim. Mesmo na língua portuguesa há quem prefira traduzir os tais "pronomes retos" *Ich* e *Es* (Eu e Isso) por *Ego* ou *Id*, respectivamente. Essa desaprovação é confirmada em nota de Freud de 1935 inserida ao final deste texto. (N.R.)

[8] "*Isso* foi mais forte que *eu*" (grifo nosso). Perceba-se o quanto Freud se apoia em palavras e expressões cotidianas para elaborar suas teorias de forma compreensível e acessível ao leigo. (N.R.)

[9] Freud se refere aqui a Friedrich Schiller, aludindo ao poema "Die Weltweisen". (N.R.)

[10] Interessante perceber como Freud antecipa toda a incessante discussão sobre a procura por um termo tão comum e cotidiano para a tradução de *Trieb* em outras línguas europeias modernas. (N.R.)

[11] Ver, por exemplo, "Neurose e psicose" e "A perda da realidade na neurose e na psicose", ambos de 1924, no volume *Neurose, psicose, perversão*. (N.E.)

[12] Provável alusão a Tolstói, em consonância com uma passagem semelhante em "Observações sobre o amor transferencial" (neste volume, p. 168). (N.E)

[13] Clara referência de Freud a dois seguidores seus que posteriormente se tornaram dissidentes e fundadores de novas escolas de pensamento sobre o psiquismo. Trata-se, respectivamente, de Carl Gustav Jung e Alfred Adler. (N.R.)

[14] Em outras notas desta mesma coleção advertimos o leitor quanto à polissemia do vocábulo *Angst*, podendo significar "medo", "ansiedade"

312 OBRAS INCOMPLETAS DE S. FREUD

ou "angústia" e de como há uma certa tendência de Freud em usá-lo teoricamente no sentido de "angústia". Entretanto, o contexto aqui deixa claro ser o caso de "medo", do "temor" de que o pai cumpra com uma ameaça. (N.R.)

[15] Continente escuro (ou negro, ou obscuro), em inglês no original. Alusão à expressão popularizada pelo best-seller da literatura colonial *Through the Dark Continent*, publicado pelo explorador Henry Morton Stanley (Londres, 1878). O emprego dessa metáfora por Freud fez correr muita tinta: críticos viram nela o vestígio de um discurso falo-eurocentrista; defensores perceberam nessa alusão a uma alteridade radical, reduplicada e metaforizada, a constatação dos limites daquele próprio discurso e um ponto de inflexão para sua superação. (N.E.)

[16] Referência à *Odisseia* de Homero, representando criaturas marinhas. Estar entre um turbilhão (Caríbdis) e um rochedo (Cila), na região do estreito de Messina, perigosos para a navegação: ou se fugia do turbilhão ou se batia no rochedo. Corresponde a um dilema, algo como estar "entre a cruz e a espada". (N.R.)

[17] Referência ao herói da história suíça, Guilherme (Wilhelm) Tell. Cita-se aqui um trecho da fala de Tell na peça de Schiller *Wilhelm Tell*, ato III, cena I. (N.T.)

[18] Digno de nota que no alemão não se confunda a *Consciência* [*Bewusstsein*], clássico objeto da ciência psicológica e aquilo que Freud contrapõe ao *Inconsciente* [*das Unbewusste*], com a consciência enquanto senso moral [*Gewissen*]. (N.R.)

[19] Ver nota anterior. (N.R.)

[20] Alusão a Joseph Breuer, médico de Anna O. e coautor, com Freud, do célebre *Estudos sobre a histeria* (1895). (N.E.)

[21] Conjunto de crenças do movimento religioso fundado por Mary Baker Eddy (1821-1910), nos Estados Unidos. No livro de referência desse movimento, *Science and Health* (1875), Eddy propõe que a doença é uma ilusão que pode ser curada apenas pela oração. (N.E.)

[22] Citação do rei Frederico II, da Prússia, que, respondendo a uma consulta sobre a eliminação das escolas católicas em seu reino, advogava liberdade religiosa, para que cada um pudesse ser feliz/bem-aventurado [*selig*] à sua maneira ["*Nach seiner Façon selig werden*", no fac-símile "*muss ein jeder nach seiner Faßon Selich werden*"]. (N.T.)

[23] Literalmente, "Ciências no Espírito" ou "da Mente", que na tradição alemã, desde Dilthey, opõem-se às Ciências da Natureza [*Naturwissenschaften*]. O paradigma se aproxima da nossa oposição dicotômica *Ciências Humanas – Ciências Exatas*, mas com algumas diferenças fundamentais. (N.R.)

[24] Freud alude à circunstância de que este posfácio foi publicado no final de um debate organizado pela *Internationale Zeitschrift für Psychoanalyse* no verão de 1927 (nos cadernos 2 e 3 do ano XIII) sobre a questão da análise leiga. (N.E.)

[25] Referência às teorias propostas por Karl Abraham quanto aos dois subestágios da fase anal-sádica. (N.R.)

[26] Ernst Wilhelm von Brücke (Berlim, 1819–Viena, 1892). Psiquiatra e psicólogo alemão, professor de Freud na Universidade de Viena. (N.R.)

[27] Fórmula de difícil e ambígua tradução. O adjetivo *weltlich* está relacionado ao substantivo *Welt* [mundo]. Logo, poderia ter uma tradução mais literal em "mundano". *Seelsorger* é uma composição entre "cuidador" [*Sorger*] e "alma" [*Seele*]. Entretanto, fica claro aqui o efeito paradoxal que Freud emprega entre algo que se aproxima, em suas origens, e ao mesmo tempo se distingue radicalmente dos cuidados de um sacerdote. (N.R.)

[28] Novamente aqui vale lembrar que em alemão *Seele* [alma] mantém tanto os sentidos místico e religioso quanto os científico e filosófico, ainda que em português tendamos mais a reduzir o correlato "alma" ao primeiro desses âmbitos. (N.R.)

[29] Revista satírica semanal alemã editada em Munique, que circulou entre 1896 e 1967. (N.R.)

[30] Essa longa passagem entre colchetes foi excluída da edição da *Gesammelte Werke*, assim como das demais edições "completas" das obras de Freud. Seguimos aqui o modelo editorial proposto por Jean Laplanche, em sua edição das *Œuvres complètes de Freud*. (N.E.)

[31] Uma versão mais abrangente dessa diretriz pode ser encontrada em "O método psicanalítico freudiano". Neste volume, nota de fim n. 7, p. 61. (N.E.)

[32] Este *Post-Scriptum* foi redigido para uma edição norte-americana do ensaio, que acabou não vindo à luz. [Ver nota editorial, supra.] (N.E.)

[33] Publicada no dia 18 de julho de 1926 no jornal *Neue Freie Presse*. (N.E.)

A ANÁLISE FINITA E A INFINITA (1937)

I

A experiência tem nos ensinado que a terapia psicanalítica, a libertação de uma pessoa de seus sintomas neuróticos, suas travas e anormalidades de caráter, é um trabalho de longo prazo. Por isso, desde o início foram realizadas tentativas de reduzir a duração das análises. Tais esforços não necessitavam de justificativa, pois podiam se reportar às motivações mais compreensíveis e adequadas. Mas provavelmente havia neles ainda um resquício do tal desdém impaciente com que num período mais antigo da Medicina viam-se as neuroses, ou seja, como decorrências supérfluas de danos invisíveis. Se agora foi necessário ocupar-se delas, queria-se que isso fosse feito no menor tempo possível. Uma tentativa bastante enérgica nesse sentido foi feita por Otto Rank, dando sequência ao seu livro *O trauma do nascimento* (1924). Ele supunha que o ato do nascimento fosse a verdadeira fonte da neurose, na medida em que ele coloca a possibilidade de que a "fixação primordial" [*Urfixierung*] na mãe nunca seja superada e continua existindo como "recalque primordial" [*Urverdrängung*]. A partir da resolução

analítica posterior desse trauma primordial, Rank esperava eliminar toda a neurose, de modo que esse pedacinho
único de análise economizasse todo o trabalho analítico
restante. Alguns poucos meses deveriam ser suficientes
para esse trabalho. Não se pode negar que esse raciocínio
de Rank foi espirituoso e ousado; mas ele não resistiu a
uma análise crítica. Aliás, a tentativa de Rank nasceu em
uma época que vivia sob a impressão do contraste entre a
miséria europeia do pós-guerra e a *"prosperity"* norte-americana, sendo concebida e destinada a adequar a velocidade
da terapia analítica à pressa da vida norte-americana. Não
ficamos sabendo que contribuição a execução do plano
de Rank trouxe para os casos de doenças. Provavelmente
não mais do que os bombeiros poderiam ter contribuído,
se no caso de um incêndio residencial provocado por uma
lamparina caída se satisfizessem em tirar a lamparina do
recinto em que o incêndio começou. É bem verdade que
assim se atingiria uma considerável redução no tempo de
extinção do fogo. A teoria e a prática do experimento de
Rank hoje são coisa do passado – assim como a própria
"prosperity" norte-americana.

Eu mesmo, antes da guerra, ainda trilhei um outro caminho para acelerar o decurso de um tratamento
analítico. Na época, assumi o tratamento de um jovem
russo[1] que, mimado pela riqueza, tinha vindo a Viena
em total desamparo, acompanhado de seu médico particular e de seu cuidador.[i] Ao longo de alguns anos
consegui restituir a ele boa parte de sua autonomia, pude

---

[i] Confira o escrito "Aus der Geschichte einer infantilen Neurose" [Da
história de uma neurose infantil], 1918, publicado com o consentimento
do paciente. A doença posterior do jovem não é apresentada em detalhes
ali, mas apenas tangenciada, nos momentos em que a relação com a
neurose de infância se faz absolutamente necessária.

FUNDAMENTOS DA CLÍNICA PSICANALÍTICA 317

despertar o seu interesse pela vida, colocar em ordem as suas relações com as pessoas mais importantes para ele, mas então o progresso estagnou; o esclarecimento da neurose de infância, que era a base da doença posterior, não continuou, e se reconhecia claramente que o paciente considerava o seu estado muito agradável naquele estágio, não querendo dar mais nenhum passo que o aproximasse do fim do tratamento. Era um caso de autoinibição do tratamento; ele corria perigo de fracassar, justamente a partir de seu sucesso (parcial). Nessa situação, recorri ao meio heroico do estabelecimento de um prazo fixo [*Terminsetzung*]. Ao início de uma temporada de trabalho, esclareci ao paciente que aquele ano seria o último do tratamento, independentemente dos progressos que ele viesse a registrar no tempo ainda restante. De início, ele não acreditou em mim, mas depois de ter se convencido da seriedade irredutível do meu propósito, ocorreu a sua desejada transformação. Suas resistências enfraqueceram e naqueles últimos meses ele conseguiu reproduzir todas as lembranças e encontrar todas as relações que pareciam necessárias para que compreendesse a sua neurose antiga e dominasse a atual. Quando ele se despediu de mim em pleno verão de 1914, sem saber – como, de resto, nós todos – que acontecimentos estavam por vir, considerei-o curado profunda e duradouramente.

Em um acréscimo à sua história clínica[2] (1923), já relatei que aquilo não se mostrou correto. Quando o paciente, perto do fim da guerra, retornou a Viena como fugitivo, sem quaisquer recursos, tive de ajudá-lo a dominar uma parte não resolvida da transferência; depois de alguns meses, isso funcionou e consegui fechar o acréscimo ao texto com a comunicação de que "o paciente, de quem a guerra tinha tomado a pátria, o patrimônio e todas as relações familiares, desde então se sentia normal e se portava de forma exemplar". A década e meia que se passou desde então não exatamente me fez pagar com a língua por esse veredito, mas me obrigou a nele fazer restrições. O paciente permaneceu em Viena, firmando-se em uma posição social, ainda que modesta. Mas várias vezes durante esse período ele foi acometido por episódios de doença, que só podiam ser interpretados como estertores de sua neurose de vida [*Lebensneurose*]. A habilidade de uma de minhas alunas, Dra. Ruth Mack Brunswick, conseguiu, a cada vez e após um breve tratamento, pôr fim a esses estados; espero que em breve ela própria relate essas experiências. Em alguns desses ataques, ainda se tratava de resquícios da transferência; nessa ocasião, eles evidenciavam, apesar de sua brevidade, seu caráter paranoico. Em outros, porém, o material patogênico era composto de fragmentos da história de sua infância, que durante a análise comigo não tinham vindo à tona e que agora – não podemos nos esquivar da comparação – se desvencilhavam tal como a linha cirúrgica após uma operação ou como pedacinhos de ossos necrosados. Eu não considerava a história da cura desse paciente menos interessante do que a história de sua doença.

Posteriormente, também recorri ao estabelecimento de prazos fixos em outros casos e também tomei em consideração as experiências de outros analistas. O juízo sobre o valor dessa medida de coação é indubitável. Ela é eficaz, desde que se encontre o tempo certo para ela. Mas ela não tem como garantir a consecução completa da tarefa. Ao contrário, podemos estar certos de que enquanto uma parte do material se torna acessível sob a pressão [*Zwang*] da ameaça, outra parte permanece reclusa e com isso é soterrada e se perde para o esforço terapêutico. Lembremos que não se pode estender o prazo depois de ele ter sido fixado; do contrário se perderá toda a credibilidade para a sequência do tratamento. A continuidade da terapia com outro analista seria a próxima saída; evidentemente, sabemos que uma tal mudança significa nova perda de tempo e abdicação dos frutos do trabalho realizado. Também não podemos afirmar com ares de validade geral qual é o momento certo para aplicar esse recurso técnico agressivo; fica a cargo do tato. Um erro de procedimento não poderá mais ser consertado. O ditado popular que afirma que o leão só salta uma vez está certo.

II

As considerações sobre o problema técnico de como acelerar o decurso lento de uma análise nos levam agora a outra questão de profundo interesse, a saber: se há um término natural de uma análise, ou se é possível levar uma análise até tal término. O uso linguístico corrente entre analistas parece favorecer tal pressuposto, pois muitas vezes ouvimos eles se lamentarem ou se desculparem por terem reconhecido um ser humano em sua incompletude: "ele não foi analisado até o fim".

Em primeiro lugar, precisamos entrar em acordo sobre o que se entende pelo termo polissêmico "fim de análise". Na prática, é fácil determinar isso. A análise termina quando analista e paciente não mais se encontram para o trabalho analítico. Eles assim agirão quando duas condições forem cumpridas aproximadamente: a primeira, o fato de o paciente não sofrer mais com os sintomas e ter superado as suas angústias e suas inibições; a segunda, o fato de o analista julgar que tantas coisas recalcadas se tornaram conscientes para o paciente, tantas coisas incompreensíveis foram esclarecidas, tantas resistências interiores foram vencidas, que não se precisa temer a repetição dos processos patológicos a elas relacionados. Se dificuldades externas impediram que se atingisse esse objetivo, é melhor falar em uma análise incompleta do que em uma análise inconclusa.

O outro sentido do fim de uma análise é muito mais ambicioso. Pergunta-se em seu nome se o influenciamento do paciente foi levado a tal ponto que uma continuidade da análise não pode prometer nenhuma outra mudança. Ou seja, como se através da análise pudéssemos atingir um nível de normalidade psíquica absoluta, ao qual também pudéssemos confiar a capacidade de se manter estável, por exemplo, se tivesse dado certo dissolver todos os recalques que apareceram e preencher todas as lacunas da memória. Primeiramente, perguntaremos à experiência se algo assim de fato acontece, para depois perguntarmos à teoria se isso é possível.

Todo analista tratou de certos casos com um tal final satisfatório. Ele conseguiu eliminar o distúrbio neurótico existente, que não retornou e não foi substituído por nenhum outro distúrbio. E é claro que se conhecem as condições desses sucessos. O Eu dos pacientes não mudou de forma evidente, e a etiologia do distúrbio era essencialmente traumática. A etiologia de todos os distúrbios neuróticos é mesclada; trata-se ou de pulsões excessivamente fortes, ou seja, que se rebelam contra a domação [*Bändigung*] pelo Eu, ou do efeito de traumas precoces, isto é, que ocorreram antes do tempo, dos quais um Eu imaturo não conseguiu se apoderar. Em geral, trata-se de um efeito conjunto dos dois momentos, o constitucional e o acidental. Quanto mais forte for o primeiro, mais provavelmente um trauma levará à fixação e deixará um distúrbio evolutivo como resquício; quanto mais forte for o trauma, maior será a certeza de que ele expressará a sua lesão [*Schädigung*] mesmo em condições pulsionais normais. Não resta dúvida de que a etiologia traumática oferece a oportunidade mais vantajosa de todas à análise. Apenas no caso eminentemente traumático, a análise fará o que sabe fazer com maestria: substituir a resolução insuficiente dos primeiros tempos, graças ao fortalecimento do Eu, por uma consecução correta. Só em um caso desse tipo pode-se falar em uma análise definitivamente encerrada. Aqui, a análise desempenhou o seu papel e não precisa ser continuada. Se o paciente restabelecido nunca mais produzir um distúrbio a ponto de precisar ser analisado, evidentemente não saberemos quanto dessa imunidade se deve ao mérito do destino, que pode tê-lo poupado de provações excessivas.

A força pulsional constitucional e a alteração desfavorável do Eu adquirida na luta defensiva, no sentido de uma distorção e limitação, são os fatores que prejudicam o efeito da análise e que podem prolongar a sua duração até o inconclusível. Somos tentados a responsabilizar a primeira, a força pulsional, também pela formação da outra, a alteração do Eu, mas parece que esta também possui a sua própria etiologia, e, na verdade, precisamos admitir que essas condições ainda não são suficientemente conhecidas. Só agora elas estão começando a ser objeto dos estudos analíticos. O interesse dos analistas nessa área parece-me não estar corretamente direcionado. Em vez de analisarem como a cura se dá através da análise, o que julgo suficientemente esclarecido, a questão devia ser sobre quais obstáculos impedem a cura analítica.

Quero aqui abordar dois problemas que resultam diretamente da prática analítica, como mostrarão os exemplos a seguir. Um homem que, ele próprio, exerceu a análise com grande sucesso[3] julga que a sua relação tanto com homens quanto com mulheres – com os homens que são seus concorrentes e com a mulher que ele ama – não está livre, afinal, de obstáculos neuróticos, e por isso ele se torna o objeto analítico de um outro, que ele acredita ser superior a ele. A radiografia crítica de sua própria pessoa mostra seu pleno sucesso. Ele se casou com a mulher amada e se transformou em amigo e professor dos supostos rivais. Passam-se muitos anos nessa situação, em que também a relação com o antigo analista permanece inalterada. Então, sem motivo externo comprovável, surge um transtorno. O analisado entra em confronto com o analista e o acusa de não ter lhe dado uma análise completa. Ele deveria saber e ter considerado que uma relação de transferência nunca pode ser apenas positiva; ele deveria ter se preocupado com as possibilidades de uma transferência negativa. O analista afirma que, à época da análise, nada evidenciava uma transferência negativa. Entretanto, mesmo supondo que ele não tivesse atentado para os mais tênues traços de uma tal transferência negativa, o que não é de todo descartável diante da estreiteza dos horizontes naqueles primórdios da análise, continuaria questionável se ele teria o poder de ativar um tema ou, como se diz: um "complexo", através da simples menção, enquanto no próprio paciente ainda não era algo atual. Para tanto, certamente seria necessária uma ação antipática – no sentido real – em relação ao paciente. Além disso, nem toda boa relação entre analista e analisado, durante e após a análise, deve ser avaliada como transferência. Também há relações de amizade que possuem fundamentação real e que se revelam como vivenciáveis.

Já acrescento também o segundo exemplo, a partir do qual surge o mesmo problema. Uma menina mais velha foi desconectada da vida desde a puberdade, devido à incapacidade de andar, por sentir fortes dores nas pernas; esse estado, ao que parece, é de natureza histérica e resistiu a diversos tratamentos; um tratamento de nove meses o eliminou, devolvendo a uma pessoa valiosa e produtiva seus direitos a uma parte da vida. Os anos após a cura nada trouxeram de bom: catástrofes na família, perda de patrimônio, com o avançar da idade a perda de qualquer perspectiva de felicidade no amor e de casamento. Mas a ex-doente resiste a tudo isso com tenacidade, servindo de apoio para os seus em tempos difíceis. Não me lembro mais se foi após 12 ou 14 anos do final do tratamento que sangramentos profusos fizeram necessário um exame ginecológico. Encontrou-se um mioma que justificava a extirpação total do útero. A partir dessa operação, a moça voltou a ficar doente. Apaixonou-se pelo médico que a operou, divagava em meio a fantasias masoquistas sobre as terríveis transformações em seu interior, com as quais encobria o seu romance e amor, mostrou-se inacessível para uma nova tentativa analítica e até o fim da vida nunca mais voltou a ser normal. O tratamento bem-sucedido ficou tão longe no passado que não se pode exigir demais dela; isso passou-se nos meus primeiros anos de atividade analítica. Mas é bem possível que a segunda doença se originasse da mesma raiz que a primeira, que fora superada com sucesso, ou seja, que ela fosse uma expressão modificada das mesmas moções recalcadas, que na análise só foram resolvidas de forma incompleta. Mas quero crer que sem o novo trauma não teríamos uma nova irrupção da neurose.

Esses dois casos, escolhidos intencionalmente em meio a uma grande quantidade de casos semelhantes, serão suficientes para desencadear a discussão sobre os nossos temas. Céticos, otimistas, ambiciosos os utilizarão de modo muito diferente. Os primeiros dirão que agora está comprovado que mesmo um tratamento analítico bem-sucedido não protege o paciente originalmente curado de sucumbir a uma outra neurose, e mesmo a uma neurose da mesma raiz pulsional, ou seja, adoecer de um retorno do velho sofrimento. Os segundos dirão que essa comprovação não foi feita. Eles contraporão o argumento de que as duas experiências são dos primórdios da análise, de 20 ou 30 anos atrás. Desde então, os nossos conhecimentos se aprofundaram e ampliaram, a nossa técnica se modificou, adaptando-se aos novos avanços. Hoje poderíamos exigir e esperar que uma cura analítica se consolidasse como duradoura, ou pelo menos que uma nova doença não mostre ser um reavivamento do antigo distúrbio pulsional com novas formas de expressão. A experiência não nos obrigaria a delimitar de modo tão sensível os nossos anseios em relação à terapia.

Evidentemente, escolhi as duas observações porque estão longe no passado. Quanto mais recente for um sucesso no tratamento, mais ele se tornará aqui improdutivo – e isso é compreensível – para as nossas considerações, já que não dispomos de nenhum recurso para prever o destino de uma cura. As expectativas dos otimistas aparentemente pressupõem muitas coisas que não são óbvias: primeiro, ser possível eliminar um conflito pulsional (ou melhor: um conflito entre o Eu e uma pulsão) definitivamente, para todo o sempre; segundo, poder ser possível – digamos – vacinar uma pessoa contra todas as outras possibilidades de conflito enquanto tratamos desse conflito pulsional específico; terceiro, que temos o poder de despertar um tal conflito patogênico que no momento não se manifesta por qualquer sinal, objetivando um tratamento profilático, e que essa seria uma atitude sábia. Levanto essas questões sem querer respondê-las neste momento. Talvez uma resposta segura atualmente sequer seja possível.

Considerações teóricas talvez nos permitam contribuir de alguma forma para que certas coisas sejam levadas a sério. Mas há outra coisa que já agora ficou clara: o caminho para realizar os anseios aumentados em relação ao tratamento analítico não leva à abreviação de sua duração ou não passa por ela.

III

A experiência analítica, que já se estende por várias décadas, e uma mudança no modo de exercer minha atividade me encorajam a tentar responder àquelas perguntas levantadas. Em tempos passados, eu lidava com um número maior de pacientes que, como era compreensível, faziam pressão para ter uma resolução rápida; nos últimos anos, predominam as análises didáticas, e um número comparativamente menor de pacientes com sofrimentos graves continuou comigo para um tratamento continuado, mesmo que interrompido por intervalos breves ou mais longos. Com esses últimos, o objetivo terapêutico tinha mudado. Uma abreviação do tratamento não se cogitava mais; a intenção era provocar um esgotamento profundo das possibilidades de doenças e uma transformação profunda da pessoa.

Dos três fatores que consideramos determinantes para a oportunidade da terapia analítica: influência de traumas – força pulsional constitucional – alteração do Eu, interessa-nos aqui o segundo, a força pulsional. A consideração seguinte nos instiga a dúvida sobre se a limitação através do adjetivo "constitucional" (ou congênito) é indispensável. Por mais decisivo que seja desde o início o fator constitucional, permanece plausível que uma intensificação pulsional mais tarde ao longo da vida possa externar os mesmos efeitos. A fórmula, então, seria alterada: a força pulsional atual em vez da constitucional. A primeira das nossas perguntas foi: "é possível resolver de forma duradoura e definitiva, através da terapia analítica, um conflito entre a pulsão e o Eu, ou uma exigência pulsional patogênica em relação ao Eu? Provavelmente, à guisa de evitarmos mal-entendidos, seja necessário explanarmos em mais detalhes o que entendemos por "resolução duradoura de uma exigência pulsional [*Triebanspruch*]". Certamente, não significa que fazemos com que ela desapareça, de modo que nunca mais dê sinais. Isso, em geral, não é possível, nem seria desejável. Não! Seria algo diferente, que poderíamos chamar mais ou menos de "domação" [*Bändigung*[4]] da pulsão: isso quer dizer que a pulsão foi acolhida completamente na harmonia do Eu e é acessível através das outras aspirações no Eu, não trilhando mais os seus próprios caminhos em busca de satisfação. Se perguntarem através de que caminhos e com que recursos isso acontece, a resposta não será fácil. Temos de dizer a nós mesmos: "Então, agora a bruxa precisa entrar em ação".[5] É a bruxa chamada Metapsicologia. Sem especulação metapsicológica e teorização – quase diria: sem fantasiar – não avançamos nenhum passo sequer.[6] Infelizmente, as informações fornecidas pela bruxa também dessa vez não são nem muito claras nem detalhadas. Temos apenas um ponto de apoio – esse, aliás, incalculável: a contraposição entre processo primário e secundário, e é para ela que quero apontar neste momento.

Se agora retornarmos à nossa primeira pergunta, veremos que a nossa nova perspectiva nos impõe uma determinada decisão. A pergunta era se é possível resolver um conflito pulsional de forma duradoura e definitiva, isto é: "domar" a exigência pulsional de tal forma. Nessa formulação da pergunta, a força pulsional não é mencionada em momento algum, mas é justamente dela que depende a resolução. Partamos do pressuposto de que, no caso do neurótico, a análise nada mais faz do que uma pessoa sadia faria sem essa ajuda. Mas na pessoa saudável, a experiência cotidiana nos ensina que toda decisão de um conflito pulsional só vale para uma determinada força pulsional, ou, dito de modo mais correto, só vale em meio a uma determinada relação entre a força da pulsão e a força do Eu.[i] Se a força do Eu diminuir, devido a doença, esgotamento ou assemelhados, todas as pulsões até então domadas com sucesso poderão voltar a anunciar as suas exigências, almejando satisfações substitutas através de caminhos anormais.[ii] Quem nos fornece a comprovação irrefutável dessa afirmação é o sonho noturno, que reage à preparação do Eu para o sono com o despertar das exigências pulsionais.

Igualmente indubitável é também o material do outro lado. Duas vezes ao longo do desenvolvimento

---

[i] Em uma correção mais conscienciosa: para uma determinada amplitude dessa relação.

[ii] Isso para justificar a exigência etiológica de momentos tão pouco específicos, como esgotamento por excesso de trabalho, efeito de choque, etc., que sempre tinham a certeza do reconhecimento geral e sempre tiveram de ser colocados em segundo plano justamente pela Psicanálise. Não há outra forma de descrever a saúde a não ser pela descrição metapsicológica, referindo-se às relações de força entre as instâncias do aparato psíquico, instâncias estas por nós reconhecidas ou, se quisermos, por nós desbravadas, supostas.

individual surgem intensificações consideráveis de certas pulsões: na puberdade e por volta da menopausa nas mulheres. Não nos causaria a menor surpresa se nos deparássemos com pessoas que antes não eram neuróticas e se tornam neuróticas nesses períodos. A domação das pulsões, que tinha funcionado com uma intensidade menor dessas pulsões, agora fracassa com a sua maior intensidade. Os recalques se comportam como os diques contra a pressão das águas. Aquilo que essas intensificações fisiológicas da pulsão produzem pode ser igualmente provocado de forma irregular em qualquer outro momento de vida a partir de influências acidentais. As intensificações das pulsões se originam a partir de novos traumas, impedimentos [*Versagungen*] impostos ou influenciamentos colaterais mútuos entra as pulsões. O resultado será sempre o mesmo e ele endurece o poder irresistível do fator quantitativo na causação da doença.

Tenho a impressão aqui de que deveria me envergonhar de todas essas discussões pesadas, uma vez que aquilo que elas dizem é conhecido e óbvio há muito tempo. É verdade, sempre nos comportamos como se soubéssemos disso; só que na maioria das vezes nos esquecemos, em nossas concepções teóricas, de levar em conta o aspecto *econômico* na mesma medida em que consideramos os aspectos *dinâmico* e *tópico*. A minha desculpa, portanto, é o fato de estar alertando para essa falha.

Mas antes de nos decidirmos por uma resposta à nossa questão, devemos ouvir a interpelação, cuja força reside no fato de que provavelmente de antemão tomaremos partido dela. Essa interpelação diz que todos os nossos argumentos derivam dos processos espontâneos entre o Eu e a pulsão e pressupõem que a terapia analítica não faz nada que não aconteça automaticamente em circunstâncias normais e favoráveis. Mas será isso mesmo? Será que a nossa teoria justamente não advoga produzir um estado que nunca está presente espontaneamente no Eu e cuja criação perfaz a diferença essencial entre a pessoa analisada e a não analisada? Vejamos em que se baseia essa interpelação. Todos os recalques acontecem na primeira infância; são medidas primitivas de defesa do Eu imaturo e fraco. Nos anos posteriores, não são mais executados recalques novos, mas os antigos se mantêm, e os seus serviços continuam sendo solicitados pelo Eu para dominar as pulsões. Novos conflitos são, como costumamos dizer, resolvidos com um "recalque posterior" [*Nachverdrängung*]. Em relação a esses recalques infantis pode ser válido o que afirmamos de modo geral, ou seja, que eles dependem plena e totalmente da relação de forças relativas e que não resistem a uma intensificação da força pulsional. No entanto, a análise permite que o Eu amadurecido e fortalecido possa proceder a uma revisão desses recalques antigos; alguns serão desmontados, outros serão reconhecidos, mas reconstruídos com material mais sólido. Esses novos diques têm uma durabilidade totalmente diferente dos antigos; podemos confiar que diante da maré alta da intensificação pulsional eles não cederão facilmente. A correção posterior do processo original de recalque, que coloca um fim na supremacia do fator quantitativo, seria, portanto, a verdadeira contribuição da terapia analítica.

Isso quanto à nossa teoria, da qual não podemos prescindir sem pressão irrefutável. E o que nos diz a experiência a respeito? Talvez ela ainda não seja abrangente o suficiente para uma decisão segura. Muitas vezes, ela dá razão às nossas expectativas, mas não é sempre. Temos a impressão de que não deveríamos nos surpreender se no fim descobríssemos que a diferença entre o não analisado e o comportamento posterior do analisado não é tão ampla quanto desejaríamos, esperaríamos e afirmamos. Então, às vezes a análise realmente conseguiria desligar a influência da intensificação da pulsão, mas não com regularidade. Ou então o seu efeito se limitaria a aumentar o poder de resistência das inibições, de modo que após a análise elas encarariam exigências muito maiores do que antes da análise ou mesmo sem ela. Realmente, não arrisco uma decisão aqui, e também não sei se ela é possível neste momento.

Mas podemos nos aproximar por outro lado da compreensão dessa irregularidade no efeito da análise. Sabemos que é o primeiro passo para o domínio intelectual do entorno em que vivemos, no qual encontramos generalizações, regras e leis que trarão ordem para o caos. Por meio desse trabalho, simplificamos o mundo dos fenômenos, mas não conseguimos evitar que os falsifiquemos, especialmente quando se tratar de processos de desenvolvimento e de transformação. O que nos interessa é abarcar uma transformação qualitativa; nesse intuito, geralmente esquecemos – pelo menos temporariamente – de um fator quantitativo. Na realidade, as transições e as etapas intermediárias são muito mais frequentes do que os estados contrários claramente delineados. No caso dos desenvolvimentos e das transformações, nossa atenção se volta apenas para o resultado; costumamos esquecer que tais processos normalmente transcorrem de modo mais ou menos incompletos, ou seja, que na verdade são transformações apenas parciais. O mais arguto autor satírico da antiga Áustria, J. Nestroy, certa vez disse: "todo progresso tem sempre apenas a metade do tamanho que parecia ter". Estaríamos tentados a conferir validade bastante geral a essa frase maldosa.

Quase sempre há fenômenos residuais, um resquício parcial. Quando o mecenas mão-aberta nos surpreende com um traço isolado de mesquinharia, quando aquele que normalmente é excessivamente bom de repente se entrega a uma ação belicista, esses "fenômenos residuais" são de valor incalculável para a pesquisa genética. Eles nos mostram que aquelas características louváveis e valiosas se fundamentam em compensação e sobrecompensação que, como era esperado, não deram totalmente certo, não funcionaram em sua totalidade. Se a nossa primeira descrição do desenvolvimento da libido era: uma fase oral original dá lugar à sádico-anal e esta, por sua vez, dá lugar à fase fálico-genital, a pesquisa posterior não se opôs a isso, mas apenas acrescentou, a troco de correção, que essas substituições não se dão de repente, mas aos poucos, de modo que a qualquer tempo partes da organização anterior continuam existindo ao lado da mais recente, e que mesmo em um desenvolvimento normal a transformação nunca se dá de forma completa, de modo que ainda na configuração definitiva podem continuar existindo restos das antigas fixações da libido. Em áreas muito diferentes podemos detectar a mesma coisa. Não há nenhuma das acepções equivocadas ou das superstições humanas supostamente superadas que não tenha deixado restos, que não continue entre nós hoje, nas camadas mais profundas dos povos civilizados [*Kulturvölker*], ou mesmo nas camadas mais altas da sociedade cultivada [*Kulturgesellschaft*]. Aquilo que alguma vez ganhou vida sabe se manter de forma tenaz. Às vezes, poderíamos questionar se os dragões dos tempos primevos realmente foram extintos.

E agora, para proceder à aplicação ao nosso caso, ou seja, a resposta à pergunta de como se explica a irregularidade de sucesso de nossa terapia analítica, poderia facilmente ser o caso de que, em nosso intuito de substituir os recalques permeáveis por domínios confiáveis, condizentes com o Eu, nem sempre eles são atingidos em toda a sua plenitude, ou seja, não são atingidos em profundidade. A transformação dá certo, mas às vezes apenas parcialmente; partes dos mecanismos antigos seguem intocados pelo trabalho analítico. É difícil comprovar que é isso o que realmente acontece; não temos outro meio para avaliar o que se dá, senão justamente o sucesso que precisaria ser explicado. Mas as impressões que se recebem durante o trabalho analítico não contradizem a nossa suposição, ao contrário, parecem confirmá-la. Apenas não podemos usar a clareza da nossa própria percepção como medida da convicção que despertamos no analisado. Pode faltar-lhe a "profundidade", como diríamos; trata-se sempre do fator quantitativo, tão facilmente esquecido. Se for essa a solução, pode-se dizer que a análise em teoria sempre tem razão com a sua alegação de curar neuroses com a garantia do domínio das pulsões, mas na prática nem sempre. E justamente porque ela nem sempre consegue assegurar os fundamentos do domínio das pulsões na dimensão necessária. O motivo desse fracasso parcial é fácil de ser encontrado. O fator quantitativo da força pulsional no passado teria se oposto ao anseio de defesa do Eu; por isso, buscamos auxílio no trabalho analítico, e agora esse mesmo fator coloca limites na eficácia desse novo esforço. No caso de uma força pulsional excessivamente grande, o Eu amadurecido e apoiado pela análise não consegue realizar a tarefa, de modo semelhante ao que acontecia anteriormente com o Eu desamparado; o domínio da pulsão melhora, mas permanece imperfeito, porque a transformação do mecanismo de defesa é apenas incompleta. Não há nisso nada de espantoso, pois a análise não trabalha com recursos de poder ilimitados, mas com recursos limitados, e o resultado final depende sempre das relações de forças relativas das instâncias em combate mútuo.

Indubitavelmente é desejável diminuir a duração de um tratamento, mas o caminho para executar a nossa intenção terapêutica só passa pelo reforço da capacidade analítica auxiliar que queremos levar ao Eu. O influenciamento hipnótico parecia ser um recurso excelente para os nossos fins; sabe-se por que tivemos de renunciar a ele. Não se encontrou até hoje um substituto para a hipnose, mas a partir desse ponto de vista se entendem os esforços terapêuticos infelizmente desnecessários aos quais um mestre da análise como Ferenczi dedicou seus últimos anos de vida.

IV

As duas perguntas seguintes – se durante o tratamento de um conflito pulsional podemos proteger o paciente contra futuros conflitos pulsionais e se é exequível e adequado despertar um conflito pulsional não manifesto naquele momento com a finalidade de profilaxia – deverão ser tratadas em conjunto, pois parece evidente que a primeira tarefa só pode ser resolvida fazendo o proposto na segunda, ou seja, transformando o conflito possível no futuro em um conflito atual, que submeteremos ao influenciamento. Essa nova questão no fundo é apenas uma continuação da anterior. Se antes se tratava de uma evitação do retorno *do mesmo* conflito, agora se trata de sua possível substituição por outro. O que se pretende aqui parece muito ambicioso, mas o que se quer é apenas esclarecer quais são os limites da capacidade produtiva de uma terapia analítica.

Por mais que a ambição terapêutica se sinta atraída a se colocar tais questões, a experiência tem apenas a prontidão para uma simples recusa [Abweisung]. Quando um conflito pulsional não é atual, não se manifesta, ele também não pode ser influenciado pela análise. O alerta para não despertar cães adormecidos, que tantas vezes nos fazem diante de nossos esforços em desbravar o submundo psíquico, é especialmente inadequado para as relações da vida psíquica. Pois se as pulsões provocam distúrbios, isso é uma prova de que os cães não estão adormecidos; e se realmente parecem dormir, não está em nosso poder acordá-los. Essa última afirmação, porém, não parece muito acertada; ela nos desafia para uma discussão mais detalhada. Pensemos nos recursos de que dispomos para tornar atual um conflito pulsional latente neste momento. Ao que parece, podemos fazer apenas duas coisas: ou provocamos situações em que ele se torne atual ou nos satisfazemos em falar dele na análise, apontando para a sua possibilidade. O primeiro intuito pode ser alcançado por dois caminhos: primeiro, na realidade, segundo, na transferência, na medida em que expomos o paciente a uma medida de sofrimento real através do impedimento e da estase da libido [Libidostauung]. É bem verdade que já nos utilizamos dessa técnica no exercício habitual da análise. Senão, qual seria o sentido da prescrição de que a análise deve ser executada "no impedimento" [in der Versagung[7]]? Mas essa é uma técnica usada no tratamento de um conflito já atual. Buscamos exacerbar esse conflito, conduzi-lo à forma mais aguda, para aumentarmos a força pulsional que levará à sua solução. A experiência analítica nos mostrou que ao, tentar melhorar o que está bom, só o pioramos,[8] que em cada fase da recuperação teremos de lutar contra a inércia do paciente, que está disposta a se contentar com uma resolução incompleta.

Mas se partirmos para um tratamento profilático de conflitos pulsionais não atuais, mas apenas possíveis, não basta regular o sofrimento existente e inevitável; deveríamos nos decidir por fazer nascer um novo sofrimento, e isso até agora – certamente com razão – tem sido delegado ao destino. De todos os lados nos alertariam quanto à ousadia de fazer experimentos tão cruéis com os pobres humanos, concorrendo com o destino. E de que tipo seriam eles? Como assumir que, a serviço da profilaxia, destruímos um casamento satisfatório ou fizemos com que o paciente abandonasse o seu emprego, que garantia o sustento do analisando? Por sorte, nem chegamos a meditar sobre a justificativa de tais intervenções na vida real; não temos um mínimo do poder totalitário que essas intervenções exigem, e o objeto desse experimento terapêutico certamente não iria querer participar dele. Se algo assim, portanto, está praticamente fora de cogitação na prática, então a teoria ainda tem outras objeções a respeito. É que o trabalho analítico se desenrola da melhor forma quando as vivências patogênicas pertencem ao passado, de modo que o Eu tenha podido tomar distância delas. Em estados de crise agudos, a análise é praticamente imprestável. Nesse caso, todo o interesse do Eu é absorvido pela realidade dolorosa e rechaça a análise, que quer conduzir-se para debaixo dessa superfície e desvendar as influências do passado. Ou seja, criar um conflito novo apenas irá prolongar e dificultar o trabalho analítico.

Pode-se argumentar que essas considerações são absolutamente supérfluas. Que ninguém pensaria em produzir a possibilidade de tratamento do conflito pulsional latente invocando intencionalmente uma nova situação de sofrimento. E que isso também não seria uma ação profilática digna. Sabe-se, por exemplo, que uma escarlatina curada deixa como resquício uma imunidade contra a recidiva da mesa doença; mas nem por isso os internistas[9] pensam em infectar uma pessoa sadia com escarlatina, para evitar a possibilidade de a pessoa contrair escarlatina no futuro. A ação de proteção não pode restabelecer a mesma situação de perigo que a própria doença oferece, apenas uma muito mais branda, como a que se consegue no caso da vacina contra varíola e muitos outros procedimentos semelhantes. Portanto, em uma profilaxia analítica dos conflitos pulsionais, só podem ser considerados os outros dois métodos, ou seja: a criação artificial de novos conflitos na transferência, os quais se despem do caráter de realidade, e o despertar de tais conflitos na imaginação [*Vorstellung*] do analisado, na medida em que se fala deles e se familiariza o paciente com a sua possibilidade.

Não sei se podemos afirmar que o primeiro desses procedimentos mais brandos seria de todo inaplicável à análise. Faltam estudos especificamente voltados a esse assunto. Mas logo se colocam dificuldades que fazem com que essa empresa não pareça ser muito promissora. Primeiro, porque há uma grande limitação na escolha de tais situações para a transferência. O analisando não pode, ele próprio, acomodar todos os seus conflitos na transferência; tampouco o analista pode despertar todos os possíveis conflitos pulsionais do paciente a partir da situação de transferência. Pode-se, por exemplo, fazer com que ele sinta ciúme ou que vivencie decepções amorosas, mas para isso não precisamos de um intuito técnico. Algo assim costuma surgir espontaneamente na maioria das análises. Em segundo lugar: não podemos esquecer que todos esses eventos tornam necessárias ações antipáticas contra o analisando; e através delas prejudicamos a postura terna em relação ao analista, a transferência positiva, que é o motivo mais forte para a participação do analisando no trabalho analítico conjunto. Portanto, não devemos esperar muito desse procedimento.

Portanto, resta apenas aquele caminho que provavelmente e desde o início se tinha em mente. Conta-se ao paciente quais as possibilidades dos outros conflitos pulsionais, despertando nele a expectativa de que algo semelhante possa ocorrer com ele. Espera-se, então, que essa comunicação ou esse alerta tenham como efeito ativar no paciente um dos conflitos sugeridos em escala menor, mas suficiente para o tratamento. No entanto, dessa vez a experiência nos dá uma resposta inquestionável. O resultado esperado não acontece. O paciente bem que ouve a mensagem, mas ela não faz eco. Ele deve pensar: isso é muito interessante, mas não sinto nada disso. O saber foi multiplicado, mas nada mudou nesse conhecimento. É mais ou menos o que acontece com a leitura de escritos psicanalíticos. O leitor só se sente "estimulado" nas passagens em que se sente atingido, ou seja, as que se referem aos conflitos que naquele momento estão agindo dentro dele. Todo o resto não o comove. Quero dizer com isso que podemos fazer experiências análogas quando prestamos esclarecimentos sexuais a crianças. Longe de mim querer afirmar que se trata de um procedimento danoso ou supérfluo, mas aparentemente o efeito profilático dessa medida liberal foi supervalorizado em excesso. As crianças agora sabem o que não sabiam até então, mas elas nada fazem com os conhecimentos novos que lhes foram dados de presente. Convencemo-nos de que elas nem mesmo estarão dispostas a sacrificar tão rapidamente aquelas teorias sexuais – digamos – naturais que elas formaram em consonância com e na dependência de sua organização incompleta da libido, tais como o papel da cegonha, a natureza da relação sexual, o modo como são feitos os bebês. Muito tempo depois de terem recebido o esclarecimento sexual, elas ainda se comportam como os povos primitivos aos quais se impingiu o cristianismo e que, secretamente, continuam a adorar seus antigos deuses.

V

Partimos da pergunta sobre como podemos encurtar a longa duração de um tratamento analítico; então, ainda guiados pelo interesse por relações temporais, chegamos a analisar se podemos alcançar a cura perene ou até se podemos afastar uma doença futura através do tratamento profilático. Nesse intuito, reconhecemos como fundamentais para o sucesso de nosso esforço terapêutico as influências da etiologia traumática, a força relativa das pulsões a serem dominadas e algo que chamamos de alteração do Eu. Foi apenas no segundo desses fatores que permanecemos mais tempo e entramos em mais detalhes; nessa ocasião, tivemos motivos para reconhecer a importância suprema do fator quantitativo, assim como para enfatizar o direito da perspectiva metapsicológica em cada tentativa de explicação.

Ainda não dissemos nada sobre o terceiro fator, a alteração do Eu. Se nos voltarmos a ele, teremos a primeira impressão de que há aqui muito a ser perguntado e muito a ser respondido e que aquilo que temos a dizer a respeito irá se revelar como demasiado insuficiente. Essa primeira impressão também permanecerá após continuarmos lidando com a questão. A situação analítica, como se sabe, consiste em nos associarmos ao Eu da pessoa–objeto, para submetermos porções não dominadas de seu Isso, ou seja, incluí-las na síntese do Eu. O fato de que um tal trabalho conjunto geralmente fracassa no caso dos psicóticos nos fornece um primeiro ponto fixo para o nosso juízo. O Eu, com o qual podemos firmar um tal pacto, precisa ser um Eu normal. Mas esse Eu normal é uma ficção ideal; aliás, como toda normalidade. Infelizmente, o Eu anormal, inútil para os nossos propósitos, não o é. Toda pessoa normal justamente é apenas medianamente normal; o seu Eu se aproxima daquele do psicótico em um ou outro aspecto, em maior ou menor grau, e o tamanho da distância de uma ponta e da aproximação da outra ponta da sequência é que provisoriamente nos dará a medida da "alteração do Eu", tão indefinidamente caracterizada.

Se perguntarmos de onde vêm os tipos e graus tão variados da alteração do Eu, a alternativa mais próxima e inevitável seria: ou eles são originários ou são adquiridos. No segundo caso, o tratamento é mais fácil. Se foi adquirido, certamente isso ocorreu ao longo do desenvolvimento desde os primeiros dias de vida. Pois desde o princípio o Eu precisa tentar cumprir a sua tarefa, fazer a mediação entre seu Isso e o mundo exterior a serviço do princípio de prazer, proteger o Isso contra os perigos do mundo exterior. Se ao longo desse esforço ele aprender a também adotar uma postura defensiva em relação ao próprio Isso e a tratar as reivindicações pulsionais desse Isso como perigos externos, isso pelo menos em parte se dá porque ele entende que a satisfação pulsional levaria a conflitos com o mundo exterior. Então, sob a influência da educação, o Eu se acostuma a transferir o campo da batalha de fora para dentro, a dominar o perigo *interior*, antes que ele se transforme em *exterior*; na maioria das vezes, provavelmente é a melhor coisa a ser feita. Durante essa batalha em duas frentes – mais tarde, virá ainda a terceira frente – o Eu se serve de diferentes procedimentos para fazer jus à sua tarefa, ou, dito de maneira geral, para evitar perigo, angústia e desprazer. Chamamos esses procedimentos de "mecanismos de defesa". Eles ainda não são suficientemente conhecidos. O livro de Anna Freud nos permitiu uma primeira ideia de sua variedade e de seu significado multifacetado.[i]

Um desses mecanismos, o recalque, foi o ponto de partida para o estudo dos processos neuróticos. Nunca houve dúvida acerca do fato de que o recalque não é o único procedimento à disposição do Eu para fazer valer suas intenções. Pelo menos, ele é algo muito especial, algo que mostra uma diferença mais nítida diante dos outros mecanismos do que estes entre si. Quero ilustrar essa relação dos mecanismos com esses outros a partir de uma comparação, mas sei que comparações nessas áreas nunca são profícuas. Mas vamos lá: pensem nos possíveis destinos de um livro em uma época em que livros ainda não eram impressos em edições, mas escritos um a um. Imaginem que um livro desses contenha informações que em épocas posteriores seriam consideradas indesejáveis. Mais ou menos como o que Robert Eisler[ii] diz sobre os escritos de Flávio Josefo, afirmando que o livro de Josefo devia conter passagens sobre Jesus Cristo posteriormente rechaçadas pela cristandade. A censura oficial no aqui-e-agora não adotaria nenhum outro mecanismo de defesa a não ser o confisco e a eliminação de cada um dos exemplares

---

[i] FREUD, A. *Das Ich und die Abwehrmechanismen* [O Eu e os mecanismos de defesa]. London: Imago, 1946. 1ª edição: Viena, 1936.

[ii] EISLER, R. *Jesus Basileus*. Heidelberg: Carl Winter, 1929. (Religionswissenschaftliche Bibliothek, v. 9).

de toda a edição. Naquela época, utilizavam-se métodos diversos de inutilização da obra. Ou as passagens criticadas eram riscadas com traço grosso, tornando-se ilegíveis; dessa forma, elas não poderiam mais ser copiadas, e o próximo copista do livro fornecia um texto impecável, mas que continha lacunas em algumas passagens e talvez só ali fosse incompreensível. Ou então isso não bastava, queria-se também evitar mostrar o retalhamento a que foi submetido o texto; dessa forma, passou-se a deformar o texto. Deixavam-se algumas palavras de fora ou elas eram substituídas por outras, novas frases eram encaixadas; melhor ainda era tirar toda a passagem, colocando outra em seu lugar, que dizia exatamente o contrário da anterior. O próximo copista do livro, então, conseguia produzir um texto insuspeito, mas que tinha sido adulterado; ele não continha mais o que o autor quis transmitir e, muito provavelmente, a correção não tinha ocorrido para restabelecer a verdade.

Se não fizermos essa comparação de uma forma muito rígida, podemos afirmar que a relação do recalque com os outros mecanismos de defesa é como a relação entre a exclusão e a deformação do texto, e nas diversas formas dessa falsificação podemos reencontrar as analogias com a diversidade da alteração do Eu. Pode-se fazer a objeção de que essa comparação é falha em um ponto essencial, pois a deformação do texto é obra de uma censura tendenciosa, para a qual o desenvolvimento do Eu não apresenta nenhum contraponto. Mas não é esse o caso, pois essa tendência é amplamente representada pela compulsão do princípio de prazer. O aparelho psíquico não suporta o desprazer, ele precisa se proteger dele a todo custo, e quando a percepção da realidade trouxer desprazer, ela – a verdade, portanto – precisa ser sacrificada.

Por um bom tempo conseguimos nos proteger contra o perigo exterior através da fuga ou da evitação da situação de perigo, até mais tarde nos tornarmos fortes o suficiente para suspendermos a ameaça procedendo a uma transformação ativa da realidade. Mas não podemos fugir de nós mesmos, contra o perigo interno não há fuga possível;[10] por isso, os mecanismos de defesa do Eu estão condenados a falsificar a percepção interior e nos possibilitar apenas um conhecimento falho e distorcido do nosso Isso. Dessa forma e devido às suas limitações, o Eu fica paralisado em suas relações com o Isso, ou então fica cegado por seus erros, e o sucesso no processo psíquico necessariamente terá de ser o mesmo que em uma caminhada na qual não se conhece a região e não se está muito seguro ao caminhar.

Os mecanismos de defesa servem ao propósito de afastar perigos. É indiscutível que eles conseguem atingir tal objetivo, contudo é questionável se o Eu, ao longo de seu desenvolvimento, pode deles prescindir totalmente, mas também é certo que eles mesmos podem se tornar um perigo. Às vezes descobrimos que o Eu pagou um preço muito alto pelos serviços que eles lhe prestaram. O esforço dinâmico exigido para mantê-los, bem como as limitações do Eu que quase sempre acompanham o processo, revelam-se como uma grande sobrecarga para a economia psíquica. Esses mecanismos também não são deixados de lado depois de terem ajudado o Eu nos difíceis anos de seu desenvolvimento. Evidentemente, uma pessoa não usa todos os mecanismos de defesa possíveis, mas apenas alguns selecionados, mas estes irão se fixar no Eu, transformando-se em formas de reação regulares do caráter, que serão repetidas por toda a vida, sempre que uma situação semelhante à original retornar. Com isso, transformam-se em infantilismos, compartilham do destino de tantas instituições, que buscam se manter para além do tempo de sua utilidade. "Razão vira tolice, o bem-estar vira flagelo",[11] como diz a queixa do poeta. O Eu fortalecido do adulto continua a se defender de perigos, que na realidade não existem mais; chega a se sentir pressionado a buscar aquelas situações da realidade que poderiam substituir aproximadamente o perigo original, para poder justificar, a partir delas, a manutenção das suas formas de reação usuais. Desse modo, é fácil entender como os mecanismos de defesa preparam e favorecem a eclosão da neurose, através de um estranhamento cada vez maior do mundo exterior e de um enfraquecimento constante do Eu.

Mas o nosso interesse atualmente não está voltado para o papel patogênico dos mecanismos de defesa; queremos analisar como a alteração do Eu a eles correspondente influencia o nosso esforço terapêutico. O material para responder a questão encontra-se no livro mencionado de Anna Freud. O essencial nessa questão é que o analisando repete essas formas de reação também durante o trabalho analítico e literalmente nos mostra isso diante dos nossos olhos; na verdade, só as conhecemos por isso. Não quero dizer com isso que elas tornam a análise impossível. Elas, antes, estabelecem a primeira metade da nossa tarefa analítica. A outra metade, aquela que foi trabalhada primeiro, no início da análise, consiste no revelar daquilo que se oculta no Isso. Durante o tratamento, o nosso esforço terapêutico constantemente oscila como um pêndulo entre um pedacinho de análise do Isso e um pedacinho de análise do Eu. Num caso, queremos tornar consciente algo do Isso; no outro, corrigir algo no Eu. O fato decisivo é que os mecanismos de defesa contra perigos antigos reaparecem no tratamento como *resistências* contra a cura. Decorre daí que a cura é tratada como um novo perigo, até pelo Eu.

O efeito terapêutico está atrelado à conscientização, num sentido amplo, do recalque contido no Isso; preparamos o caminho para essa conscientização através de interpretações e construções [*Konstruktionen*],[12] mas interpretamos apenas para nós mesmos, não para o analisado, enquanto o Eu se mantiver preso às defesas antigas e não desistir das resistências. Mas apesar de pertencerem ao Eu, essas resistências são inconscientes e, de certa forma, apartadas no âmbito do Eu. O analista as reconhece mais facilmente do que aquilo que está oculto no Isso; deve ser suficiente tratá-las como porções do Isso, relacionando-as com o Eu restante através da conscientização. Seguindo esse caminho, resolveríamos a primeira metade da tarefa analítica; não queremos contar com uma resistência contra o desvendamento de resistências. No entanto, ocorre o seguinte: durante o trabalho com as resistências, o Eu – de forma mais ou menos séria – retira-se do contrato sobre o qual se funda a situação analítica. O Eu não apoia mais o nosso esforço para revelar o Isso, ele se opõe a esse esforço, não cumpre a regra analítica básica e não permite que mais nenhum derivado [*Abkömmlinge*] do recalcado aflore. Não se pode esperar uma convicção maior que essa por parte do paciente em relação ao poder de cura da análise; ele pode ter trazido consigo um tanto de confiança diante do analista, confiança que é reforçada através dos momentos a serem despertados de transferência positiva para a produtividade. Sob influência das moções de desprazer, sentidas através da reencenação dos conflitos de defesa, agora as transferências negativas podem assumir o comando, suspendendo completamente a situação analítica. Agora, para o paciente, o analista é apenas um ser desconhecido, que lhe imputa coisas desagradáveis, e o paciente se comporta como a criança que não gosta do forasteiro e não acredita em nada do que ele diz. Se o analista tentar evidenciar para o paciente uma das deformações produzidas na defesa e tentar corrigi-las, ele o encontrará pouco compreensível e inacessível para bons argumentos. Assim, de fato, há uma resistência contra o descobrimento de resistências, e os mecanismos de defesa realmente fazem jus ao nome que lhes demos inicialmente, antes de aprofundarmos a pesquisa a respeito; são resistências não só contra a conscientização dos conteúdos do Isso, mas também contra a própria análise e, consequentemente, contra a cura.

Creio que possamos chamar o efeito das defesas no Eu de "alteração do Eu", se entendermos por esse termo a distância de um Eu-normal fictício, que garante ao trabalho analítico uma fidelidade pactual inabalável. Agora será fácil acreditar no que a experiência diária nos mostra; depende essencialmente de quão forte e quão profundamente enraizadas estão essas resistências da alteração do Eu, já que se trata do desembocar de um tratamento analítico. Aqui, mais uma vez, deparamo-nos com a importância do fator quantitativo; novamente somos alertados de que a análise só poderá dispender quantidades determinadas e limitadas de energias, que terão de se medir com as forças inimigas. E como se a vitória, na maioria dos casos, realmente estivesse do lado dos batalhões mais fortes.

VI

A próxima pergunta será se toda alteração do Eu – no sentido que aqui usamos – é adquirida durante as batalhas de defesa dos primeiros tempos [*Frühzeit*]. A resposta não poderá ser dúbia. Não há motivo para questionarmos a existência e a importância de diferenças do Eu originárias, inatas. Há aí já o fato decisivo de toda pessoa fazer a sua escolha entre os possíveis mecanismos de defesa, usando sempre alguns deles, e depois sempre os mesmos. Isso sugere que o Eu individual desde o início é provido de disposições e tendências individuais, cujo tipo e cujas condicionantes evidentemente não poderemos demonstrar. Além disso, sabemos que não podemos levar ao extremo a diferença entre características herdadas e adquiridas, criando um par de opostos; entre o que herdamos encontra-se o que os antepassados adquiriram; certamente uma parte importante. Quando falamos de "herança arcaica", usualmente pensamos apenas no Isso e parecemos supor que ainda não exista um Eu no início da vida própria. Mas não esqueçamos que originalmente o Isso e o Eu são uma coisa só, e ainda não significaria uma supervalorização mística da hereditariedade se acharmos crível que no Eu ainda inexistente já esteja preestabelecido que caminhos o desenvolvimento irá seguir, que tendências e reações ele trará à tona posteriormente. As especificidades psicológicas de famílias, raças e nações em sua conduta em face da análise não permitem nenhuma outra explicação. Digo ainda mais: a experiência analítica nos impôs a convicção de que mesmo determinados conteúdos psíquicos, tais como a simbologia, não têm outras fontes senão a transferência hereditária; e com base em diversos estudos sobre psicologia dos povos, somos induzidos a pressupor na herança arcaica ainda outros precipitados igualmente específicos nos primórdios do desenvolvimento da humanidade.

Diante da convicção de que as propriedades do Eu, que sentimos como resistências, podem ser tanto hereditárias quanto adquiridas em batalhas de defesa, a diferenciação utópica para definir o que é Eu ou o que é Isso perdeu muito de seu valor para o nosso estudo. Um próximo passo em nossa experiência analítica nos leva a resistências de outra ordem, que não conseguimos mais localizar e que parecem depender de condições fundamentais no aparelho psíquico. Só posso elencar aqui algumas amostras desse gênero, todo esse campo ainda é confusamente alheio e insuficientemente pesquisado. Encontramos pessoas, por exemplo, às quais gostaríamos de atribuir uma especial "viscosidade da libido". Os processos que iniciam o tratamento dessas pessoas transcorrem muito mais devagar do que em outros casos, porque, aparentemente, elas não conseguem tomar a decisão de liberar os investimentos libidinais [*Libidobesetzungen*] de um objeto e transferi-los para outro, apesar de não haver motivos especiais para uma tal fidelidade de investimento. Encontramos também o tipo oposto, em que a libido parece transitar com facilidade, em que os novos investimentos parecem acatar as sugestões da análise, abdicando dos antigos. É como a diferença que o artista plástico deve sentir quando trabalha com a pedra dura e a argila maleável. Infelizmente, os resultados analíticos nesse segundo tipo muitas vezes se mostram muito frágeis; as novas ocupações logo são abandonadas; temos a impressão de que não trabalhamos com argila, mas que escrevemos sobre a água. O alerta "tal como foi vencido, também será diluído" se mostra muito verdadeiro.

Em um outro grupo de casos, somos surpreendidos por um comportamento que só pode ser relacionado a um esgotamento da esperada plasticidade, da capacidade de mudança e de desenvolvimento continuado. Certamente, na análise estamos preparados para um certo grau de inércia psíquica; quando o trabalho analítico da moção pulsional abre novos caminhos, observamos quase sempre que eles nunca são trilhados sem um evidente retardamento. Chamamos esse comportamento – talvez não de forma muito correta – de "resistência do Isso". Mas nos casos a que nos referimos aqui, todos os percursos, todas as relações e distribuições de força revelam-se como imutáveis, fixas e petrificadas. É como nas pessoas muito velhas, pelo chamado poder do hábito, do esgotamento da capacidade de absorção, o que se explica com uma espécie de entropia psíquica; mas aqui se trata de indivíduos ainda jovens. Nosso preparo teórico ainda parece insuficiente para entender corretamente os tipos aqui descritos; aparentemente, devem ser consideradas caraterísticas temporais, alterações de um ritmo de desenvolvimento na vida psíquica ainda não foram consideradas de modo adequado.

Diferentes e ainda mais profundamente ancoradas devem ser as diversidades do Eu [*Ichverschiedenheiten*], que num outro grupo de casos seriam apontadas como fontes de resistência contra o tratamento analítico e impedimentos do sucesso terapêutico. Aqui, trata-se da última coisa que a pesquisa psicológica consegue, quando muito, reconhecer, a saber, o comportamento das duas pulsões primevas, sua distribuição, mistura e desfusão, coisas que não podem ser concebidas como pertinentes a uma única província do aparelho psíquico, limitadas ao Isso, ao Eu e ao Super-Eu. Não há impressão mais forte das resistências durante o trabalho analítico do que aquela de uma força que se defende da cura com todos os meios possíveis e que a todo custo quer se manter na doença e no sofrimento. Uma parte dessa força foi reconhecida por nós – certamente com razão – como consciência de culpa e necessidade de punição, sendo localizada na relação entre o Eu e o Super-Eu. Mas essa é apenas aquela parte, digamos, psiquicamente ligada ao Super-Eu e como tal se manifesta;

outros valores dessa mesma força devem estar agindo em local indeterminado, de forma ligada ou livre. Se tivermos em mente essa imagem em sua totalidade, que se forma a partir das manifestações do masoquismo imanente de tantas pessoas, da reação terapêutica negativa e da consciência de culpa dos neuróticos, não poderemos mais nos aliar à crença de que os acontecimentos psíquicos são dominados exclusivamente pela aspiração ao prazer. Esses fenômenos são sinais evidentes da presença de um poder na vida psíquica que chamamos de pulsão de agressão ou pulsão de destruição, dependendo de seus objetivos, e que deduzimos a partir da pulsão de morte original da matéria animada. Uma oposição entre uma teoria de vida otimista e outra pessimista está fora de questão; apenas a junção de forças e o embate das duas pulsões primevas, Eros e pulsão de morte, explica o colorido das ocorrências de vida, nunca só uma delas.

A tarefa mais gratificante da pesquisa psicológica seria esclarecer como as porções dos dois tipos de pulsão se juntam para executar cada uma das funções vitais, sob que condições essas junções se afrouxam ou se desfazem, quais distúrbios correspondem a essas transformações e com que sensações a escala de percepção do princípio de prazer responde a elas. Por enquanto, curvamo-nos diante da supremacia dos poderes diante dos quais vemos os nossos esforços sucumbirem. Já o influenciamento psíquico do masoquismo simples coloca nossa capacidade diante de uma dura prova.

Ao estudarmos os fenômenos que comprovam a atividade da pulsão de destruição, não estamos limitados a observações do material patológico. Inúmeros fatos da vida psíquica normal clamam por uma tal explicação, e quanto mais o nosso olhar se aguça, mais intensamente eles chamarão a nossa atenção. Esse é um tema novo demais e importante demais para ser tratado nesta discussão apenas superficialmente; contentar-me-ei em destacar algumas poucas amostras. Tomemos como exemplo o que segue:

Sabe-se que em todos os tempos houve e ainda há pessoas que podem tomar pessoas do mesmo ou do outro gênero como seus objetos sexuais, sem que uma vertente prejudique a outra. Chamamos a essas pessoas de bissexuais, aceitamos a sua existência sem nos espantarmos muito com isso. No entanto, aprendemos que, nesse sentido, todas as pessoas são bissexuais, e que distribuem a sua libido ou de forma manifesta ou de forma latente entre objetos de ambos os gêneros. Mas há algo que chama a nossa atenção: enquanto no primeiro caso as duas direções se entenderam sem embates, no segundo e mais frequente elas se encontram no estado de um conflito irreconciliável. A heterossexualidade de um homem não tolera a homossexualidade, e vice-versa. Se a primeira for a mais forte, ela conseguirá manter a última latente e afastá-la da satisfação real; por outro lado, não há um perigo maior para a função heterossexual de um homem do que o distúrbio causado pela homossexualidade latente. Poderíamos tentar uma explicação, dizendo que justamente apenas uma determinada porção de libido está disponível, e é por ela que as duas direções rivais precisam brigar. No entanto, não entendemos por que os rivais não dividem entre si regularmente a porção disponível da libido, de acordo com a sua força relativa, considerando que poderiam fazê-lo em alguns casos. Tem-se a nítida impressão de que a tendência ao conflito seria algo especial, algo novo que é acrescentado à situação, independendo da quantidade da libido. Essa tendência ao conflito, que surge de modo autônomo, necessariamente será associada à intervenção de uma parte de agressão livre.

Se reconhecermos o caso aqui abordado como expressão da pulsão de destruição ou de agressão, logo se instaurará a pergunta sobre se deveríamos estender a mesma concepção a outros exemplos de conflito, ou mesmo se deveríamos rechaçar todo o nosso conhecimento sobre o conflito psíquico a partir dessa nova perspectiva. Supomos, evidentemente, que no trajeto evolutivo do homem primitivo para o homem civilizado [*Kulturmenschen*] ocorreu uma internalização muito relevante, uma introversão da agressão, e para as batalhas externas, que vão cessando, os conflitos interiores certamente seriam o real equivalente. Sei bem que a teoria dualista, que advoga uma pulsão de morte, de destruição ou de agressão como parceira em nível de igualdade com o Eros manifesto na libido, em geral não obteve respaldo e também acabou por não se firmar realmente entre os psicanalistas. Entretanto, muito me alegrei quando reencontrei há pouco a nossa teoria em um dos grandes pensadores dos primórdios gregos. É com prazer que sacrifico o prestígio da originalidade em nome dessa afirmação, já que, dado o volume de minhas leituras nos meus primeiros anos, nunca poderei ter certeza se a minha pretensa nova criação não seria obra da criptomnésia [*Kryptomnesie*].

Empédocles de Ácragas (Agrigento),[i] nascido por volta de 495 a.C., surge como uma das mais geniais e curiosas figuras da história cultural da Grécia. Sua personalidade multifacetada atuava em diversas direções; ele era pesquisador e pensador, profeta e mago, político, filantropo e

---

[i] O que se segue foi baseado em Wilhelm Capelle: *Die Vorsokratiker* [Os pré-socráticos]. Leipzig: Alfred Keller, 1935.

médico com conhecimentos da natureza; diz-se que salvou a cidade de Selinunte da malária e era adorado pelos seus contemporâneos como um deus. Seu espírito parece ter unificado em si os mais agudos contrastes; sendo exato e sóbrio em suas pesquisas físicas e fisiológicas, ele não se esquivava da mística obscura, e estruturou uma especulação cósmica de uma fantástica e impressionante ousadia. Capelle o compara a Dr. Fausto, "a quem muitos segredos foram revelados".[13] Surgido em uma época em que o reino do saber ainda não se diluía em tantas províncias, alguns de seus ensinamentos nos parecem primitivos hoje em dia. Ele explicava as diferenças entre as coisas através de misturas dos quatro elementos: terra, água, fogo e ar, acreditava numa natureza plenamente animada e na migração das almas, mas tinha também ideias modernas: a evolução dos seres vivos em etapas, a permanência do mais capaz e o reconhecimento do papel do acaso (τύχη) nessa evolução fazem parte de seu arcabouço de ensinamentos.

Mas o nosso interesse se volta para a doutrina de Empédocles que se aproxima tanto da teoria pulsional psicanalítica que seríamos tentados a afirmar que as duas coisas são idênticas, se não houvesse a diferença de que a fantasia dos gregos era cósmica, enquanto a nossa se contenta com a aspiração de validade biológica. É claro que o fato de Empédocles atribuir a mesma natureza animada para o universo e para cada ser vivo tira dessa diferença uma grande parte de sua importância.

O filósofo nos ensina, portanto, que há dois princípios que regem os acontecimentos na vida terrena e na vida psíquica, que estão em constante luta entre si. Ele os chama de φιλία [philia] – *amor* – e νεῖκος [neikos] – *discórdia*. Uma dessas forças, que para ele, no fundo, são "forças pulsionais da natureza, evidentemente não se trata de inteligências conscientes de seus intuitos", almeja concentrar em uma única unidade as partículas primevas dos quatro elementos; a outra força, ao contrário, quer reverter todas essas misturas, separando as partículas primevas umas das outras. Ele imagina o processo do mundo [*Weltprozeß*] como uma alternância continuada e incessante de períodos, em que uma ou outra das forças fundamentais sai vencedora, e ora é o amor, ora é a discórdia quem impõe a sua vontade plenamente e domina o mundo; depois a outra parte, subjugada, é a que vai dominar e que agora, por sua vez, derrota o parceiro.

Os dois princípios fundamentais de Empédocles – φιλία e νεϊκος –, a partir de seu nome e de sua função, são a mesma coisa que nossas duas pulsões primevas, *Eros* e *Destruição*, um se esforçando em reunir o existente em unidades cada vez maiores, o outro em dissolver essas junções e destruir as formas assim produzidas. Mas também não causará espanto essa teoria ter sido modificada em alguns de seus traços, considerando o seu ressurgimento após dois milênios e meio. À exceção da redução ao bio-psíquico que nos foi imposta, de que as nossas matérias-primas não são mais os quatro elementos de Empédocles; para nós, temos que a vida se apartou claramente do inanimado, não pensamos mais em mistura e separação de partículas de matéria, mas em mesclagem e desfusão [*Entmischung*] de componentes pulsionais. E, de certa forma, também reforçamos biologicamente o princípio da "discórdia", na medida em que remetemos a nossa pulsão de destruição à pulsão de morte, à ânsia[14] [*Drang*] do ser vivente em retornar ao inanimado. Esse fato não nega que uma pulsão análoga já existia anteriormente e certamente não afirma que tal pulsão só tenha aparecido com o surgimento da vida. E ninguém pode prever com que roupagem o cerne de verdade nos ensinamentos de Empédocles se mostrará para uma apreciação posterior.

VII

Uma substancial conferência proferida em 1927 por Sándor Ferenczi, "O problema da finalização das análises" [Das Problem der Beendigung der Analysen],[i] termina com a garantia consoladora "de que a análise não é um processo interminável, mas que com conhecimento técnico adequado e paciência do analista ela poderá ser conduzida para um término natural". Acredito que esse trabalho se assemelha a um alerta para que não se veja como meta o encurtamento, mas sim o aprofundamento da análise. Ferenczi ainda acrescenta a observação valiosa de quão fundamental é para o sucesso que o analista tenha aprendido a partir de seus próprios "enganos e erros" e que tenha adquirido domínio sobre os "pontos fracos da própria personalidade". Isso nos permite um importante acréscimo ao nosso tema. Não é apenas a constituição do Eu do paciente, mas também a peculiaridade do analista que tem um lugar importante entre os momentos que influenciam as perspectivas do tratamento analítico e o dificultam dependendo do tipo das resistências.

Indiscutivelmente, os analistas não atingiram em sua própria personalidade a total medida de normalidade psíquica para a qual eles querem educar os seus pacientes. Opositores da análise costumam apontar para esse fato com escárnio, usando-o como argumento para a inutilidade do esforço analítico. Poderíamos rechaçar essa crítica como sendo uma exigência injusta. Analistas são pessoas que

---

[i] *Internationale Zeitschrift für Psychoanalyse*, v. XIV, 1928.

aprenderam a exercer determinada arte e que paralelamente a isso podem ser pessoas como as outras. Também não dizemos que alguém não serve para ser um médico internista se os seus órgãos internos não estiverem saudáveis; pelo contrário, podemos obter certa vantagem a partir disso, na medida em que, por exemplo, alguém ameaçado pela tuberculose acaba se especializando no tratamento de tuberculosos. Mas os casos não são da mesma ordem. O médico que sofre do pulmão ou do coração, desde que esteja em condições de trabalho, não será impedido por sua doença nem de realizar diagnósticos nem de aplicar uma terapia para sofrimentos internos do corpo, ao passo que o analista, devido às condições especiais do trabalho analítico, realmente será prejudicado por seus próprios defeitos, na medida em que terá dificuldades em apreender as condições do paciente de forma correta e reagir a elas de modo adequado. Portanto, há uma razão em se exigir do analista um grau mais elevado de normalidade psíquica e correção, como parte da comprovação de sua habilidade profissional; acrescente-se a isso que ele ainda necessita de uma certa superioridade para funcionar como modelo para o paciente em determinadas situações analíticas e em outras como professor. E, por fim, não esqueçamos que a relação analítica se baseia no amor à verdade, isto é, no reconhecimento da realidade, excluindo toda e qualquer aparência e falseamento.

Detenhamo-nos um pouco aqui, para garantirmos ao analista nossa sincera empatia e que, ao exercer a sua atividade, sentimos com ele a dificuldade em cumprir exigências tão duras. É quase como se o analisar fosse aquela terceira das profissões "impossíveis", em que se tem certeza de antemão do resultado insuficiente. As outras duas, conhecidas há muito mais tempo, são o educar e o governar. Aparentemente, não podemos exigir que o futuro analista seja um ser completo antes de se ocupar com a análise, ou seja, que apenas pessoas de uma completude tão perfeita e tão rara possam se dedicar a essa profissão. Onde e como o pobre coitado poderá adquirir aquela habilitação ideal, necessária em sua profissão? A resposta será: na própria análise, com a qual começa a preparação para a sua atividade futura. Por razões práticas, esta só poderá ser breve e incompleta; a sua finalidade principal é possibilitar um juízo ao professor para avaliar se o candidato pode ser aprovado para continuar na formação. O seu trabalho estará terminado quando trouxer para o aprendiz a convicção segura da existência do inconsciente, quando lhe transmitir as autopercepções – normalmente indignas de credulidade – ao aflorar o recalcado e, por fim, quando lhe mostrar, a partir de uma primeira amostra, a técnica que só se consolida na atividade analítica. Só isso não seria suficiente em termos de instrução, mas espera-se que a partir das motivações recebidas na própria análise que elas não se esgotem com o seu término, mas que os processos de reformulação do Eu [*Ichumarbeitung*] continuem espontaneamente no analisando e que todas as demais experiências sejam utilizadas nesse novo sentido adquirido. Isso acontece de fato e, conforme vai acontecendo, habilita o analisando para se tornar analista.

É lamentável que, além disso, algo mais aconteça. Ficamos na dependência de impressões ao descrevê-lo; inimizade de um lado, partidarismo do outro criam um clima desfavorável para a pesquisa objetiva. No entanto, parece que inúmeros analistas aprendem a utilizar mecanismos de defesa que lhes permitem desviar da própria pessoa conclusões e exigências da análise, provavelmente voltando-se contra outros, para que eles mesmos fiquem como são, para que possam se esquivar da influência crítica e corretora da análise. Pode ser que esse procedimento dê razão ao poeta que nos alerta para o seguinte: se conferimos poder a uma pessoa, será difícil para ela não fazer mau uso dele.[i] Por vezes, coloca-se para aquele que se esforça em compreender tudo isso uma analogia desagradável com os que usam raios-X, sem tomar as precauções necessárias. Não causaria espanto se através do trabalho com todo o recalcado, que luta por satisfação na alma humana, também despertássemos no analista aquelas demandas pulsionais que ele do contrário poderia manter reprimidas. Esses também são os "perigos da análise", que não ameaçam o parceiro passivo, mas sim o ativo na situação analítica, e não deveríamos deixar de enfrentá-los. Não pode haver dúvidas sobre a forma através da qual esse encontro acontecerá. Todo analista, periodicamente, por exemplo, a cada cinco anos, deveria voltar a se tornar objeto da análise, sem se envergonhar desse passo. Isso significaria, portanto, que também a própria análise se transformaria de tarefa finita em tarefa infinita, e não apenas a análise terapêutica do doente.

É chegada a hora de desfazermos um possível mal-entendido. Não tenho a intenção de afirmar que a análise seja de todo um trabalho sem fim. Seja qual for a vertente teórica que se defenda a esse respeito, penso que o fim de uma análise seja uma questão da prática. Todo analista experiente poderá se lembrar de uma série de casos em que *rebus bene gestis*[15] se despediu definitivamente de um paciente. A prática se distancia bem menos da teoria nos casos da chamada análise de caráter [*Charakteranalyse*]. Nesse caso, não podemos prever facilmente um término

---

[i] Anatole France: *A revolta dos anjos* [La révolte des anges].

natural, mesmo se não cultivarmos expectativas exageradas e não colocarmos tarefas extremas para a análise. Evidentemente, não teremos por objetivo refinar todas as especificidades humanas em benefício de uma normalidade esquemática ou até mesmo exigir que aquele que foi "analisado em profundidade" não possa sentir paixões ou não desenvolva conflitos interiores. A análise deve criar as condições psicológicas mais favoráveis para as funções do Eu; de tal modo, a sua tarefa estaria cumprida.

VIII

Tanto nas análises terapêuticas quanto nas análises de caráter, chama-nos a atenção o fato de que dois temas se destacam especialmente e dão muito trabalho ao analista. Não demora para que se evidencie a regularidade que ali se expressa. Ambos os temas estão atrelados às diferenças de gênero; um deles é tão característico do homem quanto o outro o é da mulher. Apesar da diversidade de conteúdo, há correspondências evidentes. Algo que é comum aos dois gêneros foi prensado dentro de outra forma de expressão através da diferença de gênero.

Os dois temas que se correspondem são, para a mulher, a *inveja do pênis* – a aspiração positiva por possuir um genital masculino – e, para o homem, a aversão contra a sua postura passiva ou feminina em relação a outro homem. O que há em comum foi destacado bastante cedo pela nomenclatura psicanalítica, conhecido como comportamento diante do complexo de castração; mais tarde, Alfred Adler colocou em uso o termo "protesto masculino", que seria absolutamente preciso no caso dos homens, mas acredito que a descrição correta dessa parte tão curiosa da vida psíquica humana teria sido: "recusa da feminilidade".

Na tentativa de inserção em nossa estrutura teórica, não esqueçamos que, por sua natureza, esse fator não encontra a mesma acolhida para ambos os gêneros. No caso do homem, a aspiração de masculinidade desde o início é totalmente sintônica com o Eu [*ichgerecht*]; a postura passiva é recalcada de forma enérgica, uma vez que pressupõe a aceitação da castração, e muitas vezes são apenas supercompensações excessivas que apontam para a sua presença. Também no caso da mulher, a aspiração de masculinidade durante determinado momento é sintônica com o Eu, mais especificamente na fase fálica, antes do desenvolvimento da feminilidade. Depois, no entanto, ela é submetida àquele significativo processo de recalque, de cujo resultado, como apresentado tantas vezes, dependem os destinos da feminilidade. Muito dependerá de sabermos se uma porção suficiente do complexo de masculinidade se esquivou do recalque, influenciando constantemente o caráter; grandes porções do complexo normalmente são transformadas, para contribuir na construção da feminilidade; a partir do desejo não saciado pelo pênis deverá se criar o desejo por uma criança e pelo homem que tem o pênis. No entanto, é estranho percebermos o quão frequentemente o desejo de masculinidade é preservado no inconsciente, lá desenvolvendo sua influência perturbadora a partir do recalque.

Como se vê a partir do exposto, em ambos os casos é a oposição ao outro sexo o que sucumbe ao recalque. Em outro momento[16] já mencionei que esse ponto de vista me foi apresentado por Wilhelm Fließ. Ele tendia a explicar a oposição dos gêneros como o verdadeiro estopim e o motivo primevo do recalque. Reitero apenas a minha contrariedade daquela época, quando me recusei a sexualizar o recalque dessa forma, ou seja, justificando-o biologicamente em vez de fazê-lo apenas psicologicamente.

A importância destacada desses dois temas – o desejo do pênis na mulher e a aversão contra a postura passiva no homem – não escapou à atenção de Ferenczi. Em sua palestra proferida em 1927, ele estabelece a exigência de que toda análise bem-sucedida teria de ter dominado esses dois complexos.[i] Gostaria de acrescentar, a partir de minha própria experiência, que Ferenczi está sendo especialmente exigente aqui. Em nenhum momento do trabalho analítico sofremos mais com a sensação opressora de um esforço repetido infrutífero, suspeitando de que nossas falas são como "pregações ao vento", do que quando queremos instar as mulheres a desistirem de seu desejo pelo pênis, por ele ser impraticável, e quando queremos convencer os homens de que uma postura passiva em relação a outro homem nem sempre significa uma castração, e em muitas relações na vida é indispensável. Da supercompensação rebelde do homem é que deriva uma das mais fortes resistências à transferência. O homem não quer se submeter a um substituto do pai, não quer lhe dever gratidão, portanto também não quer aceitar a cura vinda do médico. Não é possível produzir uma transferência análoga a partir do desejo do pênis por parte da mulher, mas derivam dessa fonte irrupções graves de depressão dada a convicção interna de que a terapia analítica de nada servirá e de que não podemos ajudar à doente. Não podemos deixar de dar razão a ela quando ficamos sabendo que a esperança de ainda conseguir o órgão masculino,

---

[i] "[...] todo paciente masculino deverá atingir uma sensação de igualdade de direitos diante do médico, sinalizando que superou a angústia de castração; todas as doentes femininas, se quiserem resolver completamente a sua neurose, terão de administrar o seu complexo de masculinidade e se entregar sem rancor às possibilidades imaginativas [*Denkmöglichkeiten*] do papel feminino" (FERENCZI. Das Problem der Beendigung der Analysen, p. 8).

cuja falta lhe é tão dolorosa, foi o principal motivo que a impeliu a fazer o tratamento.

Mas também aprendemos a partir daí que a forma sob a qual a resistência aparece não é importante, seja como transferência ou não. O que é decisivo é que a resistência não permite que se produza uma modificação, deixando tudo como está. Muitas vezes temos a impressão de que com o desejo do pênis e o protesto masculino tenhamos atravessado todas as camadas psicológicas e penetrado até o fundo e, assim, chegado ao fim de sua atividade. Imagino que isso deva ser assim, pois, para o psíquico, o biológico realmente tem o papel de pano de fundo. A recusa da feminilidade nada mais pode ser do que um fato biológico, uma porção daquele grande enigma da sexualidade.[i] Será difícil dizer se e em que momento conseguimos dominar esse fator no tratamento analítico. Consolamo-nos com a certeza de que oferecemos ao analisado todo estímulo possível para que ele pudesse reexaminar e mudar a sua postura em relação a ele.

---

[i] Não podemos ser levados a supor, a partir do termo "protesto masculino", que a recusa do homem se aplique à postura passiva, ao chamado aspecto social da feminilidade. A isso se opõe a observação facilmente comprovável de que esses homens frequentemente apresentam um comportamento masoquista em relação à mulher, até mesmo mostrando uma servidão. O homem só se defende da passividade em relação ao homem, não da passividade como tal. Dito de outra forma, o "protesto masculino" de fato nada mais é que a angústia de castração.

Die endliche und die unendliche Analyse (1937)

1937 Primeira publicação: *Internationale Zeitschrift für Psychoanalyse*, t. 23, n. 2, p. 209-240

1946 *Gesammelte Werke*, t. XIV, p. 57-100

Em uma carta a Fließ, datada de 16 de abril de 1900, Freud já se mostra preocupado com o caráter aparentemente sem fim de um tratamento analítico (neste volume, p. 48). Se é verdade que a questão da duração de uma análise sempre esteve na pauta das preocupações dos psicanalistas, é também verdade que apenas em 1937 Freud dedica um artigo inteiro a esse tema. Ao que tudo indica, o trabalho foi redigido entre janeiro e abril de 1937.

Alguns anos antes, a questão da duração do tratamento tinha sido motivo de debates e de dissidências. Primeiramente, Otto Rank havia proposto um modelo de terapia breve baseado na teoria do caráter traumático do nascimento. A ruptura com Rank foi lenta e gradual e está consubstanciada principalmente no artigo de 1924, "O declínio do complexo de Édipo" (nesta coleção, no volume *Neurose, psicose, perversão*) e em "Inibição, sintoma e angústia" (1925).

Além disso, por meio deste escrito Freud recupera uma polêmica pessoal com Ferenczi, quatro anos após a morte deste último. Em uma carta de 17 de janeiro de 1930, Ferenczi queixou-se de que Freud não havia dado atenção suficiente aos "sentimentos e fantasias negativos em parte transferidos", impedindo a finalização da sua análise, tema de seu ensaio de 1928, "O problema do fim da análise". De fato, a condensação, por parte de Freud, da função de analista com as figuras de mestre e amigo dificultou o tratamento de alguns dos seus discípulos, indicando, assim, que um dos principais obstáculos ao desfecho das análises seria a resistência do próprio psicanalista. Portanto, a questão tratada neste escrito é ainda mais relevante no que concerne à análise dos próprios psicanalistas, o que fez com que Ferenczi formulasse a "segunda regra fundamental" da Psicanálise: a análise (finalizada) do analista. O principal herdeiro dessa problemática foi Jacques Lacan, que, nos anos 1960, propôs uma articulação lógica entre o final da análise e o advento de um psicanalista, e inventou um dispositivo que proporcionaria aos psicanalistas a oportunidade de testemunhar e de teorizar o final da análise: o "passe".

O caso clínico relatado na segunda seção do presente artigo refere-se muito provavelmente a Ferenczi, que foi analisado por Freud por três breves períodos: o primeiro entre setembro e dezembro de 1914; o segundo entre junho e julho de 1916; e o terceiro entre setembro e outubro do mesmo ano.

FUNDAMENTOS DA CLÍNICA PSICANALÍTICA **363**

Curiosamente, o título deste escrito de Freud até o momento foi conhecido pela maioria de seus leitores brasileiros como "Análise terminável e interminável". Ocorre que os adjetivos em suas formas afirmativa e negativa derivados do substantivo *Ende* [fim/término] são formados pelo sufixo -*lich*, e não pelo -*bar*, geralmente correspondente aos sufixos -ável ou -ível, denotando, portanto, o que é "passível de algo", por exemplo, "comestível" [*essbar*], "potável" [*trinkbar*]. Além disso, "interminável" traz uma conotação de "impaciência", inexistente na língua original. É preciso ressaltar ainda que a palavra "fim" em português apresenta claramente duas acepções diferentes – *fim* no sentido de *término* e *fim* no sentido de *finalidade* – este último sentido não está presente no termo alemão. Finalmente, o leitor deve ter em mente que o termo alemão *unendlich* não tem conotação tão fortemente metafísica quanto o português "infinita". De toda forma, parece que esse inconveniente pode ser superado mais facilmente do que os demais, bastando ter em mente que "infinita" tem o sentido de "sem fim".

FERENCZI, S. O problema do fim da análise, 1928. • LACAN, J. Proposição de 9 de outubro de 1967 sobre o psicanalista da escola. In: *Outros escritos*, Rio de Janeiro: Jorge Zahar Ed, 2003.

NOTAS

[1] Trata-se, como podemos nos certificar a partir da nota de rodapé inserida pelo autor, do famoso caso do Homem dos Lobos, como ficou conhecido o paciente Sergei Pankejeff na literatura psicanalítica. (N.R.)

[2] *Krankengeschichte* era como Freud designava o que ficou conhecido na literatura psicanalítica como "caso clínico" ou "história clínica", ainda que uma tradução mais literal seria "história de doente". (N.R.)

[3] Referência provável ao caso Ferenczi, analisado por Freud. (N.E.)

[4] Também passível de ser traduzida como "domesticação", preferimos aqui relacionar ao verbo "domar", como uma tentativa de intervir na conduta de uma força "selvagem" ou acéfala em sua origem, ainda que não propriamente confundível com o instintual ou biologicamente "programado". (N.R.)

[5] "*So muß denn doch die Hexe dran*". Passagem do *Fausto* de J. W. von Goethe (parte 1, cena 6). Freud aqui compara os "poderes" de sua teoria metapsicológica aos da bruxa evocada na mais célebre obra da literatura alemã. (N.R.)

[6] Acerca do estatuto epistemológico dessa passagem, consultar o ensaio de Gilson Iannini intitulado "Epistemologia da pulsão: fantasia,

ciência, mito", publicado no volume *As pulsões e seus destinos* (nesta coleção). (N.E.)

[7] Vale aqui lembrar as reiteradas menções do psicanalista e tradutor Luiz Hanns acerca da equivocada tradução de *Versagung* por "frustração". Enquanto "frustração" comumente nos leva à compreensão de uma *decepção* a ser tolerada, Freud geralmente usa o termo *Versagung* para falar de um processo que é *impedido, interrompido*. Cf. HANNS, Luiz. *Dicionário comentado do alemão de Freud*. Rio de Janeiro: Imago, 1996. (N.R.)

[8] A expressão "*das Bessere ist ein Feind des Guten*", "O melhor é inimigo do bom", serve para denotar aquilo que é prejudicado por uma tentativa de melhora, de incremento. (N.R.)

[9] Médico especializado em Medicina Interna, policlínico. (N.E.)

[10] Trata-se de uma das ideias mais antigas e mais centrais de Freud que, desde 1895, insiste na impossibilidade de fuga de estímulos oriundos do interior do corpo, fundamento do conceito de pulsão. (N.E.)

[11] Nova referência ao *Fausto* de Goethe (parte 1, cena 4). (N.R.)

[12] Conferir, neste volume, o artigo consagrado ao tema da construção: "Construções na análise". (N.E.)

[13] "[...] *dem gar manch Geheimnis wurde kund*", ou seja, uma forma de paráfrase da passagem do *Fausto* de Goethe: "*Nicht manch Geheimnis würde kund*" [Não ficou a par de certos segredos] (*Fausto*, parte 1, cena 1). (N.R.)

[14] Nesse caso, preferimos traduzir *Drang* por "ânsia" e não por "pressão", como fizemos em *As pulsões e seus destinos* [*Triebe und Triebschicksale*]. Naquele caso, tratava-se de definir um dos quatro termos ou componentes da pulsão. Não custa insistir na polissemia do termo. (N.R.)

[15] Expressão latina que equivaleria a "após o bom feito" ou "após ter cumprido sua tarefa". (N.R.)

[16] "Bate-se numa criança" ["Ein Kind wird geschlagen"]. [Nesta coleção, incluído no volume intitulado *Neurose, psicose, perversão*.] (N.E.)

CONSTRUÇÕES NA ANÁLISE (1937)[1]

Um pesquisador de grande mérito, a quem tenho em grande conta por ter feito justiça à Psicanálise em uma época em que a maioria dos outros se afastavam dessa responsabilidade, fez certa vez, contudo, um comentário tanto ofensivo quanto injusto sobre a nossa técnica analítica. Dizia ele que quando apresentamos ao paciente as nossas interpretações, estaríamos agindo contra ele, segundo o famoso princípio: *Heads I win, Tails you lose.*[2] Isso significa que se ele concorda conosco, estamos com razão; mas se ele nos contraria, então seria apenas um sinal de sua resistência e, portanto, também mostraria que temos razão. Dessa forma, sempre teremos razão diante de uma pobre pessoa desamparada que analisamos, não importando como ela possa se comportar diante das nossas confrontações. Como é verdade que um "não" de nosso paciente em geral não nos move a abdicarmos de nossa interpretação considerando-a equivocada, tal exposição de nossa técnica foi muito bem-vinda para os adversários da análise. Por isso, vale a pena apresentar em detalhes como costumamos avaliar o "sim" e o "não" do paciente – a expressão de sua concordância e de sua oposição – durante o tratamento analítico. Evidentemente, durante essa justificativa, nenhum analista no exercício de sua atividade ouvirá algo que já não saiba.

Como se sabe, o objetivo do trabalho analítico é fazer com que o paciente volte a suspender [*aufhebe*] os recalques – entendidos aqui no sentido amplo – de seu primeiro desenvolvimento, para substituí-los por reações que corresponderiam a um estado de maturidade psíquica. Para esse fim, ele precisa voltar a recordar determinadas vivências e moções de afeto por elas desencadeadas, que atualmente estão sob o esquecimento. Sabemos que seus sintomas e suas inibições atuais são as consequências de tais recalques, ou seja, são substitutos do esquecido. Que materiais ele nos oferece para que, utilizando-nos deles, possamos levá-lo ao caminho da recuperação das lembranças perdidas? São vários: fragmentos dessas lembranças em seus sonhos, em si de um valor incomparável, mas em geral fortemente deformados por todos os fatores que participam da formação do sonho; ocorrências que ele produz quando se entrega à "associação livre", a partir das quais podemos descobrir alusões às vivências recalcadas e derivados das moções de afeto reprimidas, assim como as reações contra elas; por fim, alusões de repetições de afetos pertencentes ao recalcado em ações importantes ou triviais do paciente tanto dentro quanto fora da situação analítica. A experiência nos mostra que a relação de transferência que se estabelece com o analista é especialmente adequada para favorecer o retorno de tais conexões de afeto. A partir dessa matéria-prima, como a chamamos, é que deveremos produzir o que queremos.

O que queremos é uma imagem dos anos de vida esquecidos do paciente, imagem que seja confiável e consistente em todas as partes essenciais. Aqui, porém, somos lembrados de que o trabalho analítico é composto de duas partes bastante diversas, que ele transcorre em dois palcos diferentes, que acontece em duas pessoas, e a cada uma delas é atribuída uma tarefa diferente. Por um momento, perguntamo-nos por que não se chamou a atenção para esse fato fundamental há muito mais tempo, mas logo nos dizemos que nada nos foi omitido, que se trata de um fato de conhecimento geral, digamos que óbvio, que é destacado só aqui com uma intenção específica e que será devidamente tratado. Todos nós sabemos que o analisando deverá ser levado a se recordar de algo que ele vivenciou e recalcou, e as condições dinâmicas desse processo são tão interessantes que, diante disso, a outra parte do trabalho, que é o empenho do analista, passa a ficar em segundo plano. De tudo o que é essencial aqui, o analista não vivenciou nem recalcou nada; não pode ser a sua tarefa lembrar algo. O que, então, é a sua tarefa? Ele terá de inferir o esquecido a partir dos sinais por ele deixados, ou, mais corretamente, ele terá de *construir* o esquecido. Como, quando e com que explicações ele comunica as suas construções ao analisando é o que estabelecerá a ligação entre as duas partes do trabalho analítico, entre a sua parte e a do analisando.

O seu trabalho de construção, ou, se preferirmos, de reconstrução, mostra uma ampla coincidência com o do arqueólogo, que escava uma moradia destruída e soterrada ou uma construção do passado. Na verdade, o trabalho aí é idêntico, apenas o analista trabalha sob condições melhores, dispõe de mais material de apoio, porque ainda se ocupa com algo vivo, e não com um objeto destruído, e talvez ainda por outro motivo. Mas assim como o arqueólogo constrói as paredes de um prédio a partir dos resquícios de parede ainda existentes, determina a quantidade e a posição de colunas a partir de depressões no solo, reconstitui os antigos ornamentos e pinturas de parede a partir de restos encontrados nos escombros, o analista procede da mesma forma quando tira as suas conclusões a partir de fragmentos de lembranças, associações e declarações ativas do analisando. Ambos permanecem tendo o direito indiscutível de reconstrução através de complementação e junção dos restos conservados. Também algumas dificuldades e fontes de erros são as mesmas. Uma das tarefas mais delicadas da Arqueologia, como se sabe, é a determinação da idade relativa de um achado, e quando um objeto aparece em uma determinada camada, muitas vezes cabe decidir se ele faz parte dessa camada ou se chegou até aquele local mais profundo por uma perturbação posterior. É fácil inferir o que corresponde a essa dúvida nas construções analíticas.

Dissemos que o analista trabalha sob condições melhores que a do arqueólogo, porque também dispõe de material para o qual não há correspondente nas escavações, por exemplo, as repetições de reações oriundas de tempos primevos e tudo o que é revelado em termos de repetições através da transferência. Mas, além disso, devemos considerar que o escavador lida com objetos destruídos, dos quais partes grandes e importantes certamente se perderam, devido à violência mecânica, ao fogo ou a saques. Por maior que seja o esforço, não se consegue encontrar essas partes para compô-las com os restos preservados. Dependemos única e exclusivamente da reconstrução, que, por isso, muitas vezes não consegue ir além de um certo grau de probabilidade. A situação é diferente com o objeto psíquico, cuja história prévia o analista quer levantar. Aqui, geralmente acontece o que só em felizes casos excepcionais aconteceu em Pompeia ou com a tumba de Tutancâmon. Todo o essencial ficou

preservado, mesmo aquilo que parece totalmente esquecido ainda está presente de alguma forma em algum lugar,
estando apenas soterrado, tornado inacessível ao indivíduo.
Como se sabe, duvidamos que qualquer formação psíquica
realmente seja suscetível à destruição total. É apenas uma
questão da técnica analítica saber se vamos conseguir trazer
totalmente à tona o que está oculto. A essa extraordinária
vantagem do trabalho analítico se contrapõem apenas dois
outros fatos, a saber: o objeto psíquico é incomparavelmente
mais complicado que o objeto material do escavador e o
nosso conhecimento não está suficientemente preparado
para aquilo que devemos encontrar, uma vez que a sua
estrutura íntima ainda abriga muitos mistérios. E aqui a
nossa comparação entre os dois trabalhos já chega ao fim,
pois a principal diferença entre ambos reside no fato de que,
para a Arqueologia, a reconstrução é o objetivo e o fim
dos seus esforços, e para a análise, a construção constitui
apenas um trabalho preliminar.

II

Mas não é um trabalho preliminar no sentido de
que primeiro terá de ser terminado, antes de se começar
o próximo, mais ou menos como a construção de uma
casa, em que todas as paredes precisam ser erguidas e
todas as janelas colocadas antes de nos ocuparmos com a
decoração interior dos cômodos. Todo analista sabe que no
tratamento analítico isso é diferente, que ambos os tipos
de trabalho caminham paralelamente, sempre um deles
um tanto na dianteira, vindo o outro em sua sequência. O
analista produz um pedaço de construção, comunica-o ao
paciente, para que faça efeito sobre ele; depois, ele constrói
mais um pedaço a partir do novo material que chega como

um afluente e trabalha do mesmo jeito, e nessa alternância vai até o fim. Se nas apresentações do trabalho analítico se ouve falar tão pouco em "construções", isso se deve ao fato de que, em vez disso, fala-se em "interpretações" [*Deutungen*] e seus efeitos. Mas penso ser "construção" o termo infinitamente mais adequado. Interpretação se refere àquilo que fazemos com um único elemento do material, a exemplo de uma ocorrência [*Einfall*], um ato falho ou assemelhados. Mas falamos em construção quando apresentamos ao analisando um pedaço de sua história pregressa esquecida, da seguinte forma, por exemplo: até os seus x anos, você se considerava o dono único e irrestrito da sua mãe, até que chegou um segundo filho e, com ele, uma grande decepção. "Sua mãe abandonou você durante algum tempo, e também mais tarde não se dedicou exclusivamente a você. Seus sentimentos em relação à sua mãe tornaram-se ambivalentes, o pai passou a ter outra importância para você, etc."

Neste artigo, a atenção se volta exclusivamente a esse trabalho preliminar das construções. E é aí que surge, em primeiro lugar, a pergunta: que garantias temos durante o nosso trabalho nas construções de que não seguiremos por caminhos errados, colocando em risco o sucesso do tratamento, caso defendamos uma construção incorreta? Pode parecer que essa pergunta nem permita uma resposta geral, mas, ainda antes de discutirmos a questão, ouçamos uma informação de consolo que nos traz a experiência analítica. Pois ela nos ensina que não provocará nenhum dano se alguma vez nos equivocarmos e apresentarmos ao paciente uma construção incorreta como sendo a verdade histórica provável. É evidente que isso significa que perderemos tempo e que aquele que sempre impor ao paciente certas combinações falsas não lhe causará boa impressão e não chegará longe no tratamento, mas um único equívoco é inócuo. O que acontece nesse caso é muito mais que o paciente permanece como que intocado, não reagindo nem com um *sim* nem com um *não*. Isso possivelmente significará apenas um adiamento da reação; mas se a situação permanecer assim, podemos chegar à conclusão de que erramos e confessaremos isso ao paciente no momento adequado, sem prejuízo da nossa autoridade. Esse momento se dá quando surgir um novo material que possibilite uma construção melhor e, assim, a correção do erro. A construção errada acaba por ficar de lado, de forma que é como se nunca tivesse sido feita, e em alguns casos até se tem a impressão de que – usando as palavras de Polônio[3] – se fisgou a carpa da verdade justamente com a isca da mentira. O perigo de levar o paciente pelo mau caminho através da sugestão, "convencendo-o" de determinadas coisas em que nós próprios acreditamos, mas que ele não deveria aceitar, certamente tem sido exagerado além da medida. O analista teria se comportado de forma muito incorreta se um infortúnio desses lhe acontecesse; principalmente, ele teria de fazer a autocrítica, reconhecendo que não deu voz ao paciente. Posso afirmar, sem falsa modéstia, que esse mau uso da "sugestão" nunca aconteceu na minha atividade.

A partir do que dissemos acima, já se pode deduzir que não estamos nem um pouco inclinados a desprezar os sinais que depreendemos da reação do paciente diante da comunicação que lhe fazemos de uma de nossas construções. Trataremos desse ponto em detalhes. Está certo dizer que não damos a um "não" do analisando o crédito total, assim como tomamos como válido o seu "sim"; é absolutamente injustificado nos culparem por reinterpretarmos a sua manifestação, transformando-a, em todos os casos, em uma confirmação. Na verdade, não é tão simples assim, não tomamos uma decisão com tanta facilidade.

O "sim" direto do analisando tem muitos significados. Ele pode, de fato, indicar que ele reconhece a construção ouvida como sendo correta, mas também pode ser desprovido de sentido ou mesmo o que podemos chamar de "falso", na medida em que é confortável para a sua resistência continuar ocultando a verdade não revelada através dessa aquiescência. Esse "sim" só tem algum valor se for seguido de confirmações indiretas, se o paciente, logo depois do sim, produzir novas lembranças, que complementam e ampliam a construção. Só nesse caso reconheceremos o "sim" como a plena resolução do respectivo ponto.

O "não" do analisando é muito polissêmico e, na verdade, ainda menos utilizável que o seu "sim". Em casos raros, ele se mostra como expressão de uma rejeição justificada; muito mais frequentemente ele é expressão de uma resistência, provocada pelo conteúdo da construção informada, mas que também pode se originar de outro fator da situação analítica complexa. O "não" do paciente, portanto, nada prova em relação à correção da construção, mas se coaduna muito bem com essa possibilidade. Uma vez que toda construção é incompleta e abarca apenas um pequeno fragmento do acontecimento esquecido, temos a liberdade de supor que o analisando, na verdade, não está renegando [*leugnet*] o que lhe foi comunicado, mas fundamenta sua oposição com base na parte ainda não revelada. Via de regra, ele só dará a sua concordância quando souber de toda a verdade, e esta muitas vezes é bastante ampla. Portanto, a única interpretação segura do seu "não" é aquela que aponta insegurança; que a construção certamente não lhe disse tudo.

Portanto, concluímos que, a partir das manifestações diretas do paciente após a comunicação da construção, teremos poucos pontos de apoio para saber se agimos de forma correta ou incorreta. Tanto mais interessante é saber que existem tipos indiretos de confirmação, que são absolutamente confiáveis. Um deles é uma expressão idiomática que se ouve com pequenas variações das mais variadas pessoas, como se fosse combinado: "Eu jamais pensei (ou: teria pensado) isso (nisso)". Podemos traduzir essa manifestação tranquilamente por: "Sim, nesse caso, você acertou o inconsciente na mosca". Infelizmente, ouvimos essa fórmula tão desejada pelo analista com maior frequência após interpretações isoladas, mais do que depois da comunicação de construções ampliadas. Uma confirmação de igual valor, dessa vez expressa de forma positiva, é quando o analisando responde com uma associação que contém algo semelhante ou análogo ao conteúdo da construção. Em vez de apresentar um exemplo tirado da análise, que seria fácil de achar, mas seria muito longo para demonstrar, quero narrar aqui uma pequena vivência extra-análise, que apresenta essa situação com uma ênfase quase cômica. Tratava-se de um colega que tinha – isso faz muito tempo – me escolhido como consultor em sua atividade médica. Certo dia, porém, ele me trouxe a sua jovem esposa, que estava lhe causando problemas. Ela se recusava a ter relações sexuais, usando todo tipo de pretextos, e ele, aparentemente, esperava de mim que eu esclarecesse a ela quais as consequências de seu comportamento inadequado. Eu concordei e expliquei a ela que a sua recusa provavelmente causaria distúrbios de saúde lamentáveis ou tentações no marido, que poderiam levar à destruição do seu casamento. Durante essa explicação, ele repentinamente me interrompeu, para dizer o seguinte: o inglês em quem o senhor diagnosticou um tumor cerebral *também* já morreu. No início, a fala parecia incompreensível, o *também* na frase parecia enigmático, não havíamos falado de nenhum outro falecido. Poucos instantes depois, entendi. Aparentemente, o homem queria me apoiar, ele quis dizer: sim, certamente o senhor tem razão, o seu diagnóstico do paciente *também* acabou se confirmando. Era uma plena contrapartida das confirmações indiretas por associações que obtemos nas análises. Não quero negar aqui que na manifestação do colega também houve a participação de ideias rechaçadas por ele.

A confirmação indireta por meio das associações que combinam com o conteúdo das construções e que trazem consigo um "também" como aquele fornece ao nosso juízo alguns pontos de apoio para descobrir se essa construção se mostrará verdadeira na continuidade da análise. Especialmente impressionante também é o caso em que a confirmação se infiltra na oposição direta por meio de um ato falho. Um belo exemplo desse tipo foi publicado por mim anteriormente em outro local.[4] Nos sonhos do paciente, repetidamente aparecia o nome *Jauner*, bem conhecido em Viena, sem que em suas associações houvesse qualquer esclarecimento a respeito. Então tentei a interpretação de que talvez ele quisesse dizer *Gauner* quando dizia *Jauner*, ao que o paciente prontamente respondeu: "mas isso me parece demasiado (g)ousado [*jewagt*]".[5] Ou então o paciente quer rechaçar a ideia a ele atribuída de que determinado pagamento tenha um valor alto demais para ele, usando as seguintes palavras: "dez dólares não significam nada para mim", mas em vez de dólares usa a moeda menos valiosa, dizendo: "dez xelins".

Quando a análise está sob a pressão de fortes fatores, que forçam a uma reação terapêutica negativa, como consciência de culpa, necessidade masoquista de sofrimento, relutância contra a ajuda do analista, o comportamento do paciente após a comunicação da construção muitas vezes torna a decisão que buscávamos muito fácil. Se a construção estiver errada, nada muda no paciente; mas se ela estiver correta ou trouxer uma aproximação da verdade, ele reagirá a ela com uma visível piora de seus sintomas e de seu estado geral.

Resumindo: constataremos que não merecemos a crítica de que desprezamos e colocamos de lado a posição do analisando em relação às nossas construções. Nós prestamos atenção nela e dela muitas vezes retiramos pontos de apoio valiosos. Mas essas reações do paciente geralmente têm múltiplos significados e não permitem uma decisão definitiva. Apenas a continuidade da análise poderá trazer a decisão sobre a correção ou a inutilidade da nossa construção. Entendemos a construção individual como nada mais que uma suposição, que aguarda a verificação, a comprovação ou o descarte. Não pleiteamos autoridade para ela, não exigimos do paciente nenhuma concordância imediata, não debatemos com ele quando ele inicialmente rebate. Em suma: comportamo-nos segundo o modelo de um conhecido personagem de Nestroy,[6] o criado da casa, que tem uma única resposta pronta para todas as perguntas e intervenções: "ao longo dos acontecimentos, tudo será esclarecido".

III

Mostrar aqui como isso se dá ao longo da continuação da análise, por que caminhos a nossa suposição se transforma em convicção para o paciente, não vale o esforço; isso é de conhecimento de todo analista a partir da experiência diária e não é de difícil compreensão. Apenas um ponto nesse contexto merece um exame mais acurado, bem como esclarecimentos. O caminho que começa com a construção do analista deveria terminar com a recordação do paciente; nem sempre ele vai tão longe. Inúmeras vezes não conseguimos levar o paciente à recordação do recalcado. Em vez disso, se executarmos a análise de forma correta, conseguimos que ele tenha uma convicção segura da verdade da construção, que, do ponto de vista terapêutico, tem o mesmo efeito que uma recordação recuperada. Sob que circunstâncias isso acontece e como é possível que uma substituição aparentemente incompleta tenha, mesmo assim, o efeito pleno será matéria para uma pesquisa futura.

Encerrarei esta pequena comunicação com algumas observações que abrirão uma nova perspectiva. Chamou-me a atenção, em algumas análises, que a comunicação de uma construção aparentemente correta produzia nos analisandos um fenômeno surpreendente e inicialmente incompreensível. Eles começavam a ter recordações vivas, chamadas por eles próprios de "ultranítidas" [*überdeutlich*], no entanto, eles não se lembravam do acontecimento em si que fora o conteúdo da construção, mas de detalhes próximos a esse conteúdo, por exemplo, do rosto das pessoas ali citadas com extrema nitidez, ou dos espaços em que algo semelhante poderia ter acontecido, ou ainda, um pouco mais adiante, dos objetos de decoração desses ambientes, dos quais, evidentemente, a construção não teria como ter conhecimento. Isso acontecia tanto em sonhos diretamente após a comunicação como também em vigília, em estados semelhantes a uma fantasia. A essas lembranças não se atrelava mais nada na sequência; então, parecia legítimo entendê-las como o resultado de um acordo. A súbita vinda à tona [*Auftrieb*] do recalcado, ativada pela comunicação da construção, tinha a intenção de levar aqueles importantes resquícios da lembrança à consciência; uma resistência conseguiu, se não refrear o movimento, pelo menos deslocá-lo para objetos secundários vizinhos.

Essas lembranças poderiam ter sido chamadas de alucinações, se à sua nitidez tivesse sido acrescida a crença em sua atualidade. Mas essa analogia ganhou importância quando atentei para a ocorrência ocasional de alucinações reais em outros casos, certamente não psicóticos. O raciocínio, então, continuou: talvez seja uma característica geral da alucinação, até então não considerada suficientemente, que nela retorna algo vivenciado nos primórdios e depois esquecido, algo que a criança viu ou ouviu numa época em que mal sabia falar, e que agora se insinua fortemente na consciência, provavelmente de modo deformado e deslocado devido às forças que se contrapõem a esse retorno. E se pensarmos na relação estreita entre a alucinação e determinadas formas de psicose, nosso raciocínio ainda pode ir além. Talvez as formações alucinatórias em que regularmente vemos inseridas essas alucinações não sejam, elas próprias, tão independentes assim da súbita vinda à tona do inconsciente e do retorno do recalcado, como supomos até agora. Em geral, sublinhamos apenas dois fatores no mecanismo de uma formação alucinatória [*Wahnbildung*]: por um lado, o afastamento [*Abwendung*] do mundo real e seus motivos e, por outro lado, a influência da realização do desejo sobre o conteúdo do delírio. Mas será que o processo dinâmico não seria aquele em que o afastamento da realidade é aproveitado pela emergência do recalcado para impor o seu conteúdo à consciência, sendo que as resistências ativadas nesse processo e a tendência à realização do desejo se dividem na responsabilidade pela deformidade e pelo deslocamento do relembrado? Mas isso é também o conhecido mecanismo do sonho, que já uma antiquíssima suposição equiparava à loucura delirante.

Não creio que essa concepção de delírio seja totalmente nova, mas ela reforça um aspecto que normalmente não aparece em primeiro plano. Essencial aí é a afirmação de que a loucura não só tem método, como já reconhecera o poeta, mas também contém uma parte de *verdade histórica*,[7] e nos é lícito supor que a crença obsessiva que a loucura encontra extrai a sua força justamente de tal fonte infantil. Para demonstrar essa teoria, hoje tenho apenas reminiscências à minha disposição, e não impressões recentes. Provavelmente valeria a pena tentar estudar casos patológicos correspondentes de acordo com os pressupostos aqui desenvolvidos e também estabelecer o tratamento segundo eles. Certamente abandonaríamos o esforço inútil de convencer o doente do erro de seu delírio, de sua contradição diante da realidade, encontrando antes e muito mais um fundamento comum no reconhecimento do cerne da verdade, a partir do qual se poderá desenvolver o trabalho terapêutico. Esse trabalho consistiria em libertar aquela parte de verdade histórica de suas deformações e ligações [*Anlehnungen*] com o presente real, reconduzindo aquela parte do passado à qual pertence. O deslocamento da pré-história esquecida para o presente ou para a expectativa do futuro é uma ocorrência regular, também no neurótico. Muitas vezes, quando um estado de angústia [*Angstzustand*] o deixa na expectativa de que algo terrível vai acontecer, ele apenas está sob a influência de uma recordação recalcada que quer chegar à consciência e que não pode se tornar consciente naquela época em que, de fato, algo assustador aconteceu. Quero dizer com isso que a partir de tais esforços com os psicóticos descobriremos muita coisa valiosa, mesmo se o sucesso terapêutico não acontecer.

Sei que não é apropriado tratar de um tema tão importante de modo tão superficial como fizemos aqui. Segui o atrativo de uma analogia. As formações delirantes dos doentes parecem-me equivalentes das construções que elaboramos nos tratamentos analíticos, tentativas de explicação e reconstituição, que sob as condições da psicose, aliás, só poderão levar a substituir aquela parte de realidade que é renegada [*verleugnet*] no presente por uma outra parte, que nos primórdios também foi renegada. Revelar as relações íntimas entre a matéria da recusa [*Verleugnung*] atual e o antigo recalque será tarefa do exame individual. Assim como a nossa construção só tem efeito por trazer de volta uma parte da história de vida perdida, o delírio também deve o seu poder de convencimento à porção de verdade histórica que ele coloca no lugar da realidade rejeitada. Desse modo, o delírio também se submeteria à frase que no passado eu usei apenas para a histeria, dizendo que o doente sofria de suas reminiscências. Nem naquela época essa fórmula resumida tinha a intenção de negar a complexidade da causação da doença, excluindo o efeito de tantos outros fatores.

Se abarcarmos a humanidade como um todo e a colocarmos no lugar de cada indivíduo humano, verificaremos que ela também desenvolveu formações delirantes inacessíveis à crítica lógica e que contradizem a realidade. Se, mesmo assim, elas puderem expressar um extraordinário poder sobre as pessoas, a análise levará à mesma conclusão que no caso de cada indivíduo. Elas devem o seu poder ao teor de *verdade histórica* que foram buscar lá no recalque dos tempos primordiais esquecidos.

380 OBRAS INCOMPLETAS DE S. FREUD

Konstruktionen in der Analyse (1937)

1937 Primeira publicação: *Internationale Zeitschrift für Psychoanalyse*, t. 23, p. 61-68

1950 *Gesammelte Werke*, t. XVI, p. 41-56

Dois dispositivos fundamentais se destacam na técnica psicanalítica, ao quebrar o silêncio do analista: as interpretações e as construções. Embora Freud tenha feito uso de construções em alguns casos clínicos publicados, notadamente no caso do Homem dos Lobos e no caso da jovem homossexual, é aqui que pela primeira vez ele tematiza de maneira sistemática a especificidade desse procedimento.

Nos últimos anos de sua atividade intelectual, Freud dedicou-se intensamente à elaboração de seu testamento clínico e teórico. A questão da transmissão da Psicanálise e de sua herança foi tratada sob diversos ângulos em textos tão diversos como o *Compêndio de psicanálise* ou *O homem Moisés e a religião monoteísta*. O presente ensaio pode ser visto, ao lado de "A análise finita e a infinita", como uma contribuição técnica desse legado.

Embora seja difícil precisar com certeza a quem Freud se refere no início do artigo como autor da crítica segundo a qual o analista tem sempre razão, vários nomes, de uma ou de outra forma, poderiam esposar tal asserção. Uma hipótese bastante provável é que se trataria de Havelock Ellis. É o que afirma Joseph Wortis, que relata ter ouvido essa informação da boca do próprio Freud, durante uma sessão. Mais tarde, nomes como Ludwig Wittgenstein e Karl Popper elaborariam argumentos análogos ao de Ellis.

O presente artigo pode ser visto como uma resposta, em alguns casos antecipada, à ideia de que o analista tem sempre razão. Ao tomar essa crítica em consideração, Freud acrescenta que o analista não toma o "não" do paciente por seu valor nominal, assim como também não se contenta com o "sim" como critério de validade. Apenas o próprio curso do tratamento pode fornecer "confirmações indiretas", que mostram ou não a correção da interpretação. O complexo estatuto da negação já tinha sido abordado no texto "A negação", em 1925.

A célebre analogia entre o trabalho do arqueólogo e do psicanalista fornece o tropo argumentativo do texto.

Por outro lado, ao explicitar que o "trabalho" do analista não se limita à interpretação do recalcado, Freud oferece subsídios para a perspectiva de autores que se dedicaram ao atendimento de pacientes que apresentam sofrimento psíquico distinto do neurótico.

FUNDAMENTOS DA CLÍNICA PSICANALÍTICA 381

KOFMAN, S. *Un métier impossible: lecture de "Constructions en analyse"*, 1983 WORTIS, J. *Fragments of an analysis with Freud.* New York: Simon and Schuster, 1954. • WITTGENSTEIN, L. *Lectures & conversations on Aesthetics, Psychology and Religious Belief.* Berkeley; Los Angeles: University of California Press, 1997.

NOTAS

[1] Em várias outras notas assinalamos casos em que a língua alemã dispõe de uma palavra de origem germânica e de outra de origem grega ou latina para designar aparentes sinônimos. Nesses casos, a palavra germânica tende a expressar algo de forma mais direta e cotidiana, ao passo que os termos greco-latinos remetem a um registro mais culto da língua, apontando muitas vezes para certo nível de abstração. É exatamente esse o caso aqui. Enquanto a palavra *Bau* é usada para designar uma construção como uma casa ou um edifício, por exemplo, o termo latino *Konstruktion* aponta para uma construção no sentido metafórico, algo psíquica ou intelectualmente elaborado. (N.R.)

[2] Significa, literalmente, "Cara eu ganho, coroa você perde", numa espécie de aposta ou jogo para ver quem sai vencedor. (N.T.)

[3] Referência à personagem do *Hamlet* de Shakespeare, ato II, cena I. (N.R.)

[4] Trata-se do capítulo V da *Psicopatologia da vida cotidiana*. (N.E.)

[5] Há aqui um jogo de palavras de difícil tradução. Freud escuta sob o nome *Jauner* o substantivo *Gauner*, algo como "malandro", "larápio", "bandido". Na fala vulgar de alguns dialetos alemães, é comum a troca do G pelo J. Portanto, Jauner e Gauner podem ser, eventualmente, homófonos. Na resposta em alemão, que tem a estrutura de um lapso, o colega de Freud responde que aquilo lhe parecia demasiado *jewagt*, quando o correto seria dizer *gewagt*, com G, significando "ousado". Optamos por acrescentar um G também em português, sendo o mesmo G de *Gauner*, lembrando a palavra "gozado", com a grafia incorreta "gousado", sendo, portanto, uma variação incorreta de "ousado". (N.T.)

[6] Johann Nepomuk Nestroy foi um conhecido autor austríaco de peças de *vaudeville*, bastante populares, que viveu de 1801 a 1862. Em suas comédias mirabolantes, costumava haver um triângulo amoroso, jogos de esconde-esconde para identificar o traidor e enredos assemelhados. Ao mesmo tempo, revelava mazelas sociais da época, em chave de comédia. (N.T.)

[7] O tema da "verdade histórica" foi tratado por Freud também em seu *O homem Moisés e a religião monoteísta*. Freud trabalhava na terceira parte do longo ensaio sobre Moisés quando redigiu o presente artigo. (N.E.)

POSFÁCIO
ORIENTAÇÃO FREUDIANA

Sérgio Laia

Os textos reunidos neste volume das *Obras incompletas de Sigmund Freud* perfazem uma extensa trajetória temporal, pois vão desde o que já se considerou como os primórdios (ou mesmo a "pré-história") da psicanálise até praticamente um dos últimos trabalhos publicados por aquele que a criou.

Essa extensão, além de se fazer ao longo do tempo, comporta ainda todo um processo de elaboração clínico-conceitual. O texto que abre esta coletânea, "Tratamento psíquico (tratamento anímico)", é de 1890 e explicita as especificidades do que é o processo terapêutico que Freud já procurava então apurar. Por sua vez, os dois últimos textos são "A análise finita e a infinita" e "Construções na análise", ambos de 1937: no primeiro, Freud, entre tantas outras importantes considerações, argumenta por que uma análise ao mesmo tempo é longa e, mesmo sem ser necessariamente permanente quanto a seus resultados, pode ser considerada eficaz; no segundo, ele explicita uma operação clínica – a chamada "construção" – que terá uma função decisiva no encaminhamento do fim de uma análise, por não se valer apenas das lembranças (ou seja, das representações do passado), por se pautar no que se perdeu sem deixar qualquer registro na realidade, mas que se impõe ainda na vida.

Os textos aqui reunidos apresentam também um endereçamento bem diversificado: destinam-se, como lemos em "O método psicanalítico freudiano", de 1904 [1905], a chamar a atenção para um método terapêutico então recente, ou, por exemplo, em "Recomendações ao médico para o tratamento psicanalítico" (1912) e "A questão da análise leiga" (1926), a zelar pela formação do analista, ou, ainda, como em "Caminhos da terapia psicanalítica" (1919 [1918]), a garantir o futuro da psicanálise, conclamando os analistas a renovarem-na frente à devastação provocada por uma guerra mundial e pela pobreza, antecipando suas intervenções no âmbito da hoje chamada "saúde pública".

Escrita sobre a água

Nessa ampla extensão temporal e clínico-conceitual e nessa variedade de destinos, uma orientação se sustenta e, parece-me, o título deste volume a apreendeu muito bem: trata-se de dar lugar, fazer valer e operar os *fundamentos da clínica*. Porém, conforme experimentamos no trabalho com esses textos e na nossa própria prática, provavelmente também tal qual Freud o terá provado criando e dedicando-se ao exercício da psicanálise, bem como na própria redação de sua obra, não é tarefa fácil *fundar* a clínica e, de modo especial, uma clínica como a psicanalítica. Afinal, nessa clínica, trata-se de intervir não exatamente sobre o que uma clínica médica discerne como sendo os "órgãos" do corpo, nem sobre o que os filósofos antigos abordavam como *psique* ou *anima* e que, após o século XIX, segundo perspectivas muito diferentes, profissionais marcados pelo prefixo *psi-* passaram a chamar de "mente", "psiquismo" ou "cérebro". Na clínica psicanalítica, tal como Freud já entrevê em 1890, no primeiro texto publicado neste volume, a intervenção se processa sobre as modificações que a "vida anímica" provoca no "corpo", mas da qual esse corpo também participa intensamente através dos "afetos" (p. 24), que, por sua vez, não se confundem com os chamados "sentimentos" nem com "manifestações físicas" do corpo. Afinal, a concepção freudiana de afeto designa um *quantum*, ou seja, uma quantidade que, sem ser propriamente mensurável ou quantificável, afeta, toca o corpo. Em outros termos, na clínica analítica, a intervenção se faz sobre uma espécie de matéria que concerne ao corpo sem ser propriamente orgânica e que toma vida sem se confundir com o que, sob diferentes perspectivas, é designado como "espiritual", "mental" ou "psíquico".

Como fundar, então, uma clínica, se a matéria sobre a qual e com a qual trabalhamos na psicanálise toma a dimensão de um objeto sem ser propriamente objetivável, dá lugar a um lugar que, por se apresentar mais como uma *fronteira*, não é exatamente localizável e, mesmo sendo capaz de aumentar ou de diminuir, produzindo tensões e alívios, não é efetivamente mensurável? Sabemos, inclusive, pela leitura de textos publicados aqui, como "Sobre a dinâmica da transferência", "Observações sobre o amor transferencial" e "A análise finita e a infinita", que a formulação e o manejo da transferência por Freud são decisivos para se fundar a clínica psicanalítica e sustentá-la, mas, também nesse viés, um novo paradoxo se impõe: a transferência, concebida como o investimento libidinal que cada analisando(a) faz em seu(sua) analista, é tanto "a força mais poderosa do sucesso" quanto o "meio mais forte de resistência" (p. 110), e, assim, ainda nesse viés, o que se apresenta como fundamento se mostra por demais fluido, cambiante, o que nos serve de apoio também se volta contra nós. Não é sem razão, portanto, que, em "A análise finita e a infinita", Freud declara: "temos a impressão de que não trabalhamos com argila, mas que escrevemos sobre a água" (p. 347).

Como, então, escrever sobre a água sem que o exercício mesmo de nossa clínica se dilua? Como dar corpo à experiência analítica se ela é marcada tanto pela mutação dos sintomas quanto pela permanência inexorável, inclusive frente à própria ação terapêutica, daquilo que "alguma vez ganhou vida" e "sabe se manter de forma tenaz" (p. 331)? São desafios assim que Freud se dispôs a enfrentar para fundar a clínica analítica e que, como analistas, a cada experiência com a psicanálise, continuamos enfrentando. Afinal, como é próprio à matéria com que operamos, tal fundamento se perfaz com Freud e, ao mesmo tempo, é contínua e diferencialmente reinventado por cada um que se dispõe a praticar a psicanálise e a se entregar à sua experiência.

Breve passagem por Heidegger

O título deste volume, *Fundamentos da clínica psicanalítica*, bem como o que Freud promove nos textos aqui reunidos, fizeram-me evocar o modo como, em alemão, o termo para "fundamento" (*Grund*) é bem próximo do que pode se apresentar como seu revés, isto é, do "abismo" (*Abgrund*). Assim, *Grund* "originalmente significava 'areia, solo arenoso, terra'", passou a ser correspondente também de "lote (de construção); campo; fundo, leito (de mar); fundação, profundezas, base; razão, causa", mas, ao ser escrito com o prefixo *ab-*, dá lugar à palavra *Abgrund*, que significa, literalmente, "terra indo para baixo", "profundezas insondáveis, abismo, fundo abissal".[i] Importante lembrar que o "fundo abissal" que podemos encontrar no termo *Abgrund* não tem nada a ver com a ausência ou a falta de fundamento, porque, para o *sem fundamento*, a língua alemã oferece-nos uma palavra diferente: *grundlos*.

Sabemos que Heidegger se valeu bastante dessa, digamos assim, *tensa proximidade* entre "fundamento" (*Grund*) e "abismo" (*Abgrund*), entre o que funda e ao mesmo tempo se esvai, dando lugar a um oximoro como *fundamento abissal* ou mesmo *fundo abissal*. Embora Freud escrevesse em alemão e, como sabemos, exercitasse essa língua como poucos,[ii] ele não explorou essa *tensa proximidade* existente

---

[i] Valho-me aqui, especialmente, do verbete "Fundo, fundamento e abismo", em: INWOOD, M. *Dicionário Heidegger*. Tradução de Luísa Buarque de Hollanda. Rio de Janeiro: Zahar, 2002 [1999]. p. 74-76.

[ii] Em seu primoroso trabalho de coordenador de tradução destas *Obras incompletas de Sigmund Freud*, Pedro Heliodoro Tavares tem oferecido vários parâmetros para que o leitor brasileiro ou de língua portuguesa possa comprovar o modo preciso como Freud opera e se deixa atravessar pelo alemão. Nesse contexto, além de reiterar o que já foi sustentado por outros tradutores brasileiros da obra freudiana e por um poeta-tradutor do quilate de Haroldo de Campos, esse coordenador também tem depurado essa faceta de Freud como uma espécie de mestre-artesão da língua alemã. Para a referência a Haroldo de Campos, recomendo: CAMPOS, H. O afreudisíaco Lacan na galáxia de lalíngua (Freud, Lacan e a Escritura). *Correio*, Escola Brasileira de Psicanálise, n. 18/19, p. 136-162, 1998 [1988]. Destaco, por fim, que essa *tensa proximidade* entre "fundamento" e "abismo" não deixa de aparecer, ainda que sem que o termo *Abgrund* ("abismo") seja citado como tal, na concepção freudiana do que é um "conceito fundamental" para a ciência e para a Psicanálise; ver especialmente os dois primeiros parágrafos de *As pulsões e seus destinos*. Recomendo, também, a leitura de um excelente estudo sobre a "metodologia" sustentada por Freud na formulação dos conceitos que são "fundamentais" para a clínica analítica: IANNINI, G.

entre *Grund* e *Abgrund*. Porém, minha hipótese é de que ele a realiza em ato, ao inventar a clínica psicanalítica e desejar fazê-la chegar até nós de modo que também passemos a desejá-la e fazer com que ela continue se transmitindo às gerações futuras.

No importante "Sobre a essência do fundamento" ("Vom Wesen des Grundes"), o ponto de partida heideggeriano é o *princípio da razão*, que em sua "fórmula vulgar e abreviada é: *nihil est sine ratione*, nada é sem razão (fundamento)" e, em sua "transposição positiva", significa "*omne ens habet rationem*, todo ente tem uma razão (fundamento)".[i] Desde o início desse texto, Heidegger problematiza tal princípio: por parecer "como um 'princípio supremo', recusar de antemão" o que poderia ser considerado como "*problema* do fundamento", pois – sem se ater antes ao que faz algo ser fundante, ou seja, sem se perguntar sobre a *essência* do fundamento – proclama que tudo tem fundamento, tudo tem razão e, portanto, faz com que se possa questionar se ele, ao se apresentar como um *princípio da razão*, é "um enunciado *sobre* o fundamento como tal".[ii]

Epistemologia da pulsão: fantasia, ciência e mito. In: FREUD, S. *As pulsões e seus destinos*. Tradução de Pedro Heliodoro Tavares. Belo Horizonte: Autêntica, 2014 [1915]. p. 91-133.

[i] HEIDEGGER, M. Sobre a essência do fundamento. In: *Conferências e escritos filosóficos*. Tradução, introdução e notas de Ernildo Stein. São Paulo: Abril Cultural, 1983 [1929]. p. 99. (Os Pensadores). Nessa citação, aparece o termo "ente", que Heidegger insistiu em diferenciar de "ser"; não se trata, neste Posfácio a textos freudianos, de explicitar tal diferença nem o que é "ser-aí" (*Dasein*), embora esse termo também vá aparecer mais adiante. Meu interesse, aqui, nessa "passagem por Heidegger", é apenas me servir de algumas de suas considerações sobre *Grund* (fundamento) e *Abgrund* (abismo). Para uma introdução mais detalhada a outros termos característicos da filosofia de Heidegger, recomendo: INWOOD. *Dicionário Heidegger*.

[ii] HEIDEGGER. Sobre a essência do fundamento, p. 99.

Além disso, continua Heidegger, em sua "transposição positiva", tal *princípio da razão* faz uma formulação "*sobre o ente*" tomando a "'razão' (fundamento)" como "ponto de vista", mas nada determina quanto "aquilo que constitui a essência do fundamento".[i]

Parece-me então possível já detectar, nessa problematização heideggeriana inicial sobre tal *princípio da razão*, o quanto a declaração de que tudo tem fundamento (*Grund*) nos leva, no sentido negativo dessa condução, ao abismo (*Abgrund*), por não tematizar previamente o que constitui o fundamento como fundamento. No final de "Sobre a essência do fundamento", Heidegger justifica o que me parecia possível detectar desde o início, pois afirma que "o princípio da razão continua perturbando a essência do fundamento e sufoca, na sua forma sancionada de princípio, uma problemática que sacudiria a ele mesmo",[ii] ou seja, a problemática de, sem antes discernir o que é fundamento, proclamar que nada é sem fundamento. Porém, é também no final desse texto que Heidegger me parece destacar uma proximidade entre fundamento (*Grund*) e abismo (*Abgrund*) que não se faz negativamente. Primeiro, porque esse filósofo afirma que "o fundamento tem sua desordem (*não essência*)",[iii] ou seja, o fundamento como o que dá lugar a uma ordem e organiza não deixa de comportar uma desordem, uma opacidade (a tal "não essência"). Além disso, será também afirmado que o fundamento "remonta à própria liberdade", que, "*como origem, se transforma ela mesma em 'fundamento'*", fazendo com que Heidegger a proclame como "*razão do fundamento*

---

[i] HEIDEGGER. Sobre a essência do fundamento, p. 99.

[ii] HEIDEGGER. Sobre a essência do fundamento, p. 124.

[iii] HEIDEGGER. Sobre a essência do fundamento, p. 124.

390 OBRAS INCOMPLETAS DE S. FREUD

(o fundamento do fundamento)", sem no entanto tomar esse processo como "uma 'iteração' formal sem fim"[i] que transformaria esse fundamento do fundamento, por exemplo, em um mero jogo de palavras, em um recurso retórico ou mesmo tautológico, como se passássemos de um "tudo tem fundamento" (fórmula do "princípio da razão") a um "nada tem fundamento".

Portanto, tomar a liberdade como "*a razão do fundamento* (o fundamento do fundamento)" implica um risco, porque, "enquanto *este* fundamento", a liberdade será tematizada por Heidegger como "o *abismo* [*Abgrund*] (sem fundamento) do ser-aí (*Dasein*)",[ii] da existência humana. *Abismo*, nesse novo contexto, não tem mais um sentido negativo, porque não se trata de conceber o "comportamento individual livre" como "sem razão de ser (*grundlos*)",[iii] ou seja, literalmente, *sem fundamento*. Trata-se de concebê-lo como fundado no próprio abismo que a liberdade é como *fundamento do fundamento*, porque "em sua ultrapassagem do mundo-projeção dos entes, o *Dasein* [ser-aí] deve ultrapassar-se a si mesmo para só então poder compreender-*se* como um abismo do fundamento a partir dessa elevação".[iv]

---

[i] HEIDEGGER. Sobre a essência do fundamento, p. 124-125.

[ii] HEIDEGGER. Sobre a essência do fundamento, p. 125.

[iii] HEIDEGGER. Sobre a essência do fundamento, p. 125.

[iv] Nesta passagem, utilizei uma tradução inglesa de a "Sobre a essência do fundamento" porque nessa versão para o inglês a referência ao "abismo do fundamento" é ainda mais explícita do que na tradução brasileira de Ernildo Stein: "*Yet in its world-projective surpassing of beings, Dasein must surpass itself so as to be able to first of all understand itself as an abyss of ground from out of this elevation*"; ver: HEIDEGGER, M. On the essence of ground. In: *Pathmarks*. Edited by William McNeill. Cambridge: Cambridge University Press, 2007 [1929]. p. 134. Na tradução brasileira dessa mesma passagem, por Ernildo Stein, temos: "o ser-aí deve, na ultrapassagem do ente que projeta mundo,

Ora, Heidegger, em sua tematização sobre a "essência do fundamento", interessa-se precisamente por essa "abissalidade do ser-aí",[i] que não deve ser confundida com uma falta ou uma ausência de fundamento, ou seja, como *sem fundamento* (*grundlos*). Em um posfácio a uma coletânea de textos de Freud, mesmo se ela se intitula *Fundamentos da clínica psicanalítica*, não me parece ser o caso de me aprofundar mais no que Heidegger elabora sobre o que tenho chamado aqui de "proximidade tensa" entre "fundamento" (*Grund*) e "abismo" (*Abgrund*), tampouco em sua concepção da liberdade. Entretanto, destacaria ainda que, segundo ele, essa "abissalidade do *ser-aí*" não se abriria para qualquer "dialética ou análise psicológica".[ii] Faço tal destaque, por um lado, porque, sem dúvida, ao se interessar por tal abissalidade, a filosofia heideggeriana vai se enveredar por caminhos que lhe são próprios e bem diferentes daqueles da psicologia e, por outro lado, porque a orientação, depreendida, por exemplo, dos textos reunidos no presente volume, também nos convoca a trilhar por um fundo abissal que cada analisando traz consigo como sendo também o mais estranho de si e incompatível tanto com qualquer "dialética ou análise psicológica" quanto com qualquer determinação absoluta de um fundamento para tudo.

Antes de retornar à orientação freudiana, parece-me importante ainda citar uma última vez Heidegger: "a não-essência (o elemento perturbador) do fundamento é [...]

---

ultrapassar-se a si mesmo para apenas então poder compreender-se como abismo a partir de sua elevação"; ver: HEIDEGGER. Sobre a essência do fundamento, p. 125.

[i] HEIDEGGER. Sobre a essência do fundamento, p. 125.

[ii] HEIDEGGER. Sobre a essência do fundamento, p. 125.

unicamente 'superada' no existir fático", ou seja, no que existe factualmente sempre vamos encontrar alguma superação do que perturba o fundamento, porém, essa "não essência", como elemento perturbador, "nunca" é "afastada".[i] Considero importante essa citação porque, quanto à clínica psicanalítica, a orientação freudiana é justamente a de sustentar que a superação das perturbações promovida ao longo da própria experiência analítica, almejada pelas recomendações destinadas aos praticantes da psicanálise e à própria formação de analistas, não afasta de modo nenhum a perturbação. Fundar a clínica analítica, fazê-la prosseguir e enfrentar novos desafios implica, portanto, dar lugar ao fundo abissal para, mesmo superando as perturbações, verificar também – como Freud o faz, por exemplo, em "A análise finita e a infinita" (p. 315-364) – que elas não são elimináveis e podem, portanto, em outros momentos fáticos, impor-se sem comprometer o que se conquistou ao longo de uma análise e sem desqualificar a eficácia do processo analítico.

Essa breve passagem por Heidegger, bem como o que derivo da experiência analítica e da leitura de "A análise finita e a infinita", permitem-me afirmar tanto que uma análise pode e deve chegar a um fim em sua existência fática quanto que, considerando que as perturbações jamais deixam de compor a dimensão real do que é vivo, há também a análise infinita não por ineficiência do processo psicanalítico, mas por uma coerência com relação à dimensão inevitável e imprevisível do que pode perturbar um corpo. Essa dupla e, sob alguns aspectos, contraditória afirmação tem a ver também com essa impressão freudiana, já citada aqui, "de que não trabalhamos com

---

[i] HEIDEGGER. Sobre a essência do fundamento, p. 125.

argila, mas que escrevemos sobre a água" (p. 347). Assim, é sobre um fundo abissal que construímos, desde Freud, a clínica analítica, porque a matéria com que lidamos é tão ou mais fluida que a água e não menos perturbadora que esse elemento líquido capaz de se imiscuir nas mínimas frestas e mesmo de furar o que é duro, firme e resistente.

Retorno a Freud

Se a clínica psicanalítica convoca-nos a escrever sobre a água, não é sem razão que Freud, em 1890, no primeiro texto deste volume, já sustentava que o então chamado "tratamento anímico" vinha "devolver à palavra pelo menos uma parte de seu antigo poder mágico" (p. 19). Em outros termos, por lidar com palavras e verificar seus efeitos na causalidade dos sintomas e nos modos como eles são tratados, a clínica analítica pode ser concebida como uma escrita sobre as águas porque a fala é, tão ou mais que a água, essa matéria ao mesmo tempo fluida e incisiva com que operamos. Nesse viés, embora Freud tenha colocado, no título mesmo desse texto, primeiro a expressão "tratamento psíquico" e, entre parênteses, "tratamento anímico", embora a palavra "psíquico" (muito mais que a "anímico") tenha se consolidado entre nós para designar, de modo geral, o âmbito no qual a psicanálise opera, parece-me importante que encontremos, no texto freudiano, essa referência ao "anímico".

Apesar de evocar o termo "alma", cuja forte conotação religiosa é sem qualquer incidência no fundamento abissal de onde Freud ergue sua clínica, considero o resgate do termo "anímico" valioso, na medida em implica o que anima, toma vida, ganha corpo. Certamente, como "psíquico" tem sua raiz no grego *psyché*, ele tampouco, nessa vertente etimológica, deixa de se associar ao que é princípio vital e toma o corpo. Entretanto, sobretudo a partir do século XIX, com a consolidação da psicologia e da psiquiatria, "psíquico" se torna muito mais equivalente do que hoje é qualificado de "mental". Essa redução contemporânea do "psíquico" ao "mental" deixa escapar nuances semânticas que o termo "anímico" conserva, nuances indispensáveis se quisermos apreender todo o alcance da inovação da clínica fundada por Freud. O célebre mito (bíblico, entre outras referências) do sopro que anima, vivifica e corporifica o que antes foi simplesmente modelado como "argila do solo" (*Gênesis*, 2, 7)[i] já me permite situar o quanto o "anímico" literalmente toma corpo, implica a vida e, portanto, não deve ser confundido com o que a psicologia e a psiquiatria consideram como "psíquico", "mental" ou mesmo "cerebral".

O "anímico" que interessa à clínica psicanalítica – diferente da concepção religiosa convencional da "alma" – não é separado do corpo nem lhe é superior. Porém, tampouco se confunde com o que é orgânico ou com o que seria abstrato, imaterial. Nesse contexto, considerando a orientação freudiana de que a clínica analítica devolve à palavra o poder que lhe atribuía a magia sem no entanto se apresentar como uma nova prática mágica ou religiosa, vale ainda relembrar o mito do sopro que anima, vivifica e corporifica porque é esse "hálito de vida" que torna o homem um "ser vivente" (*Gênesis*, 2, 7) ou, como preferiu traduzir Haroldo de Campos, uma "alma-de-vida" (*néfesh*)[ii]: por ter sido literalmente *soprado*, *insuflado*, esse

---

[i] A BÍBLIA de Jerusalém. Ed. rev. São Paulo: Paulinas, 1989. p. 33.

[ii] Segundo a nota de rodapé *u* de *Gênesis*, 2, 1, na *Bíblia de Jerusalém*, "ser vivente" é a tradução de *nefesh*. Assinalo que é justamente esse termo

hálito é o que sai da boca e, portanto, tem a ver com o que é falado e marca o corpo no qual ele ressoa.

Por nos exigir uma escrita sobre as águas e não sobre a argila, é instigante que, em "Sobre psicoterapia" (1905 [1904]) (p. 63-79), a clínica psicanalítica seja comparada ao procedimento com que Leonardo da Vinci designava a escultura, diferenciando-a da pintura. Considerando a peculiaridade de uma tal escrita, essa comparação pode parecer estranha, porque a pintura, ao se fazer com tintas, evocaria muito mais uma composição a partir de elementos líquidos, e a escultura, por sua vez, não deixa de se materializar em um elemento como a argila, que, embora moldável, não é exatamente fluido. Porém, a comparação freudiana entre analisar e esculpir não se vale das diferentes matérias com que pintura e escultura são compostas, mas de como são diferentes os dois procedimentos com que se realiza cada uma dessas manifestações artísticas: "a pintura [...] trabalha *per via di porre*", colocando "montinhos de tinta onde eles antes não existiam, na tela sem cores", ao passo que "a escultura [...] procede *per via di levare*, já que retira da pedra o necessário para revelar a superfície da estátua nela contida" (p. 67), e o método analítico também opera com a extração, a retirada. Por conseguinte, se operamos, na experiência analítica, uma espécie de escrita sobre as águas, não há como introduzir elementos onde eles não existiam, porque eles tenderiam a se diluir ou, ao contrário, talvez mesmo fixar o que é fluido. Ao contrário, trata-se de reduzir, extrair o que

---

que, em sua tradução do capítulo 1 do mesmo *Gênesis*, realizada por Haroldo de Campos, foi vertido como "alma-de-vida". Além da beleza dessa versão, foi sobretudo a junção dos termos "alma" e "vida" que me fizeram utilizá-la aqui. Ver: CAMPOS, H. *Bere'shith: a cena da origem (e outros estudos da poética bíblica)*. São Paulo: Perspectiva, 1993.

está de algum modo contido no que é fluido e pode mesmo, sem esse tipo de intervenção, torná-lo fixo. Graças a esse procedimento, a "incapacidade duradoura de viver" – marca destacada por Freud quanto àqueles que procuram uma análise – pode dar lugar, no transcurso do processo analítico, à capacidade "de viver a [...] existência de forma duradoura" (p. 71).

A clínica analítica, portanto, opera com a vida e para a vida, mas não sem desconhecer, enfrentar e localizar o que é mortífero e letal. Ainda assim, ela não é um simples combate da vida contra a morte, muito menos uma polarização maniqueísta entre o que é vivo e o que é morto. Nesse contexto, é instigante quando, em "Observações sobre o amor transferencial" (1915 [1914]), Freud compara o amor transferencial a um "espírito do submundo" que, uma vez invocado à superfície, não deve ser mandado de volta "sem ao menos lhe fazer uma pergunta" (p. 171). É também esse amor que faz Freud, nesse mesmo texto, destacar "o perigo desse método terapêutico" e comparar o analista ao químico, pois ambos lidam "com as forças mais explosivas" e para as quais se necessita "cautela e meticulosidade" (p. 179).

Se uma *doxa* psicanalítica ou mesmo o senso comum tenderam a tematizar a periculosidade do método analítico como a possibilidade de o analisando "se apaixonar" pelo analista ou tornar-se dele "dependente", a orientação freudiana é muito mais complexa e mesmo inquietante. Assim, na clínica analítica – e esta é mais uma demonstração de seu fundamento abissal – a "doença" não é um elemento a ser puramente expurgado nem um "assunto histórico", pois a repetição dos sintomas durante o próprio tratamento mostra-nos o quanto a "doença" é "uma potência atual" (p. 156) a ponto de, por exemplo, a neurose com que se chega a uma análise poder se transmutar no que Freud designou como *neurose de transferência*.

Essa transmutação, entretanto, não é equivalente à infecção que se corre o risco de contrair por ocasião de uma internação clínica em um hospital no qual se foi fazer algum tipo de intervenção cirúrgica ou terapêutica. Diferentemente da infecção hospitalar, não é a clínica analítica que pode fazer proliferar um quadro infeccioso até então inexistente em um corpo: se a doença a ser tratada em uma análise é, segundo a orientação freudiana, "uma potência atual", a clínica analítica apenas recolhe a atualização do que já se encontrava no corpo de quem a procura.

Daí a importância do que Freud concebeu como *manejo da transferência*. Esse manejo se vale do fato de que "a transferência cria [...] uma zona intermediária entre a doença e a vida, onde se dá a transição da primeira para a segunda" (p. 160). Trata-se de um "novo estado" que "assumiu todas as características da doença, mas representa uma doença artificial" – a neurose de transferência – "na qual podemos intervir em todo lugar" (p. 160). Mas consonante tanto com a periculosidade do método analítico quanto com a imiscuição do que é real na dimensão mesma do que "artificial", Freud também afirma que a neurose de transferência "é um pedaço da vivência real", permitindo-nos partir "das reações de repetição que se mostram na transferência" para percorrermos "caminhos já conhecidos" e que "levam ao despertar das lembranças que se instalam quase que sem esforço após a superação das resistências" (p. 160).

Por conseguinte, o analista não maneja a transferência como se ela lhe fosse um elemento "estranho" e assimilável a uma suposta "natureza doentia ou adoecida" de quem o procura para se analisar. Tampouco cabe-lhe provocá-la, como uma estratégia de sedução para as dificuldades a serem enfrentadas no tratamento ou para acolher melhor as dificuldades que levam alguém à experiência analítica. A orientação freudiana é de que devemos, como analistas, corporificar a transferência que nos é endereçada, porque, se "o controle dos fenômenos de transferência oferece as maiores dificuldades para o psicanalista", não deixam de ser "justamente elas que nos prestam o inestimável serviço de tornar manifestas e atuais as moções amorosas e esquecidas dos pacientes, pois, afinal, ninguém pode ser abatido *in absentia* ou *in effigie*" (p. 118). Em outros termos, o corpo do analista vai se apresentar, em sua presença na clínica, como uma espécie de instrumento sem o qual o enfrentamento dos sintomas se faria ao léu, sem qualquer fundamento, no puro abismo ou no mero deslocamento infinito de um sintoma a outro.

Mas é igualmente importante levar em conta o fundo abissal que o corpo do analista apresenta na transferência que lhe é dirigida. Por um lado, em textos como "Sobre a dinâmica da transferência" (1912) e "Lembrar, repetir e perlaborar" (1914), Freud almejou que – ao emprestar seu corpo à transferência – o analista permite abater o que não poderia ter esse fim "*in absentia* ou *in effigie*" (p. 118), assim como possibilita ao analisando aprofundar-se "na resistência que até então lhe era desconhecida, para *perlaborá-la*, superá-la, na medida em que ele, a ela resistindo, continua o trabalho de acordo com a regra analítica fundamental" da associação livre (p. 161). Por outro lado, em um texto mais tardio como "A análise finita e a infinita" (1937), o Freud que há quase duas décadas já formulara a pulsão de morte poderá então destacar a existência de "fenômenos residuais" relacionados à transferência em análises que já teriam chegado a seus respectivos fins, assim como a perturbadora incidência do "fator quantitativo" determinante para o que uma análise pode comportar de infinito porque, "às vezes", ela "realmente conseguiria desligar a influência da intensificação da pulsão, mas não com regularidade" (p. 330).

Desde os primórdios da psicanálise até os nossos dias, mas também, muito provavelmente, no futuro para o qual procuramos destiná-la, essa ausência de regularidade – derivada da impossibilidade de se desligar o impacto da pulsão nos corpos – é tomada como uma ineficiência da clínica analítica para tratar os sintomas que a ela se endereçam. Entretanto, essa ausência de regularidade quanto a tal desligamento ou, mais ainda, a impossibilidade de operá-lo designam efetivamente o que a vida tem de perturbador e de perigoso, bem como o que a clínica analítica não pretende eludir de seus fundamentos e de seus procedimentos.

Na história da psicanálise, essa problemática acerca dos fenômenos residuais de uma análise, derivada inicialmente do que o próprio Freud pôde constatar na retomada do tratamento daquele que ficou conhecido como o Homem dos Lobos ou, sob a forma de "transferência negativa", da própria análise de Ferenczi,[i] conhecerá um desdobramento importante, a meu ver, com Lacan. Poderemos então considerar que uma análise não operaria exatamente um desligamento, mas uma "retificação" do "estado de satisfação da pulsão",[ii] de modo que, ao final e mesmo "mais além da análise", um analisante encontraria

---

[i] Ver nota editorial de "A análise finita e a infinita", neste volume, p. 362. Para essa passagem relacionada à transferência negativa, ver p. 322.

[ii] LACAN, J. *Le séminaire. Livre XI: les quatre concepts fondamentaux de la psychanalyse*. Paris: Seuil, 1973 [1964]. p. 152.

outro modo de "viver a pulsão"[i] e a meta que esta sempre mantém de se satisfazer. Trata-se de uma perspectiva diferente daquela que consistiria em, mesmo sem garantia de regularidade, "desligar" a pulsão. Nesse outro modo de "viver a pulsão", encontraríamos o quanto a satisfação pulsional comporta uma opacidade que insiste ao longo de toda uma análise e ganha, com a análise, algum contorno, alguma localização, mas insiste sem qualquer possibilidade de desligamento ou apagamento: analisa-se, portanto, para se haver com uma satisfação que se reitera sem se deixar negativizar, porque ela é também, mesmo perturbando-os, o que confere vida aos corpos e implica uma parceria da qual não há propriamente como se livrar ou afastar.[ii]

A orientação freudiana, mesmo quando, muito pontualmente, parece vacilar quanto à impossibilidade de se domar a satisfação pulsional que perturba os corpos sob a forma de sintomas, não deixa de nos guiar hoje e sempre. Sabemos, por exemplo, o quanto um primeiro Lacan preconizou e realizou um "retorno a Freud" e que ele próprio esclareceu que "o sentido de um retorno a Freud é um retorno ao sentido de Freud".[iii] Por sua vez, se o último Lacan vai ressaltar "o equívoco da palavra

---

[i] LACAN. *Le séminaire. Livre XI: les quatre concepts fondamentaux de la psychanalyse*, p. 246.

[ii] Como já mostrava Freud em seu texto *As pulsões e seus destinos*, não há como fugir do impulso pulsional, porque ele é "interno" aos corpos, não se impõe "de fora"; ver: FREUD. *As pulsões e seus destinos*. Para a formulação do que há de não negativizável na satisfação pulsional que se apresenta no próprio sintoma, ver, por exemplo, MILLER, J.-A. *Perspectivas dos Escritos e Outros escritos de Lacan. Entre desejo e gozo*. Tradução de Vera Avellar Ribeiro. Rio de Janeiro: Zahar, 2011 [2008-2009]. p. 9-226.

[iii] LACAN, J. *La chose freudienne ou Sens du retour à Freud en psychanalyse*. Paris: Seuil, 1966 [1955]. p. 405.

sentido" na medida em que, além de sua dimensão semântica, ela designa também uma "orientação",[i] parece-me possível afirmar que mesmo a vacilação pontual que podemos encontrar em Freud é um modo de ele assinalar-nos sua aproximação do fundo abissal que sua clínica nos apresenta como ineludível para o exercício da psicanálise. Como a clínica psicanalítica procede, segundo Freud, *per via di levare*, trata-se então de extrair, inclusive desses momentos em que ele parece vacilar, uma orientação que não é outra senão aquela designada bem mais tarde como "orientação do real",[ii] ou seja, como o que endereça a clínica analítica rumo ao que é incurável e ingovernável na pulsação mesma da vida e que, com as palavras, ressoa nos corpos.

---

[i] LACAN, J. *O seminário, livro 23: o sinthoma*. Tradução de Sérgio Laia. Rio de Janeiro: Zahar, 2007 [1975-1976]. p. 112.

[ii] LACAN. *O seminário, livro 23: o sinthoma*, p. 115-124.

REFERÊNCIAS

O aparato editorial do presente volume apoiou-se nos principais aparatos críticos disponíveis em línguas estrangeiras, nas biografias mais conhecidas e em alguns dicionários temáticos.

APARATOS CRÍTICOS ESTRANGEIROS

LAPLANCHE, J. (Ed.). *Œuvres complètes de Freud*. Paris: PUF, 1988-2016. (Notices, notes et variantes de Alain Rauzy).

STRACHEY, J. Apparatus. In: *The Standard Edition of the Complete Psychological Works of Sigmund Freud*. Translated from the German under the General Editorship of James Strachey. Londres, 1956-1974.

DICIONÁRIOS E CONGÊNERES

ASSOUN, P.-L. *Dictionnaire des œuvres psychanalytiques*. Paris: PUF, 2009.

GRUBRICH-SIMITIS, I. *Zurück zu Freuds Texten*. Frankfurt am Main: Fischer Verlag, 1993. [Edição brasileira: *De volta aos textos de Freud*. Trad. Inês Lohbauer. Rio de Janeiro: Imago, 1995.]

HANNS, L. A. *Dicionário comentado do alemão de Freud*. Rio de Janeiro: Imago, 1996.

LAPLANCHE, J.; PONTALIS, J.-B. *Vocabulário de psicanálise*. Trad. Pedro Tamen. São Paulo: Martins Fontes, 1998.

ROUDINESCO, E.; PLON, M. *Dicionário de psicanálise*. Trad. Vera Ribeiro e Lucy Magalhães. Rio de Janeiro: Zahar, 1998.

TAVARES, Pedro Heliodoro. *Versões de Freud: breve panorama crítico das traduções de sua obra*. Rio de Janeiro: 7Letras, 2011.

BIOGRAFIAS

GAY, P. *Freud: uma vida para nosso tempo*. Trad. Denise Bottmann. São Paulo: Companhia das Letras, 1989.

JONES, E. *Vida e obra de Sigmund Freud*. Trad. Júlio Castañon Guimarães. Rio de Janeiro: Imago, 1998. 3 v.

ROUDINESCO, E. *Sigmund Freud: en son temps et dans le nôtre*. Paris: Seuil, 2014.

OBRAS INCOMPLETAS
DE SIGMUND FREUD

A célebre "enciclopédia chinesa" referida por Borges dividia os animais em: "a) pertencentes ao imperador; b) embalsamados, c) domesticados, d) leitões, e) sereias, f) fabulosos, g) cães em liberdade, h) incluídos na presente classificação, i) que se agitam como loucos, j) inumeráveis, k) desenhados com um pincel muito fino de pelo de camelo, l) *et cetera*, m) que acabam de quebrar a bilha". A coleção Obras Incompletas de Sigmund Freud é um convite para que o leitor estranhe as taxionomias sacramentadas pelas tradições de escolas e de editores; classificações que incluem e excluem obras do "cânone" freudiano através do apaziguador adjetivo "completas"; que dividem a obra em classes consagradas, tais como "publicações pré-psicanalíticas", "artigos metapsicológicos", "escritos técnicos", "textos sociológicos", "casos clínicos", "outros trabalhos", etc. Como se um texto sobre a cultura ou sobre um artista não fosse também um documento clínico, ou se um escrito técnico não discutisse importantes questões metapsicológicas, ou se trabalhos como *Sobre a concepção das afasias*, por exemplo, simplesmente jamais tivessem sido escritos.

A tradução e a edição da obra de Freud envolvem múltiplos aspectos e dificuldades. Ao lado do rigor filológico e do cuidado estilístico, ao menos em igual proporção, deve figurar a precisão conceitual. Embora Freud seja um escritor talentoso, tendo sido agraciado com o Prêmio Goethe, entre outros motivos, pela qualidade literária de sua prosa científica, seus textos fundamentam uma prática: a clínica psicanalítica. É claro que os conceitos que emanam da Psicanálise também interessam, em maior ou menor grau, a áreas conexas, como a crítica social, a teoria literária, a prática filosófica, etc. Nesse sentido, uma tradução nunca é neutra ou anódina. Isso porque existem dimensões não apenas linguísticas (terminológicas, semânticas, estilísticas) envolvidas na tradução, mas também éticas, políticas, teóricas e, sobretudo, clínicas. Assim, escolhas terminológicas não são sem efeitos práticos. Uma clínica calcada na teoria da "pulsão" não se pauta pelos mesmos princípios de uma clínica dos "instintos", para tomar apenas o exemplo mais eloquente.

A tradução de Freud – autor tão multifacetado – deve ser encarada de forma complexa. Sua tradução não envolve somente o conhecimento das duas línguas e uma boa técnica de tradução. Do texto de Freud se traduz também o substrato teórico que sustenta uma prática clínica amparada nas capacidades transformadoras da palavra. A questão é que, na estilística de Freud e nas suas opções de vocabulário, via de regra, forma e conteúdo confluem. É fundamental, portanto, proceder à "escuta do texto" para que alguém possa desse autor se tornar "intérprete".

Certamente, há um clamor por parte de psicanalistas e estudiosos de Freud por uma edição brasileira que respeite a fluência e a criatividade do grande escritor, sem se descuidar da atenção necessária ao já tão amadurecido debate acerca de um "vocabulário brasileiro" relativo à metapsicologia freudiana. De fato, o leitor, acostumado a um estranho método de leitura, que requer a substituição mental de alguns termos fundamentais, como "instinto" por "pulsão", "repressão" por "recalque", "ego" por "eu", "id" por "isso", não raro perde o foco do que está em jogo no texto de Freud.

Se tradicionalmente as edições de Freud se dicotomizam entre as "edições de estudo", que afugentam o leitor não especializado, e as "edições de divulgação", que desagradam o leitor especializado, procurou-se aqui evitar tais extremos. Quanto à prosa ou ao estilo freudianos, procurou-se preservar ao máximo as construções das frases evitando "ambientações" desnecessárias, mas levando em conta fundamentalmente as consideráveis diferenças sintáticas entre as línguas.

A presente tradução, direta do alemão, envolve uma equipe multidisciplinar de tradutores e consultores, composta por eminentes profissionais oriundos de diversas áreas, como a Psicanálise, as Letras e a Filosofia. O trabalho de tradução e a revisão técnica de todos os volumes é coordenado pelo psicanalista e germanista Pedro Heliodoro Tavares, encarregado também de fixar as diretrizes terminológicas da coleção. O projeto é guiado pelos princípios editoriais propostos pelo psicanalista e filósofo Gilson Iannini.

A coleção Obras Incompletas de Sigmund Freud não pretende apenas oferecer uma nova tradução, direta do alemão e atenta ao *uso* dos conceitos pela comunidade psicanalítica brasileira. Ela pretende ainda oferecer uma nova maneira de organizar e de tratar os textos.

A coleção se divide em duas vertentes principais: uma série de volumes organizados tematicamente, ao lado de outra série dedicada a volumes monográficos. Cada volume recebe um tratamento absolutamente singular, que determina se a edição será bilíngue ou não e o volume de paratexto e notas, conforme as exigências impostas a cada caso. Uma ética pautada na clínica.

Gilson Iannini
Editor e coordenador da coleção

Pedro Heliodoro Tavares
*Coordenador da coleção
e coordenador de tradução*

Conselho editorial
*Ana Cecília Carvalho
Antônio Teixeira
Claudia Berliner
Christian Dunker
Claire Gillie
Daniel Kupermann
Edson L. A. de Sousa
Emiliano de Brito Rossi
Ernani Chaves
Glacy Gorski
Guilherme Massara
Jeferson Machado Pinto
João Azenha Junior
Kathrin Rosenfield
Luís Carlos Menezes
Maria Rita Salzano Moraes
Marcus Coelen
Marcus Vinícius Silva
Nelson Coelho Junior
Paulo César Ribeiro
Romero Freitas
Romildo do Rêgo Barros
Sérgio Laia
Tito Lívio C. Romão
Vladimir Safatle
Walter Carlos Costa*

I - Psicanálise

- O interesse pela Psicanálise [1913]
- História do movimento psicanalítico [1914]
- Psicanálise e Psiquiatria [1917]
- Uma dificuldade da Psicanálise [1917]
- A Psicanálise deve ser ensinada na universidade? [1919]
- "Psicanálise" e "Teoria da libido" [1922-1923]
- Breve compêndio de Psicanálise [1924]
- As resistências à Psicanálise [1924]
- "Autoapresentação" [1924]
- Psico-Análise [1926]
- Sobre uma visão de mundo [1933]

II - Fundamentos da clínica psicanalítica
Publicado em 2017 | Tradução de Claudia Dornbusch

- Tratamento psíquico (tratamento anímico) [1890]
- O método psicanalítico freudiano [1903]
- Sobre psicoterapia [1904]
- Sobre Psicanálise selvagem [1910]
- Recomendações ao médico para o tratamento psicanalítico [1912]
- Sobre a dinâmica da transferência [1912]
- Sobre o início do tratamento (Novas recomendações sobre a técnica da Psicanálise I) [1913]
- Recordar, repetir e perlaborar (Novas recomendações sobre a técnica da Psicanálise II) [1914]
- Observações sobre o amor transferencial (Novas recomendações sobre a técnica da Psicanálise III) [1914]
- Sobre fausse reconnaissance (déjà raconté) no curso do trabalho psicanalítico [1914]
- Caminhos da terapia psicanalítica [1918]
- A questão da análise leiga [1926]
- Análise finita e infinita [1937]
- Construções em análise [1937]

III - Conceitos fundamentais da Psicanálise

- Cartas e rascunhos
- O mecanismo psíquico do esquecimento [1898]
- Lembranças encobridoras [1899]

410   OBRAS INCOMPLETAS DE S. FREUD

- Formulações sobre dois princípios do acontecer psíquico [1911]
- Algumas considerações sobre o conceito de inconsciente na Psicanálise [1912]
- Para introduzir o narcisismo [1914]
- As pulsões e seus destinos [1915]
- O recalque [1915]
- O inconsciente [1915]
- A transferência [1917]
- Além do princípio de prazer [1920]
- O Eu e o Isso [1923]
- Nota sobre o bloco mágico [1925]
- A decomposição da personalidade psíquica [1933]

IV - Sonhos, sintomas e atos falhos

- Sobre o sonho [1901]
- Manejo da interpretação do sonho [1911]
- Sonhos e folclore [1911]
- Um sonho como meio de comprovação [1913]
- Material de contos de fadas em sonhos [1913]
- Complementação metapsicológica à doutrina dos sonhos [1915]
- Uma relação entre um símbolo e um sintoma [1916]
- Os atos falhos [1916]
- O sentido do sintoma [1917]
- Os caminhos da formação de sintoma [1917]
- Observações sobre teoria e prática da interpretação de sonhos [1922]
- Algumas notas posteriores à totalidade da interpretação do sonho [1925]
- Inibição, sintoma e angústia [1925]
- Revisão da doutrina dos sonhos [1933]
- As sutilezas de um ato falho [1935]
- Distúrbio de memória na Acrópole [1936]

V - Histórias clínicas

- Fragmento de uma análise de histeria (Caso Dora) [1905]
- Análise de fobia em um menino de cinco anos (Caso Pequeno Hans) [1909]
- Considerações sobre um caso de neurose obsessiva (Caso Homem dos Ratos) [1909]

FUNDAMENTOS DA CLÍNICA PSICANALÍTICA   411

- Considerações psicanalíticas sobre um caso de paranoia relatado de forma autobiográfica [Dementia Paranoides] (Caso Presidente Schreber) [1911]
- História de uma neurose infantil (Caso Homem dos Lobos) [1914]

VI - Histeria, obsessão e outras neuroses

- Cartas e rascunhos
- Sobre o mecanismo psíquico dos fenômenos histéricos [1893]
- Obsessões e fobias: seu mecanismo psíquico e sua etiologia [1894]
- As neuropsicoses de defesa [1894]
- Observações adicionais sobre as neuropsicoses de defesa [1896]
- A etiologia da histeria [1896]
- A hereditariedade e a etiologia das neuroses [1896]
- A sexualidade na etiologia das neuroses [1898]
- Minhas perspectivas sobre o papel da sexualidade na etiologia das neuroses [1905]
- Atos obsessivos e práticas religiosas [1907]
- Fantasias histéricas e sua ligação com a bissexualidade [1908]
- Considerações gerais sobre o ataque histérico [1908]
- Caráter e erotismo anal [1908]
- O romance familiar dos neuróticos [1908]
- A disposição para a neurose obsessiva: uma contribuição ao problema da escolha da neurose [1913]
- Paralelos mitológicos de uma representação obsessiva visual/plástica [1916]
- Sobre transposições da pulsão, especialmente no erotismo anal [1917]

VII - Neurose, psicose, perversão

Publicado em 2016 | Tradução de Maria Rita Salzano Moraes

- Cartas e rascunhos
- Sobre o sentido antitético das palavras primitivas [1910]
- Sobre tipos neuróticos de adoecimento [1912]
- Luto e melancolia [1915]
- Comunicação sobre um caso de paranoia que contraria a teoria psicanalítica [1915]
- "Bate-se numa criança" [1919]
- Sobre a psicogênese de um caso de homossexualidade feminina [1920]
- Sobre alguns mecanismos neuróticos no ciúme, na paranoia e na homossexualidade [1922]

412   OBRAS INCOMPLETAS DE S. FREUD

- Uma neurose demoníaca no século XVII [1922]
- O declínio do complexo de Édipo [1924]
- A perda da realidade na neurose e na psicose [1924]
- Neurose e psicose [1924]
- O problema econômico do masoquismo [1924]
- A negação [1925]
- O fetichismo [1927]

VIII - Arte, literatura e os artistas
Publicado em 2015 | Tradução de Ernani Chaves

- Personagens psicopáticos no palco [1905]
- O poeta e o fantasiar [1907]
- Uma lembrança de infância de Leonardo da Vinci [1910]
- O motivo da escolha dos três cofrinhos [1913]
- Moisés de Michelangelo [1914]
- Transitoriedade [1915]
- Alguns tipos de caráter no trabalho analítico [1916]
- Uma lembrança de infância em "Poesia e verdade" [1917]
- O humor [1927]
- Dostoiévski e o parricídio [1927]
- Prêmio Goethe [1930]

IX - Amor, sexualidade e feminilidade
Publicado em 2018 | Tradução de Maria Rita Salzano Moraes

- Cartas sobre a bissexualidade (1898 -1904)
- Sobre o esclarecimento sexual das crianças [1907]
- Teorias sexuais infantis [1908]
- Contribuições para a psicologia do amor [1910]
  a) Sobre um tipo especial de escolha objetal no homem
  b) Sobre a mais geral degradação da vida amorosa
  c) O tabu da virgindade
- Duas mentiras contadas por crianças [1913]
- A vida sexual dos seres humanos [1916]
- Desenvolvimento da libido e organização sexual [1916]
- Organização genital infantil [1923]
- O Declínio do Complexo de Édipo (1924)
- Algumas consequências psíquicas da distinção anatômica entre os sexos [1925]
- Sobre tipos libidinais [1931]
- Sobre a sexualidade feminina [1931]

FUNDAMENTOS DA CLÍNICA PSICANALÍTICA   413

- A feminilidade [1933]
- Carta a uma mãe preocupada com a homossexualidade de seu filho (1935)

X - Cultura, sociedade, religião: O mal-estar na cultura e outros escritos
Publicado em 2020 | Tradução de Maria Rita Salzano Moraes

- A moral sexual "civilizada" e doença nervosa [1908]
- Considerações contemporâneas sobre guerra e morte [1915]
- Psicologia de massas e análise do Eu [1921]
- O futuro de uma ilusão [1927]
- Uma vivência religiosa [1927]
- O mal-estar na cultura [1930]
- Sobre a conquista do fogo [1931]
- Por que a guerra? [1932]
- Comentário sobre o antissemitismo [1938]

- **As pulsões e seus destinos [edição bilíngue]**
  Publicado em 2013 | Tradução de Pedro Heliodoro Tavares
- **Sobre a concepção das afasias**
  Publicado em 2013 | Tradução de Emiliano de Brito Rossi
- **Compêndio de Psicanálise e outros escritos inacabados**
  Publicado em 2014 | Tradução de Pedro Heliodoro Tavares
- **O infamiliar (edição bilíngue). Seguido de "O homem da areia" (de E.T.A. Hoffmann)**
  Publicado em 2019 | Tradução de Ernani Chaves e
  Pedro Heliodoro Tavares
- **Além do princípio de prazer (edição bilíngue)**
- **O delírio e os sonhos na "Gradiva" de Jensen. Seguido de "Gradiva" (de W. Jensen)**
- **Três ensaios sobre a teoria sexual**
- **Psicopatologia da vida cotidiana**
- **O chiste e sua relação com o inconsciente**
- **Estudos sobre histeria**
- **Cinco lições de Psicanálise**
- **Totem e tabu**
- **O homem Moisés e a religião monoteísta**
- **A interpretação do sonho**

Gilson Iannini

Psicanalista, filósofo, editor. Professor do Departamento de Psicologia da UFMG. Foi professor do Departamento de Filosofia da UFOP (1999-2017). Doutor em Filosofia (USP) e mestre em Psicanálise (Université Paris 8). Autor de *Estilo e verdade em Jacques Lacan* (Autêntica).

Pedro Heliodoro Tavares

Psicanalista, germanista, tradutor. Foi professor da Área de Alemão na USP entre 2011-2018. Atualmente é professor da UFSC, na Área de Alemão e no Programa de Pós-Graduação em Estudos da Tradução. Doutor em Psicanálise e Psicopatologia (Université Paris VII). Autor de *Versões de Freud* (7Letras, 2011) e coorganizador de *Tradução e Psicanálise* (7Letras, 2013).

Claudia Dornbusch

Tradutora, professora livre-docente aposentada da Área de Alemão (USP). Graduada em Letras Português-Alemão (UFF), mestre e doutora em Letras (Língua e Literatura Alemã) pela USP, onde atua no Programa de Pós-Graduação em Estudos da Tradução (TRADUSP) e no Programa de Língua e Literatura Alemã. Intérprete de conferências; tradutora pública; intérprete comercial.

Sérgio Laia

Professor Titular IV do Curso de Psicologia e do Mestrado em Estudos Culturais Contemporâneos da Universidade FUMEC (Fundação Mineira de Educação e Cultura); pesquisador apoiado pelo Conselho Nacional de Pesquisa e Desenvolvimento Científico (CNPq) e pelo Programa de Pesquisa e Iniciação Científica (ProPIC) da Universidade FUMEC; psicanalista; autor de *Os escritos fora de si* (Autêntica).

Copyright da organização © 2016 Gilson Iannini e Pedro Heliodoro Tavares
Copyright das notas editoriais © 2016 Gilson Iannini

Títulos originais: *Psychische Behandlung (Seelenbehandlung); Brief 242 an Fließ; Die Freudsche psychoanalytische Methode; Über Psychotherapie; Über "wilde" Psychoanalyse; Ratschläge für den Artzt bei der psychoanalytischen Behandlung; Zur Dynamik der Übertragung; Zur Einleitung der Behandlung (Weitere Ratschläge zur Technik der Psychoanalyse I); Erinnern, Wiederholen, Durcharbeiten (Weitere Ratschläge zur Technik der Psychoanalyse II); Bemerkungen über die Übertragungsliebe (Weitere Ratschläge zur Technik der Psychoanalyse III); Über fausse reconnaissance ("déjà raconté") während der psychoanalytischen Arbeit; Wege der psychoanalytischen Therapie; Die Frage der Laienanalyse. Unterredungen mit einem Unparteiischen; Die endliche und die unendliche Analyse; Konstruktionen in der Analyse.*

Todos os direitos reservados pela Autêntica Editora Ltda. Nenhuma parte desta publicação poderá ser reproduzida, seja por meios mecânicos, eletrônicos ou em cópia reprográfica, sem a autorização prévia da Editora.

EDITOR DA COLEÇÃO
Gilson Iannini

EDITORAS RESPONSÁVEIS
Rejane Dias
Cecilia Martins

ORGANIZAÇÃO, NOTAS E APARATO EDITORIAL
Gilson Iannini
Pedro Heliodoro Tavares

REVISÃO TÉCNICA E DE TRADUÇÃO
Pedro Heliodoro Tavares

CONSULTORIA CIENTÍFICA E REVISÃO DO APARATO EDITORIAL
Daniel Kupermann
Marcus Vinícius Silva

REVISÃO
Aline Sobreira

PROJETO GRÁFICO E CAPA
Diogo Droschi
(sobre imagem Sigmund Freud's Study – Authenticated News)

DIAGRAMAÇÃO
Guilherme Fagundes

Dados Internacionais de Catalogação na Publicação (CIP)
(Câmara Brasileira do Livro, SP, Brasil)

Freud, Sigmund, 1856-1939
    Fundamentos da clínica psicanalítica / Sigmund Freud ; tradução Claudia Dornbusch. – 2. ed.; 8. reimp – Belo Horizonte : Autêntica, 2024. – (Obras Incompletas de Sigmund Freud ; 6)

    Bibliografia
    ISBN 978-85-513-0198-2

    1. Freud, Sigmund, 1856-1939 2. Freud, Sigmund, 1856-1939 - Psicologia 3. Psicanálise I. Dornbusch, Claudia. II. Título III. Série.

17-02355   CDD-150.195

Índices para catálogo sistemático:
1. Clínica psicanalítica : Psicologia 150.195

Belo Horizonte
Rua Carlos Turner, 420
Silveira . 31140-520
Belo Horizonte . MG
Tel.: (55 31) 3465 4500

São Paulo
Av. Paulista, 2.073 . Conjunto Nacional,
Horsa I . Salas 404-406 . Bela Vista
01311-940 . São Paulo . SP
Tel.: (55 11) 3034 4468

www.grupoautentica.com.br
SAC: atendimentoleitor@grupoautentica.com.br

Este livro foi composto com tipografia Bembo Std e impresso em papel Off-White 70 g/m² na Formato Artes Gráficas.